Les Gardiens des pOrtes

ABBYGAELLE

LES GARDIENS DES PORTES

ABBYGAELLE

Sonia Alain

ADA
éditions

Éditeur : François Doucet
Révision linguistique : Isabelle Veillette
Correction d'épreuves : Nancy Coulombe, Katherine Lacombe
Conception de la couverture : Mathieu C. Dandurand
Photo de la couverture : © Thinkstock
Mise en pages : Sébastien Michaud
ISBN papier 978-2-89733-667-7
ISBN PDF numérique 978-2-89733-668-4
ISBN ePub 978-2-89733-669-1
Première impression : 2014
Dépôt légal : 2014
Bibliothèque et Archives nationales du Québec
Bibliothèque Nationale du Canada

Éditions AdA Inc.
1385, boul. Lionel-Boulet
Varennes, Québec, Canada, J3X 1P7
Téléphone : 450-929-0296
Télécopieur : 450-929-0220
www.ada-inc.com
info@ada-inc.com

Diffusion
Canada :   Éditions AdA Inc.
France :   D.G. Diffusion
                Z.I. des Bogues
                31750 Escalquens — France
                Téléphone : 05.61.00.09.99
Suisse :   Transat — 23.42.77.40
Belgique :   D.G. Diffusion — 05.61.00.09.99

Imprimé au Canada

Participation de la SODEC.
Nous reconnaissons l'aide financière du gouvernement du Canada par l'entremise du Fonds du livre du Canada (FLC) pour nos activités d'édition.
Gouvernement du Québec — Programme de crédit d'impôt pour l'édition de livres — Gestion SODEC.

Catalogage avant publication de Bibliothèque et Archives nationales du Québec et Bibliothèque et Archives Canada

Alain, Sonia, 1968-

    Les gardiens des portes
    Sommaire : t. 1. Abbygaelle -- t. 2. Alicia.
    ISBN 978-2-89733-667-7 (vol. 1)
    ISBN 978-2-89733-670-7 (vol. 2)

I. Alain, Sonia, 1968-   . Abbygaelle. II. Alain, Sonia, 1968-   . Alicia. III. Titre. IV. Titre : Abbygaelle. V. Titre : Alicia.

PS8601.L18G37 2014   jC843'.6   C2013-942577-2
PS9601.L18G37 2014

DÉDICACE

Pour mon mari, le seul homme qui ait su faire battre mon cœur avec autant d'amour et de passion, celui qui est présent à chaque instant de ma vie et qui sait si bien combler mon existence. Tu es mon phare indéfectible, mon meilleur confident, mon étincelle de bonheur et le rayon de soleil qui illumine mes journées. Je t'aime...

Remerciements

Je souhaite remercier mon mari, Sylvain, pour sa patience, ses encouragements et son soutien. Merci de me permettre de continuer à vivre mon rêve.

Merci à ma grande amie Marie-Josée, qui est presque une sœur pour moi, et qui ne cesse de m'encourager depuis si longtemps.

Je voudrais aussi remercier Catherine Bourgault, Lucille Bisson et Marie Potvin, qui ont été des correctrices hors pair. Grâce à elles, mon roman a été bonifié. Merci pour vos précieux conseils et votre temps.

Merci à Carole Faucher de l'Auberge du Mange Grenouille, qui a eu la gentillesse d'ouvrir son établissement juste pour moi pendant la saison close afin de me permettre de m'imprégner des lieux et de l'ambiance. Je garde un très bon souvenir de sa chaleur et de son accueil.

Et finalement, merci aux Éditions AdA de m'avoir donné la chance de réaliser encore une fois mon rêve avec cette nouvelle série fantastique. Merci de croire en moi.

PROLOGUE

Qu'est-ce qu'une légende? Des faits marquants transformés, ou bien des récits imaginaires, sortis tout droit de l'esprit fantasque d'hommes et de femmes disparus depuis longtemps déjà. Certains disent qu'à l'instar des contes ou des fables, les légendes renferment une part de vérité. Avec les générations, ces mythes auraient pris de l'ampleur, se déformant au gré des raconteurs. Néanmoins, une chose reste immuable : en dépit du fait qu'il existe différentes versions d'une même légende, il n'en demeure pas moins que les lieux, les personnages et les objets s'y rattachant conservent leur authenticité. Et si ces narrations populaires avaient puisé leur source à la base d'évènements réels? De quoi nous faire craindre le pire. Car même si certaines de ces histoires sont anodines ou inoffensives, d'autres par contre nous donnent froid dans le dos! Et si toutes ces chimères n'avaient rien de commun avec le folklore finalement... si c'était vrai...

D'un côté, nous avons donc les légendes, et de l'autre la société telle que nous la concevons, identique à ce que nous désirons. L'être humain est faible en soi; malgré cette faiblesse, il s'imagine au sommet de la chaîne alimentaire, suprême en tout. L'homme se considère comme logique, réfléchi, évolué et pragmatique. Lorsque des esprits libres dérogent de ce modèle standard, préférant plutôt croire que des forces occultes régentent leur existence, ils sont pointés du doigt, en plus d'être dénigrés. Pourtant, ces personnes sont souvent d'une intelligence extrême, voire clairvoyante. C'est seulement qu'elles sont plus sensibles, plus réceptives à l'Au-delà. Pour ces privilégiés, la vie ne se résume pas uniquement à la technologie, à l'argent et au pouvoir. La magie, le fantastique et les divinités font partie de leur quotidien. Tout est noir ou blanc, le mal ou le bien. Les légendes, la sorcellerie, les démons sont tous interreliés, gravitant autour du monde étrange auquel ils appartiennent. Pour le commun des mortels qui se veut rationnel, toutes ces histoires relèvent de l'imaginaire. Ont-ils tort de le penser ?

Septembre 1989 (Matane)

Pour la troisième fois en une heure, la petite Abbygaelle rejeta violemment tout le contenu de son estomac. Avec tendresse, sa mère, Viviane, releva sa longue chevelure, tout en déposant une main apaisante sur son dos. La voir aussi malade lui étreignait le cœur. Les choses ne pouvaient plus continuer de la sorte. Tour à tour, elle scruta les quatre métamorphes qui lui faisaient face, ainsi que la femme âgée qui les accompagnait. Plus que quiconque, c'était ce membre éminent du cercle des anciens qui la rendait nerveuse. Hyménée avait la réputation d'être la plus impitoyable. Selon la croyance populaire, le cercle des anciens se composait essentiellement d'un nombre restreint d'êtres suprêmes.

Apparemment, ceux-ci s'évertueraient, dans l'ombre, à maintenir l'harmonie entre les humains et les créatures mystiques qui peuplaient notre Terre.

Détaillant la douairière avec attention, Viviane déglutit avec peine. Tout en jetant un regard incertain vers son époux, Hadrien, elle se crispa. L'arrivée soudaine d'Hyménée dans leur humble demeure ne lui disait rien qui vaille. Pour sa part, jugeant que le silence s'était suffisamment éternisé, Hyménée s'approcha d'Abbygaelle. D'un geste gracieux, elle déposa une main frêle sur son front, puis ferma les paupières. Un léger sursaut ébranla la petite à son contact, puis elle s'amollit entre les bras de sa mère.

Marcus, le chef le plus puissant dans la communauté des métamorphes, plissa les yeux. Viviane le connaissait bien pour l'avoir souvent côtoyé. Malgré sa stature imposante et son air austère, il n'en restait pas moins loyal et pourvu d'un sens de la justice implacable. La confiance aveugle qu'elle vouait à Marcus ne l'empêchait pas moins de se méfier d'Hyménée. Marcus ne semblait d'ailleurs pas plus enchanté qu'elle du déroulement des choses. Elle le vit s'assombrir lorsque l'ancienne lui fit signe de le rejoindre. Ce fut à contrecœur qu'il frôla les tempes d'Abbygaelle. Ses yeux se rétrécirent pour ne former qu'une fente horizontale lorsqu'il entra en contact avec l'esprit de la petite. Il fit preuve d'une grande douceur afin de la ménager et maintint le lien entre eux plusieurs secondes avant de le rompre.

Viviane savait qu'il excellait dans l'art de manipuler les souvenirs des gens. Toutefois, elle n'ignorait pas non plus qu'il détestait faire usage de cette aptitude. Encore plus lorsqu'il s'agissait de jouer avec le psychisme d'un enfant. Elle lui en était d'autant plus reconnaissante. Comme eux tous, Marcus n'avait pas eu le choix. Il avait dû se plier à la requête d'Hyménée. Abbygaelle était unique. Elle possédait un don précieux, mais aussi extrêmement dangereux pour l'humanité... Quiconque connaissait les maléfices et les rites ancestraux pourrait, dans le futur et à travers sa fille, déchirer le voile qui séparait le monde des hommes de celui des démons. Lucurius, un renégat puissant à la solde de l'ange de l'apocalypse Abaddon, était en mesure de le faire, et c'était ce que craignait par-dessus tout le cercle des anciens.

Hadrien lui avait également appris que Marcus traquait Lucurius depuis fort longtemps déjà. Malheureusement, leur temps était compté. Même si pour l'instant la majeure partie des aptitudes d'Abbygaelle demeuraient en dormance, la situation changerait dès l'âge adulte. Ils avaient tout au plus une quinzaine d'années devant eux pour retrouver Lucurius et le mettre hors d'état de nuire. Si au moins Abbygaelle avait été une métamorphe, leur tâche aurait grandement été facilitée. En tant que gardien des portes, c'était à Marcus qu'incombait le rôle de la protéger. Par chance, il était secondé par Maximien, Daphnée et Florien, trois autres membres de son clan en qui elle avait entièrement confiance.

Portant à nouveau son regard sur sa fille de cinq ans, Viviane éprouva une frayeur sans nom. Comment Marcus et les siens parviendraient-ils à assurer sa protection si leur simple présence la rendait malade? À l'évidence, elle était trop sensible à leur nature sauvage. Après tout, n'étaient-ils pas mi-humain... mi-animal? C'était à n'y rien comprendre. Pourtant, lorsqu'elle était bébé, Abbygaelle n'avait ressenti aucun effet secondaire. Alors pourquoi depuis un an les choses empiraient-elles ? Les symptômes avaient commencé par de faibles crampes au ventre, puis s'étaient transformés en migraines, pour ensuite provoquer des vomissements violents. Ce fut en constatant qu'elle ne survivrait pas long-temps à ces répercussions que le cercle des anciens avait décidé de l'écarter du clan.

De son côté, Marcus éprouvait un étrange malaise. Il n'avait eu aucune explication de la part d'Hyménée pour justifier une intervention aussi radicale auprès de la petite. «Bon sang!» Pourquoi devait-il faire disparaître de la mémoire d'Abbygaelle jusqu'aux moindres souvenirs les concernant? Pourquoi ne pas prendre tout simplement un peu de recul tout en la gardant à l'œil? En agissant de la sorte, il isolait Hadrien, Viviane et Abbygaelle du reste du clan. Selon son point de vue, c'était suicidaire, surtout avec Lucurius qui la traquait.

Lançant un dernier coup d'œil en direction d'Hadrien, il devina les émotions contradictoires qui le tenaillaient. D'un côté, Hadrien souhaitait que sa fille soit protégée par les siens, mais de l'autre, il désirait l'éloigner pour lui permettre de recouvrer sa santé. Malheureusement, ils étaient à court d'options. Tout en fourrageant dans sa chevelure, Marcus soupira. Sur un signe de tête à l'attention d'Hadrien, il quitta les lieux en compagnie de Maximien, de Daphnée et de Florien. Hyménée s'attarda un bref instant avant de sortir à son tour. Le sort de la fillette était maintenant scellé, ainsi que celui de sa mère par la même occasion. Un des nom-breux dons d'Hyménée était de lire l'avenir. Elle avait vu des fragments du futur qui l'avaient grandement inquiétée.

❋ ❋ ❋

Juin 2009 (Cégep de Rimouski)

Ayant la désagréable impression que quelqu'un la suivait, Courtney Sinclair jeta un regard hésitant derrière elle pour la dixième fois depuis son départ du bar. Était-ce son imagination qui lui jouait des tours, ou bien avait-elle réellement entrevu une silhouette difforme à travers les branchages ? Étreinte par une peur viscérale, elle courait à perdre haleine. L'air frais de la nuit ne parvenait pas à rafraîchir son corps en nage, et ses genoux tremblaient sous l'effort fourni. Qu'est-ce qui lui avait pris de traverser le parc seule à une heure aussi tardive ?

Par chance, elle logeait au tournant du chemin boisé, non loin du campus. Courtney fut soulagée lorsqu'elle distingua une faible lueur qui s'échappait de la fenêtre de son salon. Alicia, sa colocataire, s'y trouvait donc déjà. Elle couvrit rapidement la distance qui la séparait des lieux sécurisants. Son cœur cognait violemment contre sa poitrine, et sa respiration se faisait de plus en plus laborieuse.

Elle gravit les marches deux par deux. En atteignant enfin le perron, des larmes de joie montèrent à ses yeux. Contre toute attente, la porte était verrouillée. Paniquée, elle saisit son porte-clés. Ses mains tremblaient tant qu'elle dut s'y reprendre à deux fois avant de réussir à rentrer chez elle. Aussitôt à l'intérieur, elle referma prestement la porte derrière elle et s'y appuya en cherchant son souffle. Ses jambes la supportaient à peine, si bien qu'il lui fallut patienter quelques secondes avant de pouvoir bouger. Il n'y avait aucune trace d'Alicia. À l'évidence, la jeune femme n'avait pas éteint au moment de quitter l'appartement. D'un pas chancelant, Courtney se dirigea vers sa chambre. En franchissant le seuil, elle releva la tête. Un cri d'effroi monta de sa poitrine lorsqu'elle croisa les yeux noirs de l'étranger qui venait de s'introduire chez elle par la fenêtre. Il avait un regard calculateur, cruel, glaçant. En trois enjambées, l'être abject fut près d'elle. Il apposa brusquement une paume gantée sur sa bouche afin d'étouffer son hurlement.

Le lendemain, Alicia se leva très tard après une nuit fort agitée qu'elle avait étirée jusqu'à l'aube en compagnie de ses deux amies, Hélène et Caroline. D'une démarche traînante, elle longea le couloir. Elle fronça les sourcils devant la porte close de la chambre de Courtney. C'était inhabituel, car son amie courait tous les matins. Alicia n'hésita qu'une fraction de seconde avant de se décider à frapper. Ne recevant aucune réponse, elle entrouvrit la porte.

— Debout, fainéante, lança-t-elle d'une voix atone. Il est…

Un hurlement d'horreur franchit ses lèvres lorsqu'elle avisa la scène. Son amie gisait, inerte, dans une mare de sang. Son corps avait été déchiqueté et ses membres formaient des angles anormaux. Ses yeux agrandis par la frayeur et sa bouche déformée par un rictus grossier laissaient tout deviner de l'enfer qu'elle avait traversé.

Alertés par ses cris, les voisins s'empressèrent de prévenir les autorités. Lorsque des policiers se présentèrent sur les lieux, personne ne répondit. Ils durent donc se résoudre à défoncer la porte d'entrée. Ils trouvèrent Alicia recroquevillée sur elle-même, tétanisée sur place. Le premier agent qui la rejoignit se pencha vers elle. Quand il tourna la tête vers l'intérieur de la chambre, un flot de bile remonta dans sa gorge. Il déglutit plusieurs fois avant de parvenir à réfréner des haut-le-cœur. Jamais en vingt ans de carrière il n'avait vu un tel carnage.

CHAPITRE I

La rencontre

Mai 2009 (Le Bic, petite ville tranquille située dans le Bas-Saint-Laurent)

Hadrien leva un regard mitigé vers l'homme qui lui faisait face. Il le connaissait très bien. D'aucun moment, Marcus ne se serait risqué à remettre en cause sa parole sans une bonne raison. Hadrien comprenait parfaitement bien l'enjeu actuel, mais ce que Marcus exigeait de lui le répugnait. En son âme et conscience, il ne pouvait se résoudre à replacer sa fille sous l'influence des métamorphes.

Devant son expression rébarbative, Marcus se rembrunit. Cette situation ne lui plaisait pas non plus. Il n'était pas homme à revenir sur une décision, à plus forte raison quand elle avait été prise des années auparavant. Cependant, plusieurs cadavres de jeunes femmes avaient été découverts. Ces jeunes filles étaient toutes mortes dans d'affreuses conditions et appartenaient à des familles qui ne leur étaient pas étrangères. Il était certain que ces meurtres étaient l'œuvre de Lucurius. Il cherchait Abbygaelle... Ce n'était plus qu'une question de temps avant qu'il ne la retrace. Hyménée avait été très claire lorsqu'il l'avait rencontrée à ce sujet : Florien, Maximien, Daphnée et lui devaient sortir de l'ombre pour assurer de nouveau la protection d'Abbygaelle.

Les évènements récents laissaient présager que Lucurius avait hérité d'Abaddon des pouvoirs sombres, voire substantiels. C'était du moins ce que craignait Hyménée. Marcus savait par expérience que cette vieille sorcière se trompait rarement. Même s'il ne la portait pas dans son cœur, il ne pouvait réfuter ses arguments. Il était donc impératif vu les circonstances qu'Hadrien abonde dans ce sens, sinon, il était prêt à le contraindre.

— Je suis tout à fait conscient des risques que court Abbygaelle en se retrouvant de nouveau sous notre tutelle, lâcha Marcus avec une pointe d'exaspération. Néanmoins, Hyménée m'a certifié qu'elle n'en souffrirait pas cette fois-ci.

— Tu la crois ? demanda Hadrien avec scepticisme.

— Je te mentirais en l'affirmant, soupira Marcus. Les anciens ont parfois une vision bien étrange des choses, plus particulièrement Hyménée.

À cet énoncé déclaré avec tant de froideur, Hadrien sentit une vague d'amertume monter en lui.

— Marcus, je refuse de la replonger dans ce calvaire. Elle est tout ce qu'il me reste.

— Il n'y a pas d'autre solution. Abbygaelle est désormais sous ma responsabilité, que tu le veuilles ou non. Comme vous tous d'ailleurs.

— Elle n'a rien à voir avec ceux du clan. Elle est comme moi.

— C'est faux ! Elle est différente. Rien ne pourra changer ce fait.

Vaincu, Hadrien ploya la tête sous l'accablement. Ne trouveraient-ils donc jamais la paix en ce monde ? Devinant ses tourments, Marcus enserra son épaule avec chaleur.

— Tu connais mon dévouement pour les miens. Je ferai tout ce qui est en mon pouvoir pour protéger Abbygaelle de Lucurius.

— Seras-tu à même de le combattre ?

Sous l'insulte, Marcus contracta la mâchoire. Fallait-il qu'Hadrien soit désespéré pour oser le confronter ainsi ? Il n'était pourtant pas dans ses habitudes de remettre en cause son autorité.

— Tu sais pertinemment que je suis le seul à pouvoir le contrecarrer, répondit-il d'une voix glaciale.

— C'est vrai ! Cependant, tu es celui qui avait le plus d'effet néfaste sur ma fille. Déjà lorsqu'elle était enfant, ta présence la rendait malade, alors que celle des autres ne faisait que l'indisposer. L'aurais-tu oublié ? Moi, non ! Je me rappelle très bien ! C'est la raison pour laquelle il avait été décidé que nous couperions tout contact avec la meute.

— Que crois-tu ? Je n'ai aucune envie de retenter l'expérience ! Sauf que nous n'avons plus le choix. Si je ne fais rien, Abbygaelle sera morte avant la fin de l'été. Est-ce ce que tu désires ?

À cette idée, Hadrien blêmit. D'une main tremblante, il se frotta les yeux. Entre deux maux, il se devait de choisir le moindre. D'un pas frénétique, il arpenta la pièce. Une fois sa décision prise, il fit face au métamorphe.

— Je me plierai à ta requête à une seule condition.

Nullement enchanté de se faire dicter sa conduite, Marcus s'assombrit en fronçant les sourcils. Toutefois, Hadrien demeura sur ses positions. Marcus était peut-être le chef du clan, mais Abbygaelle était sa fille.

— Parle! ordonna Marcus d'un ton tranchant qui fit ciller Hadrien.

— Je demanderai à Abby de passer ses vacances d'été avec moi. J'irai la chercher, prétextant qu'il me faut aller à Montréal pour y rencontrer quelqu'un dans le cadre de mon travail. Vous nous suivrez, mais sans vous faire remarquer. Agir autrement soulèverait trop de questions chez elle. Une fois qu'elle aura accepté mon invitation, je l'informerai de votre présence à tous les quatre. Vous serez ainsi en mesure de la surveiller sans éveiller ses soupçons. Quand le moment sera opportun, c'est moi qui vous présenterai à elle.

Marcus dut reconnaître que ce plan résolvait la plupart des problèmes de logistique. L'idée d'avoir Abbygaelle sous la main faciliterait grandement leur tâche. La nuit, ils pourraient aisément se relayer pour un tour de garde, alors que le jour, ils seraient tous auprès d'elle. Satisfait, il donna son accord à Hadrien. Restait seulement à espérer qu'Hyménée ne l'avait pas dupé... et que leur venue n'aurait aucun effet désastreux sur la jeune femme.

Juin 2009 (Montréal)

Il était tout près de 8 h lorsqu'Hadrien sonna à l'appartement de sa fille situé sur la rue de la Montagne. Il savait qu'elle n'aimerait pas être tirée du lit si tôt, mais Marcus avait été inflexible. Il désirait faire la route de jour, permettant ainsi à Abbygaelle de s'installer avant la pénombre. Il ne voulait prendre aucun risque la concernant. Le voyage vers Rimouski serait très long.

Quoiqu'angoissé, Hadrien était heureux de la revoir. Il en était à ces réflexions lorsque la porte s'ouvrit. Dès qu'Abbygaelle apparut, il l'étreignit avec force, lui administrant deux gros baisers sonores sur les joues. La jeune femme éclata d'un rire franc face à tant d'exubérance. Faisant un pas en arrière, Hadrien l'observa avec attention. Il fronça les sourcils devant les yeux cernés et le teint pâle de sa fille. Elle ne devait pas très bien dormir. Était-ce parce que Lucurius s'activait dans l'ombre ? Autant de questions qui pour l'instant restaient sans réponse. Il tenta de cacher ses craintes pour ne pas l'alerter.

— Apparemment, il te faudra une cure de repos, ne put-il cependant s'empêcher de dire, mi-taquin, mi-sérieux.

— Papa ! Tu viens à peine d'arriver !

Comme il ne semblait pas vouloir se dérider, Abbygaelle poussa un soupir théâtral. Avec entrain, elle saisit son bras et l'entraîna dans l'appartement.

— Je vais bien ! Je suis juste un peu fatiguée ! Après une bonne nuit de sommeil, il n'y paraîtra plus rien.

— Permets-moi d'en douter, Abby ! Autant dire que tu as une mine de déterrée, lança-t-il sans détour.

« Abby » ; ce diminutif la fit tiquer. Elle secoua la tête en levant les yeux au ciel. Même si elle n'était plus une enfant, son père s'entêtait à la surnommer ainsi. Sachant d'ores et déjà que c'était un combat perdu d'avance, elle haussa les épaules, résignée. D'un geste vif, Hadrien s'empara des bagages qu'elle avait déposés dans l'entrée. Avec empressement, il les rangea dans le coffre arrière de sa voiture en sifflotant un air enjoué. Il s'installa derrière le volant pendant qu'Abbygaelle verrouillait sa porte. Un bref coup d'œil dans son rétroviseur permit à Hadrien de vérifier que Marcus et les autres les suivraient. Rassuré, il démarra le moteur.

De sa position, Marcus ne rata rien de l'échange entre Abbygaelle et son père. Par Hadrien, il savait que la jeune femme était devenue une aventurière débordante d'énergie qui faisait contre mauvaise fortune bon cœur. Passionnée par les méandres du cerveau humain, elle prenait plaisir à observer les gens afin de décortiquer chacune de leur expression. Hadrien lui avait souvent raconté à quel point elle avait une façon particulière de fixer ses semblables, comme si d'un simple regard, elle parvenait à déchiffrer les secrets de leur âme. Ce qui était exact d'une certaine façon. En bas âge déjà, elle avait eu cette facilité à percevoir la véritable nature de ceux qui croisaient sa route. Il se rappelait très bien la dernière fois qu'il l'avait vue, quelques années plus tôt. Leur rencontre fortuite avait été très brève, mais il s'en souvenait bien. Elle n'était qu'une jeune fille à ce moment-là, rien de comparable avec la femme épanouie qu'elle était devenue. Contre toute attente, la revoir lui fit un choc. Pour la première fois depuis la mort de sa compagne, Agniela, bien des années auparavant, Marcus sentit l'animal qui sommeillait en lui se réveiller, et ce constat l'alarma.

❆ ❆ ❆

Afin de marquer l'évènement, Hadrien avait réservé deux chambres à l'Auberge du Mange Grenouille, un lieu d'hébergement de premier choix au Bic. La veille, lorsqu'il s'y était rendu, Hadrien avait apprécié l'ancien bâtiment qui était érigé tout en haut du havre. À l'arrière, on y avait une vue imprenable sur le fleuve Saint-Laurent, ainsi que sur les îles du coin. La demeure donnait l'impression d'avoir traversé le temps. Les murs rouge brique enjolivés de lucarnes blanches contrastaient agréablement avec la multitude de fleurs au pied de la longue galerie qui bordait la rue. Un cadre parfait pour des vacances.

À leur arrivée, Abbygaelle suivit son père avec entrain. En découvrant le décor empreint de romantisme de sa chambre, elle fut ravie. D'emblée, elle remarqua la chaise de style victorien et l'antique table ronde recouverte d'une nappe en dentelle. Elle effleura du bout des doigts le bois massif de l'une des colonnes du lit à baldaquin qui trônait au centre. Un sourire flotta sur ses lèvres quand elle se dirigea vers l'extrémité de la pièce. Une lourde tenture masquait la porte vitrée qui donnait sur le balcon arrière. Elle fut émerveillée devant la vue saisissante qui s'offrait à elle. Se retournant, elle repéra une lampe sur pied sculpté près du foyer, les différentes peintures au mur, ainsi que les moulures au plafond. Certes, ce n'était pas de gaieté de cœur qu'elle avait accepté de passer ses vacances en compagnie des collègues de travail de son père, mais du moins, l'auberge qu'il avait choisie pour eux était magnifique. C'était exactement le genre d'endroit rustique qu'elle adorait.

Lorsque son père déposa ses bagages au pied du lit, le plancher craqua sous ses pieds. Ils se trouvaient probablement dans l'une des parties les plus anciennes de l'auberge. Enchantée, elle embrassa Hadrien sur la joue. Ce dernier sourit avec enthousiasme.

— Je te laisse t'installer. Ce soir, nous souperons tous les deux tranquillement dans la salle en bas. Nous pourrons ainsi rattraper le temps perdu. Dès demain, tu feras la connaissance des autres. Nous avons prévu une petite escapade en forêt. N'aie crainte pour le déjeuner, car nous devons tous nous retrouver à la boulangerie les Folles Farines en début de matinée. Tu verras, leurs viennoiseries sont un pur délice !

Devant son expression gourmande, Abbygaelle éclata de rire. Apparemment, son père raffolait des pâtisseries de cet endroit.

— D'accord ! Ce plan de match me convient très bien.

Comme à regret, son père déposa un baiser affectueux sur son front, puis la quitta. Ce fut avec enthousiasme qu'elle entreprit de défaire ses bagages. Avant d'aller souper, elle gagna la salle de bain, où une baignoire antique sur pied trônait près d'une immense fenêtre à battant. S'emparant d'une huile richement parfumée, elle en fit couler un mince filet sous le jet, diffusant une douce fragrance de lavande dans l'air. Avec un soupir de contentement, elle se glissa dans l'eau après avoir laissé ses vêtements sur le carrelage.

❖ ❖ ❖

Ce soir-là, à quelques kilomètres de l'auberge, près du village de Causapscal, une communauté d'hommes et de femmes se regroupait à proximité d'une imposante croix de bois. Cet endroit, reculé de tout, avait jadis été un lieu de rencontre très convoité par leurs ancêtres. Nul ne connaissait leur existence. Depuis des siècles, ces adeptes du satanisme étaient demeurés dans l'ombre, à l'abri des regards. Tout comme eux, la confrérie avait pratiqué des messes noires par le passé dans le but d'invoquer les sept anges déchus. Les résultats s'étaient cependant avérés négatifs. Aujourd'hui, songea Lucurius avec satisfaction, les choses seraient fort différentes, puisqu'il avait en sa possession un atout majeur ; Abbygaelle Beauchenais, la clé de voûte qu'il attendait depuis si longtemps. C'était un évènement de la plus haute importance qui ne se produisait qu'une fois tous les millénaires. Ils pouvaient dorénavant tenter d'ouvrir un passage afin qu'Abaddon et sa horde de démons rejoignent leur monde sans entraves.

Le rite luciférien qu'ils s'apprêtaient à exécuter se déroulait habituellement par une nuit sans lune. Les participants, nus sous leur tunique, aspiraient à un dénouement positif cette fois-ci. En s'avançant vers le groupe, Lucurius brandit fièrement la coupe de sang qu'il tenait entre ses mains. Celle-ci contenait le fluide précieux de la malheureuse créature qu'il avait sacrifiée la veille : Courtney Sinclair. Il s'était délecté de la souffrance qu'il lui avait infligée. La terreur qui avait défiguré son joli visage avait été un puissant aphrodisiaque. Il l'avait possédée avec une telle sauvagerie qu'elle s'était brisée avant même qu'il ne l'évente. L'énergie qui s'était dégagée d'elle à ce moment-là avait été prodigieuse. Toutefois, il ignorait si ce serait suffisant pour ce qu'il s'apprêtait à faire. Tout comme les autres femmes qu'il avait traquées, elle n'avait pas été de taille pour s'opposer à lui.

Trempant un doigt dans le liquide pourpre, il traça un pentagramme inversé à l'intersection d'un carrefour, tout au pied de la croix. À sa demande, des bougies noires furent déposées à l'extrémité des cinq branches de l'étoile, puis allumées au rythme d'un chant guttural. Lucurius s'installa au centre du pentacle et se recouvrit le visage d'un masque hideux à l'effigie d'une bête diabolique cornue. Pendant que ses congénères se positionnaient tout autour du cercle en entrelaçant leurs mains, Lucurius se dévêtit. Il entama alors une danse imprégnée de luxure, puis d'un mouvement leste, il s'empara d'une poule noire et d'une dague qu'on lui tendait. Il saisit la volaille par les pattes, tête en bas, et raffermit sa prise sur le manche de la lame. Il sectionna l'animal en deux d'un geste sûr. Les membres qui l'entouraient furent éclaboussés au passage. La mine réjouie, il recueillit le sang dans un calice en or massif. Une fois remplie, la coupe se déplaça d'un adepte à l'autre, afin que tous puissent, à tour de rôle, y boire le fluide chaud. Le son endiablé d'une flûte suivi de celui d'un tambourin monta dans l'air. Comme un écho à la mélodie vive, les corps ondulèrent sensuellement. Un à un, les participants de la messe noire se départirent de leur tunique, alors qu'une ombre obscure s'élevait au centre du cercle, imprégnant l'âme sombre de chacun d'entre eux. Simultanément, un passage s'ouvrit entre leurs deux mondes.

Toutefois, le rituel avorta de lui-même dans un bruit fracassant. Des hurlements de rage retentirent au cœur de la nuit en réponse à cet échec. Les êtres maudits, trop longtemps prisonniers des ténèbres, tentèrent de traverser le portail malgré tout, mais sans succès. L'accès demeurait infranchissable, ce qui déchaîna leur fureur. En guise de représailles, la plupart des disciples furent déchiquetés par les griffes des anges déchus, juste avant que l'ouverture ne se referme totalement. Pour sa part, Lucurius eut tout juste le temps de lancer un maléfice pour se protéger et préserver quelques-uns des siens. Il profita de la confusion générale pour s'enfuir dans une voiture garée sur le bas-côté du chemin. Les quelques fidèles qu'il était parvenu à sauver gagnèrent à leur tour la protection d'une camionnette. Plus de la moitié des adeptes furent sacrifiés à sa cause ce soir-là, mais Lucurius n'en avait cure : il avait soif de pouvoir. Ce qui importait pour lui, c'était d'atteindre son but, sans égard pour les conséquences.

Apparemment, le sang de Courtney n'avait pas été assez puissant pour garder le portail ouvert. Il ne lui restait donc plus qu'une seule option : s'emparer d'Abbygaelle Beauchenais...

Au lever du jour, plus rien ne subsistait du rituel ; ni pentagramme, ni corps, ni objet d'aucune sorte. Lucurius s'était assuré que l'épuration des lieux avait été faite avant leur départ. Leur pratique devait demeurer secrète.

Lorsqu'Abbygaelle se réveilla le lendemain, la matinée était déjà bien entamée. Se préparer ne fut pas long, et ce fut d'un pas léger qu'elle descendit l'escalier qui menait au hall. Elle ne fut pas surprise de voir que son père l'y attendait patiemment. Il lisait son journal, confortablement calé dans l'un des fauteuils de l'entrée, tout en savourant un café. Abbygaelle ébaucha un bref sourire contrit avant de le rejoindre. Comme s'il avait senti sa présence, Hadrien releva la tête et l'observa avec attention. Il fut satisfait de constater qu'elle semblait avoir bien dormi.

Par la porte vitrée, Abbygaelle remarqua que quelques nuages demeuraient accrochés au bleu du ciel, annonçant une magnifique journée. Contrairement à Montréal, le début juin ne rimait pas avec été dans cette région du Québec, encore moins lorsque l'endroit se trouvait si près de l'embouchure du fleuve. Elle n'avait donc pas hésité à revêtir un jeans et à se couvrir d'un manteau léger.

— Bonjour, ma chérie! lança joyeusement Hadrien à son arrivée. Que dirais-tu d'une petite promenade?

— Après le trajet interminable d'hier, je ne rechignerais pas à me dégourdir un peu les jambes. En particulier si cette balade nous mène tout droit à cette boulangerie dont tu m'as vanté les mérites hier soir. Je dois avouer que j'ai très faim! s'exclama Abbygaelle d'une voix enjouée.

— Dans ce cas, ne tardons pas plus longtemps, lâcha Hadrien en lui adressant un clin d'œil complice. À cette heure, les propriétaires sont prêts à nous recevoir. Tu n'auras que l'embarras du choix! D'ailleurs, les autres s'y trouvent déjà.

Abbygaelle perdit un peu de son entrain à la perspective de rencontrer les collègues de travail de son père, mais se retint pourtant de le montrer. Elle savait que Florien, Maxime, Marcus et Daphnée étaient plus que cela. En fait, ils étaient devenus ses amis avec le temps, aussi étrange que ça puisse paraître.

Ils descendirent la rue Sainte-Cécile en bavardant gaiement de tout et de rien. Comme Les Folles Farines se situait tout près de l'auberge, ils mirent à peine quelques minutes pour s'y rendre. Arrivée devant les lieux, Abbygaelle scruta avec enchantement le bâtiment champêtre qui se révélait des plus ravissants avec ses murs d'un jaune vif et ses cadrages bleu foncé. En gravissant les marches de bois, elle huma l'air avec délice. Les effluves sucrés qui s'échappaient de l'endroit venaient chatouiller son nez tout en faisant gargouiller son estomac.

Hadrien salua dès son entrée plusieurs habitués déjà installés au comptoir. Abbygaelle nota avec amusement que ceux-ci lui renvoyèrent la main joyeusement. En s'avançant, elle aperçut un couple qui se trouvait en retrait tout au fond de la salle et qui se distinguait par son allure aristocratique. Pour les avoir déjà vus en photos, Abbygaelle reconnut Daphnée et Maximien. Son père lui avait raconté tant d'anecdotes à leur sujet qu'ils ne lui étaient pas totalement étrangers.

Dès qu'ils parvinrent à leur hauteur, Daphnée l'embrassa sans gêne sur les deux joues avec une simplicité désarmante, ce qui la mit aussitôt à l'aise.

— Abby, je suis si heureuse de te rencontrer enfin, s'exclama Daphnée.

D'emblée, son père s'approcha d'elle pour attirer son attention sur l'homme demeuré à l'écart.

— Abby, voici le compagnon de Daphnée, Maximien, déclara-t-il avec un soupçon d'inquiétude dans la voix.

Son inconfort passa inaperçu aux yeux d'Abbygaelle, mais fut remarqué par le principal intéressé. Maximien tiqua avant de s'avancer vers elle. En l'apercevant, Abbygaelle se rembrunit alors qu'un malaise s'installait en elle. Non que Maximien fît preuve d'hostilité à son égard, au contraire, il lui souriait avec chaleur. C'était seulement qu'elle avait l'impression qu'en sa présence, quelque chose de désagréable s'agitait au plus profond de son être. Légèrement indisposée, elle détourna le regard en lui faisant la bise afin de cacher son trouble. Au même moment, la porte d'entrée s'entrouvrit dans un joyeux tintement de cloches. D'emblée, l'attention d'Abbygaelle fut attirée par le nouveau venu : Marcus.

À la vue du stigmate qui recouvrait la moitié de son front, ainsi que sa tempe gauche et la partie latérale de sa joue, elle fut prise d'étourdissements. Légèrement nauséeuse, elle dut prendre appui au dossier d'une chaise pour ne pas chanceler. Pourtant, elle avait déjà vu sur photo la forme qui ressemblait vaguement à un croissant à quatre pointes fourchues et qui avait en son centre trois tavelures bien distinctes. Avec vigueur, elle se secoua dans une vaine tentative pour retrouver ses esprits. Relevant les yeux, elle remarqua avec embarras que les prunelles aussi noires que la nuit de Marcus la fixaient avec intensité. Il émanait de lui une énergie brute qui la déstabilisa. Elle chercha à refouler la terreur qui montait en elle, tel un raz-de-marée. « C'est ridicule ! Que m'arrive-t-il ? » se demanda-t-elle, confuse. En temps normal, elle cernait les gens qu'elle rencontrait presque du premier coup d'œil. Ce qui était d'ailleurs une de ses forces. Elle n'avait pas pour habitude d'éprouver de la répulsion à l'endroit de qui que ce soit. Pourquoi alors cet homme avait-il cet effet sur elle ? Elle n'était plus maîtresse de son propre corps, comme si on lui avait lancé un sort. Elle gémit faiblement en se rendant compte qu'elle n'arrivait plus à détacher son attention de lui. Deux émotions contradictoires s'affrontaient en elle : le désir de s'éloigner de lui et celui de se jeter contre son torse aux muscles bien définis.

Comme s'il avait perçu sa détresse, Marcus tressaillit à son tour, piqué à vif. Avec une rapidité effarante, il s'empressa de dissimuler ses yeux avec les verres fumés qu'il tenait à la main. Soudain délivrée de son regard presque sauvage, Abbygaelle se sentit précipitée dans le vide. Elle dut inspirer profondément à quelques reprises pour réfréner les battements désordonnés de son cœur. Un frisson la parcourut, et tout se mit à tanguer autour d'elle. Sur le point de s'évanouir, elle s'accrocha au bras de son père et chercha à juguler le mal de cœur qui menaçait de la terrasser. Sa pâleur arracha un froncement de sourcils à Marcus et aux autres. Inquiet, Hadrien se pencha vers elle.

— Abby ! Qu'est-ce qui t'arrive ?

Incapable de répondre, Abbygaelle vacilla. Elle se serait sans doute effondrée si Hadrien et Maximien ne l'avaient pas retenue par la taille. Jetant un coup d'œil succinct en direction de Marcus, Hadrien se crispa. Il était préférable qu'il éloigne sa fille pour le moment. Ils évalueraient ultérieurement ce qu'il convenait de faire dans ces conditions. Alors qu'ils allaient franchir le seuil de la porte, Marcus se déplaça de façon à leur libérer le chemin et frôla par inadvertance le poignet d'Abbygaelle. Cette dernière eut un mouvement de recul violent à son contact. Elle perdit pied sous l'intensité de l'émotion qui la foudroya d'un coup. Affermissant leur prise, Hadrien et Maximien l'entraînèrent à l'extérieur. Elle se laissa choir mollement sur l'une des marches et pencha sa tête entre ses jambes. Aussitôt, Maximien battit en retraite pour rejoindre Marcus. Toute trace de jovialité avait disparu de son visage, remplacée par une expression des plus inquiètes.

Des points lumineux dansaient devant les yeux d'Abbygaelle, et la voix de son père lui parvenait en sourdine. Avec douceur, celui-ci lui frotta le dos tandis que son malaise se dissipait peu à peu. Consciente de l'étrangeté de la situation, elle se redressa pour fixer son père avec embarras.

— Papa, je suis désolée pour ce qui vient de se produire. Je sais que tu attendais cette rencontre avec impatience, mais je me sens vraiment mal. Je crois qu'il serait préférable que je retourne à l'auberge.

— Je te raccompagne. Peut-être serait-il plus prudent de demander à Maximien ou à Marcus de nous ramener en voiture ?

À cette idée, l'estomac d'Abbygaelle se contracta de nouveau. Tout son être se rebiffait à cette seule perspective.

— Non ! s'écria-t-elle avec une pointe de désespoir. Ce n'est pas nécessaire ! Prendre l'air me fera le plus grand bien.

— Si c'est ce que tu désires.

Alors qu'elle se relevait avec lenteur, Hadrien fit un bref signe de tête à l'attention de Marcus et de Maximien, puis ils s'engagèrent sur le chemin du retour. Marcus demeura interdit. Plus que tout, il redoutait ce qui venait de se produire. Quelque chose n'allait pas. Abbygaelle n'aurait pas dû réagir aussi violemment à son contact. C'était pourtant ce qu'Hyménée leur avait affirmé deux mois plus tôt. Selon ses dires, le fait qu'Abbygaelle avait vieilli aurait dû la prémunir de toute réaction, mais c'était pire que par le passé. Qu'étaient-ils censés faire maintenant ?

Abbygaelle marchait en silence, absorbée par ses réflexions. Ses jambes tremblaient toujours, si bien qu'elle devait s'appuyer sur son père pour ne pas trébucher. L'esprit confus, elle peinait à s'y retrouver.

❄ ❄ ❄

Peu après le départ d'Hadrien et d'Abbygaelle, Marcus retourna à sa voiture d'une démarche vive. Tout dans son attitude dénotait son agitation. Dans le mutisme le plus complet, Maximien et Daphnée lui emboîtèrent le pas. Ils n'échangèrent aucune parole durant tout le trajet qui les mena jusqu'aux abords du parc national. La mine renfrognée de Marcus ne disait rien qui vaille. Il paraissait évident qu'il était troublé.

Une fois arrivé au terrain de stationnement, il freina brusquement, puis prit la direction d'un sentier peu fréquenté. Préférant s'enfoncer au cœur de la forêt avant d'entamer toute discussion au sujet d'Abbygaelle, Marcus garda le silence, convaincu que ses deux acolytes le suivaient. Il n'avait cessé de repasser dans sa tête ce qui venait de se produire, persuadé désormais que la jeune femme demeurait sensible à leur présence. Depuis le début, il avait éprouvé des réserves face à ce projet.

— Nom de Dieu! Hyménée s'est jouée de moi! grommela-t-il pour lui-même.

Pourquoi, dans ce cas, l'avait-elle induit en erreur? À l'évidence, elle poursuivait un but bien précis, mais lequel?

Marcus scruta les alentours en jurant. Jugeant qu'ils s'étaient suffisamment éloignés de toute civilisation pour parler discrètement, il fit volte-face. Il darda un regard perçant sur Maximien, qui devina d'emblée que quelque chose n'allait pas. Appréhendant le pire, il se renfrogna.

— Marcus, est-ce que tu peux m'expliquer ce qui vient de se passer? demanda Maximien d'une voix anxieuse. Pourquoi la fille d'Hadrien a-t-elle été affectée à ce point par ta présence?

Marcus cilla à ses paroles, comprenant parfaitement l'agitation de son ami. Toutefois, il lui fallait vérifier certaines choses avec Hyménée avant de fournir des réponses concrètes. D'ici là, il ne pouvait que spéculer.

— Il semble qu'Abbygaelle perçoit, d'une façon ou d'une autre, notre essence réelle. À l'instar des autres humains, elle n'est pas mystifiée par l'illusion que nous projetons. Néanmoins, elle ne saisit pas encore toute l'ampleur de ce que ses sens tentent de lui expliquer.

À ces mots, Daphnée retint son souffle. Elle n'était pas aussi vieille que Marcus et Maximien. Cependant, elle savait pertinemment que, pour leur propre sauvegarde, ils se devaient de demeurer discrets. Perdu dans ses réflexions, Marcus marcha de long en large, les poings serrés. Tout en fourrageant dans sa chevelure, il fit de nouveau face à Maximien.

— Je ne pense pas me tromper en disant que son instinct primaire s'est réveillé à notre contact, et davantage lorsque je suis arrivé. Ce qui est étrange d'ailleurs… J'espère qu'une fois le choc initial passé, ça s'atténuera. Étant donné les circonstances, ce serait même préférable.

« Diantre ! Autant dire que ce soit vital ! » songea-t-il avec amertume. Dans le cas contraire, Abbygaelle risquait de faire de leur vie un véritable enfer. Dans un soupir las, il se frotta les yeux.

— Il faut que je retrouve Hyménée… et vite, déclara-t-il brusquement. Je commence sérieusement à croire qu'elle a ourdi en secret un plan de son cru, enchaîna-t-il, cinglant.

— Tu envisages vraiment qu'elle ait pu placer Abbygaelle dans cette situation de façon volontaire ? s'exclama Daphnée avec consternation.

— Hyménée est prête à tout lorsqu'il s'agit de disposer ses pions sur l'échiquier, répliqua Marcus d'un ton dur.

Daphnée frémit. Jamais elle ne l'avait vu animé d'une telle rage. Elle se rapprocha de son époux, qui l'entoura de ses bras, la mine soucieuse. Il y avait très longtemps que Maximien n'avait pas aperçu le guerrier sanguinaire qui se cachait sous les traits de l'homme affable qu'était devenu Marcus. Le plus inquiétant, c'était qu'il ignorait si c'était une bonne chose. Marcus pouvait se révéler un adversaire redoutable, probablement le plus dangereux qu'il n'eut jamais rencontré dans toute son existence. Ce qui était peu dire…

Avec la finesse dont semblait faire preuve Abbygaelle, c'était risqué, songea Maximien. Est-ce que la jeune femme remarquerait la volonté et l'intelligence aiguë qui se reflétaient dans le regard sombre de Marcus ? Détecterait-elle sa puissance, ainsi que l'instinct de domination qui exhalaient de tous ses pores ? À quel point serait-elle submergée par son magnétisme lors de leur prochain face-à-face ? Son système aurait-il acquis un mécanisme de défense entre-temps ? Il l'espérait, car dans le cas contraire, la meute aurait un sérieux problème sur les bras.

— Cette histoire n'a aucun sens, murmura Maximien pour lui-même. Abbyaelle est sous notre protection depuis que Lucurius la recherche activement. Hyménée a été claire à ce sujet. J'ai pourtant de la difficulté à croire à la justesse de cette décision à la lumière des derniers évènements. Si nous ne prenons pas garde, elle pourrait nous exposer. De surcroît, elle semble beaucoup trop sensible à ta présence. Qui sait l'impact que ça pourrait avoir sur elle ?

— J'en suis conscient, déclara Marcus d'un ton sec. Cependant, elle est une clé de voûte. Je suis certain que Lucurius l'a déjà découvert. À l'heure actuelle, il est fort probable que ce monstre soit sur sa trace. Nous demeurons donc ses meilleurs atouts.

— C'est bien ce qui m'inquiète! maugréa Maximien.

Devant l'impertinence de cette affirmation, Marcus lui lança un regard noir qui le réduisit au silence. Marcus était un alpha, le plus puissant d'entre tous, et Maximien n'était pas assez stupide pour le confronter. Il entraîna Daphnée en réfrénant un soupir de mécontentement. Mieux valait retourner auprès des autres et laisser Marcus régler lui-même ce petit différent avec Hyménée.

❊ ❊ ❊

Déboussolée, Abbygaelle se reposait sur la terrasse arrière. Elle était installée sur l'une des chaises de bois rustiques, un bon roman entre les mains. Toutefois, son esprit était trop perturbé pour qu'elle parvienne à lire la moindre ligne. Après avoir relu trois fois la même phrase sans se souvenir d'un seul mot, elle abandonna. Elle promena un regard rêveur sur le paysage environnant, le bouquin sur les genoux. Son attention se fixa sur les îles du Bic qui se détachaient sur le ciel d'un bleu lumineux. La marée était basse, et elle apercevait ici et là quelques bandes de terre à l'endroit où la mer s'était retirée. L'air marin lui apportait un certain réconfort, ainsi que le bruit des vagues qui se fracassaient sur les rochers. Le cri des goélands qui planaient au-dessus de l'onde complétait le décor, alors que la brise du large faisait virevolter quelques mèches rebelles échappées de sa pince. De plus, le jardin de l'auberge était réellement magnifique avec les fleurs multicolores qui y poussaient en abondance. Elle ferma les yeux, goûtant à la quiétude des lieux.

Assoupie, elle n'entendit pas la personne qui s'approchait à pas feutrés. Son cœur rata un battement lorsque la nouvelle arrivante frôla son bras. Soulevant prestement les paupières, elle tourna la tête avec brusquerie. Toutefois, elle se détendit en reconnaissant Daphnée.

— Bonjour Abby! s'exclama celle-ci en s'assoyant à ses côtés. Comment vas-tu?

— Je vais mieux! Je suis vraiment désolée, j'ignore ce qui m'est arrivé à la boulangerie. Ce fut si soudain, si virulent.

— Marcus a tendance à faire ce genre d'effet sur la gent féminine, déclara Daphnée avec humour afin d'alléger l'atmosphère.

Abbygaelle prit le parti de rire avec elle de cette plaisanterie. Elle se sentait en confiance en compagnie de Daphnée.

— Je suis tout à fait d'accord avec toi! Il semble beaucoup trop rigide à mon goût.

— Il ne faut pas se fier aux apparences, souligna Daphnée en la fixant. Elles sont parfois trompeuses…

Sous son regard scrutateur, Abbygaelle s'agita. Au souvenir de la taille imposante de Marcus et de ses cheveux noirs comme une nuit sans lune, elle éprouva une langueur inaccoutumée. Cependant, la seule perspective de le revoir l'affola.

— Abby, est-ce que ça va? s'informa Daphnée en déposant une main légère sur son avant-bras. Tu es bien silencieuse tout à coup.

Abbygaelle se tourna dans sa direction, un peu confuse. Un vertige s'empara d'elle pour disparaître aussi soudainement qu'il était venu. Prenant conscience des doigts fins de Daphnée sur sa peau, elle fronça les sourcils. La chaleur qui s'en dégageait contrastait étrangement avec la fraîcheur du large. Soucieuse de lui changer les idées, Daphnée se lança sur un nouveau sujet.

— Ton père s'ennuyait beaucoup de toi, Abby ! Je dois te dire qu'il comptait même les jours avant ton arrivée.

À ces mots, le sourire d'Abbygaelle illumina son visage. Il aurait fallu être aveugle pour ne pas le remarquer. Depuis qu'elle avait accepté l'invitation de son père pour les vacances, ce dernier n'avait eu de cesse de lui proposer une panoplie d'activités. À l'écouter parler, ils n'auraient pas assez de deux mois pour tout faire.

— J'oubliais… déclara soudain Daphnée. Je t'ai apporté une petite surprise.

Devant la mine curieuse de la jeune femme, elle éclata de rire à nouveau. Abbygaelle était une véritable bouffée d'air frais. La moindre émotion se lisait sur son visage comme dans un livre ouvert. Avec satisfaction, Daphnée s'empara de la boîte qu'elle avait déposée derrière sa chaise à son arrivée.

— Étant donné que tu n'avais pas eu le loisir de goûter les merveilleuses pâtisseries de la boulangerie ce matin, je me suis dit que tu aimerais sans doute que je t'en ramène quelques-unes. J'ai pris un peu de tout, poursuivit-elle avec une note taquine dans la voix.

Abbygaelle la scruta avec attention. Décidément, Daphnée faisait preuve d'une sollicitude confondante. Avec ses cheveux d'un roux châtain relevés en un haut chignon, ses mèches bouclées qui encadraient ses pommettes délicates, elle était l'image même de l'assurance et de la douceur. De plus, son port altier, ainsi que ses manières et son langage raffiné renforçaient cette impression. À cause de sa peau crémeuse, de ses lèvres pleines et de ses yeux d'un brun lumineux, elle faisait à peine son âge. Tout en lorgnant en direction des pâtisseries, Abbygaelle fronça le nez. Daphnée sourit devant sa convoitise évidente.

— Voyons ce que renferme cet emballage, lâcha Abbygaelle d'une voix enjouée en levant le couvercle.

Elle avait l'embarras du choix. Tour à tour, elle examina le muffin aux framboises et au chocolat noir, la pâte feuilletée à la purée de pommes, la danoise à la noisette et au chocolat noir, la chocolatine, ainsi que le croissant fourré aux amandes et aux noisettes. Elle s'empara sans réfléchir du feuilleté aux pommes, mordant à pleines dents dans la pâte. «Ciel! Cette pâtisserie est divine!» Elle fondait littéralement dans la bouche.

Rassasiée, Abbygaelle observa Daphnée avec une expression enchantée. Consciente toutefois que c'était à elle maintenant de reprendre le fil de leur discussion, elle se risqua à s'étendre sur un sujet plus personnel.

— Merci d'avoir été présente auprès de mon père, Daphnée. Il n'a eu que des éloges sur vous tous. Depuis qu'il fait partie de votre petit groupe, il revit. Il s'était complètement refermé sur lui-même après le décès de ma mère, et mon départ pour l'université n'avait pas arrangé la chose. C'est si bon de le voir rire à nouveau. Je ne pourrai jamais assez vous remercier pour ça.

— Nous formons en quelque sorte une grande famille, déclara Daphnée d'une voix emplie de chaleur. Nous aimons beaucoup ton père, et toi aussi par la même occasion.

Daphnée devint tout à coup plus grave, ce qui ne manqua pas de surprendre quelque peu Abbygaelle.

— Tu es ce qu'il a de plus précieux au monde. À travers lui, nous avons appris à te connaître. D'une certaine façon, ton histoire est similaire à celle d'Adenora, la fille de Florien. Toutes deux, vous êtes orphelines de mère et fille unique. Tu sais, c'est vraiment du fond du cœur que nous t'offrons notre amitié.

— Je doute que ces sentiments s'appliquent également à Marcus, ne put s'empêcher d'affirmer Abbygaelle.

— Ne sois pas trop sévère envers lui. Il est consciencieux et dévoué à sa tâche. C'est un être généreux, altruiste.

— Il me semble pourtant l'antithèse de ce que tu avances.

— Ton manque d'enthousiasme m'inquiète! lâcha Daphnée avec humour. Espérons que Marcus saura te faire meilleure impression la prochaine fois.

Préoccupée par l'opinion arrêtée d'Abbygaelle, Daphnée fixa longuement la jeune femme avant de reprendre son discours avec un sérieux déroutant.

— Si tu veux un conseil d'amie cependant, évite ce genre de réflexion en présence d'Adenora. La petite a le béguin pour lui, au plus grand désarroi de Florien d'ailleurs. Non que Marcus l'encourage dans ce sens, au contraire. Sauf qu'Adenora est l'adolescente la plus entêtée que je connaisse. Ce qui crée à l'occasion certaines tensions au sein du groupe.

— Elle est à ce point pénible à vivre?

— En réalité, Adenora est assez intrépide. Je dirais même… survoltée. Ce qui lui cause parfois des ennuis. Son humeur est instable, si bien qu'il n'est pas toujours facile de traiter avec elle. Son père a d'ailleurs de plus en plus de difficulté à gérer ses crises d'identité. Tous ces problèmes sont en raison de son jeune âge. Elle ne se maîtrise pas entièrement, mais avec le temps elle devrait s'assagir. Du moins, je l'espère !

D'une manière ou d'une autre, il fallait que Marcus mette les choses au clair avec Adenora. La petite devrait se débarrasser de ses chimères une bonne fois pour toutes. Dans le cas contraire, leur mission risquait d'en souffrir. La situation était déjà assez épineuse, sans rajouter d'élément perturbateur. De toute évidence, Abbygaelle se méfiait de Marcus. Ce qui était inenvisageable. Marcus était un gardien des portes ; de par la responsabilité qui lui incombait, il se devait d'avoir un œil constant sur Abbygaelle. Daphnée devrait donc travailler avec finesse pour lui faire accepter sa présence à ses côtés.

— Abby, j'aimerais te dire quelque chose au sujet de Marcus avant que le reste du groupe nous rejoigne. Tu sais, sous ses manières un peu frustes se trouve un cœur tendre et généreux. Si tu l'observes avec objectivité, tu remarqueras qu'il cache une très grande souffrance derrière sa froideur. Il y a une lueur de tristesse qui assombrit son regard en permanence.

Daphnée mourait d'envie de lui révéler la vérité au sujet de Marcus. Il veillait sur Abbygaelle sans qu'elle n'en sache rien. Sans sa protection, elle serait vouée à une mort certaine. Toutefois, à voir l'expression rembrunie de la jeune femme, elle en déduisit qu'elle lui avait donné suffisamment de matière à réflexion. Satisfaite, elle se recula dans son siège, la mine songeuse. Un point la tracassait cependant. Maintenant que Marcus avait laissé transparaître sa vraie nature, elle ne savait que penser. Abbygaelle allait-elle être subjuguée, ou au contraire affolée à un point tel que tout rapprochement entre eux serait impossible ? Elle ne connaissait pas cette nouvelle facette de la personnalité de Marcus. Elle espérait seulement qu'il soit à même de contenir cette force brute qui s'était tout à coup réveillée.

Quant à Abbygaelle, elle réfléchissait toujours, tout en se mordillant la lèvre inférieure. De sa main droite, elle jouait avec une mèche de ses cheveux. Daphnée profita de son inattention pour la détailler. La jeune femme était mignonne avec sa longue chevelure bouclée d'un brun lumineux et ses pommettes hautes. Mais ce n'était rien en comparaison de ses prunelles aux teintes chaudes de marron et d'émeraude. Habillée d'un simple jeans délavé, ainsi que d'un chandail rayé, elle offrait l'image même de la fraîcheur et de la jeunesse.

Il était près de 19 h, et les volets ouverts laissaient entrer la lumière du jour, dévoilant une vue magnifique sur le boisé en contrebas. Des fleurs avaient été déposées dans un vase antique sur le rebord de la vitre. Abbygaelle lisait un passage tout particulièrement intéressant d'un roman. Elle était assise sur le fauteuil qui se trouvait sous la fenêtre de sa chambre. Appuyée sur un coussin, elle tenait son livre d'une main, alors que son autre reposait distraitement sur le haut de son buste. Ses cheveux, qu'elle avait relevés de façon négligée sur le dessus de sa tête après son bain, dégageaient son cou. N'ayant revêtu qu'un peignoir en tissu éponge, elle était à son aise pour cette pause détente.

Ce fut cette vision qu'eut Marcus lorsqu'il vint prendre son tour de garde dans le boisé, relayant ainsi Maximien. Par chance, la jeune femme ignorait qu'ils la surveillaient à tour de rôle. Depuis qu'Hyménée leur avait signalé qu'Abbygaelle courait un grave danger, ils étaient tous sur le qui-vive, Hadrien plus que quiconque. Il avait déjà failli perdre sa fille par le passé. Elle n'en avait réchappé que grâce au sacrifice de sa mère, ce qui avait été un rude choc pour lui. Marcus était parvenu à le calmer en lui assurant qu'il faisait de sa protection une affaire personnelle. Tant qu'il serait vivant, il ne permettrait à personne de poser la main sur elle, encore moins Lucurius. À cette pensée, il se hérissa, mais personne ne fut témoin de l'éclat animal qui brilla soudain dans ses prunelles. Humant l'air avec une attention accrue, il capta une faible fragrance de lavande.

La bête en lui s'éveilla aussitôt, attirée par cette odeur alléchante. Ainsi, ce côté sombre qui l'habitait avait décidé de revendiquer Abbygaelle comme sienne. Il se rebella derechef. Il était hors de question qu'il soit mené par cette partie primitive de son être, du moins, tant qu'ils avanceraient à l'aveuglette. Il avait tenté de rejoindre Hyménée tout l'après-midi, sans succès. Ce qui signifiait qu'il n'avait toujours pas une seule explication à la réaction démesurée de la jeune femme à son contact. Dans ces conditions, il lui fallait combattre son propre instinct. Cette dualité impitoyable avec lui-même minait considérablement ses forces, ce qui n'était pas recommandé en ces temps incertains. Lucurius était un adversaire redoutable et il était à la poursuite d'Abbygaelle. Marcus ne pouvait se permettre la moindre erreur. Il allait devoir laisser à l'occasion le chemin libre à cette facette sombre de son être s'il voulait garder un ascendant sur elle.

Dans le cas contraire, il courrait tout droit à sa perte. Étant donné les circonstances, il aurait mieux valu qu'il se tienne loin d'Abbygaelle, mais c'était impossible, du moins pas tant que Lucurius serait vivant.

Si la bête qui sommeillait en lui échappait à son emprise et prenait possession de son corps en l'évinçant, il ne ferait qu'une bouchée de la jeune femme. Il avait toujours réussi à maintenir un équilibre entre les deux entités qui cohabitaient en lui. Pour le bien-être de tous, les choses devaient demeurer ainsi. De combien de temps disposait-il avant d'atteindre le point critique? «Nom de Dieu! Que Lucurius soit maudit!» s'emporta-t-il. C'était par sa faute qu'il en était réduit à vivre ainsi! Il était condamné à évoluer sur la corde raide pour le restant de ses jours. Une éternité… et la ligne qui séparait l'animal de l'homme était si mince…

Parviendrait-il à préserver Abbygaelle de lui-même? Il l'espérait de tout cœur. Le fardeau qu'elle portait sur ses épaules sans le savoir était déjà assez lourd. Que n'aurait-il pas donné pour lui épargner le calvaire qui l'attendait?

Profitant du fait qu'ils étaient seuls, il décida de tenter une expérience sur la jeune femme. Il devait découvrir jusqu'à quel degré elle était sensible à son pouvoir. Il inspira profondément, permettant à la partie sombre qui l'habitait d'émerger sommairement. En une fraction de seconde, ses sens s'aiguisèrent à un point tel qu'il fut en mesure de percevoir la respiration lente d'Abbygaelle derrière la fenêtre close. Visiblement, elle était entièrement absorbée par sa lecture. Un sourire prédateur étira ses lèvres. Par petite dose, il projeta son pouvoir, l'imprégnant de ses phéromones. Contre toute attente, Abbygaelle réagit au quart de tour. Le roman qu'elle tenait entre ses mains glissa sur le sol dans un bruit sourd alors que son regard se troublait. Le rythme de son cœur s'emballa, la laissant pantelante. Rejetant la tête vers l'arrière, elle ferma les paupières. Galvanisé par sa réceptivité, Marcus la stimula davantage. En réponse, elle écarta les jambes, comme dans une invite muette à des attouchements plus intimes. Submergée par une onde de feu, elle crispa ses doigts sur le fauteuil. La fièvre dévastatrice qui s'empara d'elle fut si subite qu'elle balaya tout sur son passage. Par sa seule pensée, il donna l'impression à la jeune femme d'être caressée jusqu'au plus profond de sa féminité. L'effluve sucré de son désir l'imprégna tout entier, stimulant dangereusement son instinct de chasseur. Il ferait bien de mettre un terme rapidement à cette petite expérimentation, avant que la situation ne dégénère. De son côté, incapable d'enligner ses idées, Abbygaelle haletait tout en gémissant. D'elle-même, l'image de Marcus s'imposa à son esprit. Dans un murmure à peine perceptible, elle souffla son nom.

Au même moment, quelqu'un cogna à sa porte, rompant le lien de manière brutale. Par réflexe, Abbygaelle se releva avec empressement, puis trébucha sur son livre. Sur le point de tomber, elle s'accrocha à l'une des colonnes du lit. Elle en était encore à se demander ce qui lui arrivait lorsqu'on frappa de nouveau avec plus d'insistance.

— Abby ! Est-ce que tu es là ?

En reconnaissant son père, elle paniqua. Elle ne pouvait pas décemment se présenter devant lui dans cet état. Déjà qu'elle-même ne parvenait pas à comprendre ce qui s'était passé. Désorientée, elle se massa les tempes, en proie à la plus grande confusion.

— Abby ! Est-ce que tout va bien ? Abby…

Percevant la note d'inquiétude qui montait en crescendo dans la voix de son père, elle s'efforça de réfréner les battements précipités de son cœur.

— Papa, tout va bien! s'obligea-t-elle à répondre.

— En es-tu sûr?

— Oui, papa! J'étais seulement assoupie, mentit-elle, les joues en feu.

«Ciel!» Elle devait trouver un moyen de le convaincre de retourner en bas. Elle était encore trop chamboulée par ce qu'elle venait de vivre pour raisonner adéquatement. De plus, elle tremblait comme une feuille. À son plus grand soulagement, il redescendit après lui avoir indiqué de le retrouver dans le hall dès qu'elle serait prête. Lorsqu'elle fut certaine qu'il était reparti, Abbygaelle gagna la salle de bain afin de s'y rafraîchir un peu le visage. S'était-elle endormie? Incapable de répondre à cette question, elle se secoua. Elle devrait reporter à plus tard ses réflexions. Son père l'attendait pour rejoindre les autres sur la plage de Sainte-Luce pour une soirée agréable autour d'un feu de camp. Elle se rhabilla aussi vite qu'elle le put, puis enfila ses souliers de marche.

À l'extérieur, caché dans les fourrés, Marcus reprenait peu à peu ses esprits. Il contracta la mâchoire, le corps en feu, se maudissant pour sa négligence. Malgré son trouble, il s'assura qu'Abbygaelle était bien avec Hadrien avant de se diriger à son tour vers sa propre voiture. Il les suivit jusqu'à Sainte-Luce, la mine sombre.

Lorsqu'ils virent la plage, Abbygaelle avait retrouvé un semblant de sérénité, même si ses sens tardaient à s'apaiser.

Elle avait les nerfs à fleur de peau. Durant le trajet, elle avait fermé les yeux, incapable de soutenir une discussion. De son côté, son père avait remarqué qu'elle paraissait survoltée, en plus d'avoir le visage coloré. Apparemment, elle était perturbée par quelque chose, et il en était inquiet.

À leur arrivée, Hadrien constata que Marcus était absent, ce qui l'étonna. Il aperçut toutefois Maximien qui se tenait devant eux, un cellulaire à l'oreille. Le regard qu'il lança dans leur direction lui fit comprendre qu'il discutait avec le principal intéressé. Il nota aussi qu'il n'y avait aucune trace de Florien et d'Adenora. Probablement étaient-ils en patrouille dans les environs. La mine soucieuse, Maximien les entraîna vers le quai avec Daphnée. Hadrien savait très bien qu'il ne pouvait se permettre de le questionner en présence de sa fille, sous peine d'éveiller sa curiosité. Il rongea donc son frein.

Abbygaelle ouvrit la marche avec Daphnée. L'accueil affectueux que celle-ci lui réserva l'aida à se calmer. Lorsque Maximien s'approcha d'elle avec prudence pour lui faire la bise sur les joues, elle n'eut aucune réaction anormale. Sans doute commençait-elle à s'adapter à leur nature réelle. Inconsciente de leur soulagement, Abbygaelle profita de l'occasion pour échanger gaiement avec Daphnée. Elle était à l'aise en sa compagnie. Sans qu'elle s'en rende compte, ils se dirigèrent vers le quai. Une fois arrivée tout au bout, Daphnée retourna auprès de Maximien, la laissant seule à sa contemplation.

Un vent vif faisait virevolter quelques mèches de ses cheveux. Heureuse, Abbygaelle inspira l'air salé du large. Fermant les paupières, elle se laissa transporter par le bruit des vagues qui venaient se fracasser contre le quai. Parfois, une fine écume l'aspergeait au passage, lui arrachant un sourire ravi. En pressentant tout à coup une présence dans son dos, elle se retourna d'un bloc. Elle recula brusquement en découvrant Marcus à ses côtés. S'il ne l'avait pas rattrapé par la taille, elle serait probablement tombée dans la mer agitée tant sa surprise fut grande. D'une poigne ferme, il la retint captive.

Encore échauffé par l'épisode de l'auberge, Marcus peina à faire battre en retraite la bête qui cherchait à reprendre le dessus. Abbygaelle se crispa sous l'assaut de son pouvoir brut, le regard troublé. Fascinée par l'intensité de ses prunelles, elle se perdit dans l'immensité de ses deux puits sombres. D'emblée, tous les sens de la jeune femme se réveillèrent. D'instinct, elle plaqua les deux paumes contre son torse musclé. En réponse, Marcus resserra son emprise et la pressa contre son bas-ventre. Subjuguée par l'onde de désir qui affluait en elle, Abbygaelle entrouvrit les lèvres et renversa la tête vers l'arrière, ce qui attisa davantage la convoitise de Marcus.

Prenant tout à coup conscience de ce qui les entourait, il la relâcha brusquement en reculant d'un pas. Cependant, l'odeur entêtante d'Abbygaelle continuait de flotter dans l'air, chavirant ses sens déjà à vif. Préférant avoir recours à une manœuvre déloyale pour rompre le lien qui s'établissait entre eux malgré lui, il adopta une attitude pleine d'arrogance. Un sourire cynique se dessina sur sa bouche, alors qu'une expression méprisante s'affichait sur son visage.

— Fais attention, jeune étourdie, lâcha-t-il d'un ton sarcastique. Je répugnerais à devoir plonger dans les flots glacés pour te récupérer, poursuivit-il impitoyablement en la fusillant du regard.

À ces mots, Abbygaelle cligna plusieurs fois des yeux. Un froid mordant l'envahit. Douchée par sa réplique cinglante, elle se raidit en crispant les lèvres. Une rougeur embarrassante embrasa son visage. Mortifiée au-delà des mots, elle s'éloigna d'un pas rapide en direction de la grève. Il lui fallait mettre le plus de distance possible entre elle et ce goujat. Il ne la reprendrait pas de sitôt à ce petit jeu cruel. « Eh merde ! » Ces deux mois de vacances risquaient de se révéler éprouvants, beaucoup plus qu'elle n'aurait pu l'imaginer de prime abord. Frustrée, elle se débarrassa de ses souliers d'un geste rageur et les envoya valser au loin. Tout en enfonçant ses pieds dans le sable humide, elle s'obligea à se calmer. Elle devait à tout prix retrouver son sang-froid avant de faire de nouveau face à cet homme grossier.

CHAPITRE II

Fiction ou réalité ?

Le soleil déclinait peu à peu à l'horizon quand Florien et Adenora revinrent de leur patrouille. N'ayant rien trouvé d'anormal ou d'inquiétant, ils purent s'installer en toute quiétude autour du feu de camp pour profiter pleinement de la soirée. Abbygaelle, qui avait les yeux résolument fixés sur la mer, n'eut pas conscience de leur arrivée. De son emplacement, elle avait une vue imprenable sur le ciel paré de mille feux. Des roseaux s'embrasaient en avant-plan, baignés par la lumière d'un orange vif. Les mains enfouies dans les poches de son pantalon, elle semblait perdue dans ses pensées. Marcus, qui était debout près des flammes, ne pouvait détacher son regard de sa silhouette. Il savait qu'il l'avait profondément blessée. Toutefois, il ne voyait pas d'autres solutions, du moins pour l'instant. Il avait remarqué avec soulagement qu'Abbygaelle réagissait beaucoup moins violemment à sa présence : à peine avait-elle vacillé à son contact. Cependant, elle était extrêmement réceptive à son pouvoir, ce qui était loin de le rassurer. Il devait y avoir une explication rationnelle à ce phénomène. Étant donné les circonstances, il était plus prudent de garder une distance respectable entre eux, même si cela impliquait de la heurter. Il la contempla longuement, incapable néanmoins de détourner son attention d'elle. Elle le fascinait, comme nulle femme n'était arrivée à le faire par le passé. À cette perspective, un pli soucieux barra son front. Le visage soudain plus grave, il se raidit. Pourtant, bien malgré lui, il ne put s'empêcher d'être attentif à la moindre de ses réactions, ni de ressentir un puissant sentiment de protection à son endroit. Ce fut pourquoi, avant même qu'elle rejoigne le groupe, il sut qu'elle était frigorifiée. Il attendit en silence qu'elle soit assise sur le sable avant de venir couvrir ses épaules de son blouson de cuir.

Abbygaelle se crispa à son arrivée. Que lui voulait-il encore ? Accroupi derrière elle, il était si près que ses genoux frôlaient ses hanches. Elle demeura de marbre, le menton relevé en signe de défi, ne sachant quelle attitude adopter. Marcus ne put qu'admirer son cran. Dégageant son cou de ses cheveux d'une caresse légère, il se pencha vers elle.

— Tu es décidément très imprudente de t'exposer au froid du large à une heure si tardive, sans vêtements chauds pour te couvrir, murmura-t-il à son oreille d'un ton moralisateur.

Abbygaelle tourna la tête dans sa direction, piquée à vif, les yeux flamboyants de colère.

— C'est dans ta nature d'être aussi désagréable, ou bien est-ce seulement moi qui ai droit à ce traitement de faveur ?

Marcus éclata d'un rire bas qui la rendit nerveuse. « Bon sang ! » Il devait admettre qu'elle ne manquait pas d'aplomb, ni de répartie. Sans un mot de plus, il regagna sa place. Abbygaelle serra les dents, stoïque. Elle dut prendre sur elle-même pour ne pas lancer le manteau à bout de bras, et inspirer trois fois avant d'arriver à se calmer. Se faisant, elle capta l'odeur boisée qui se dégageait du vêtement de Marcus. D'emblée, tout se mit à tourner autour d'elle. Les paupières closes, elle tenta de se recomposer une attitude, mais ce fut pire encore. Elle croisa alors le regard de Marcus. Il semblait avoir tout deviné du trouble qui l'agitait. Derechef, un sourire mystérieux se dessina sur ses lèvres. Lorsqu'il hocha la tête en guise de salut, elle détourna les yeux. Tant qu'il se tenait à une distance respectable, Abbygaelle n'avait rien à craindre de lui. C'était du moins ce qu'elle s'imaginait. Mais la bête qui sommeillait en Marcus désirait jouer avec sa proie, se délectant d'avance de la voir se débattre en vain pour lui échapper.

Sans savoir ce qui se passait, Daphnée s'approcha d'Abbygaelle. Lorsqu'elle lui présenta Florien et Adenora, cet intermède eut l'avantage de lui changer les idées. Malgré la noirceur environnante, Abbygaelle pressentit que Florien était à l'image de ce qu'elle croyait. C'était sans contredit le patriarche du groupe, et un homme discret. En revanche, Adenora lui apparut comme une jeune fille capricieuse et agressive.

Marcus s'éclipsa en douce pendant cet échange. Quand Abbygaelle remarqua son absence, elle devint nerveuse. Même si elle ne l'apercevait pas, elle sentait son regard braqué sur elle, ce qui exacerbait ses sens au plus haut point. Elle tenta de se concentrer sur les plaisanteries que faisait Maximien, ainsi que les histoires que racontait Florien, mais sans succès. Conscient de son inconfort, Hadrien vint s'asseoir à ses côtés tout en l'attirant à lui. Bien à l'abri dans son étreinte paternelle, elle porta son attention sur les flammes. Le contraste de la chaleur du feu sur son visage conjugué au froid humide dans son dos lui arracha quelques frissons. Désireux de lui changer les idées, Hadrien lui proposa une petite promenade sur la grève. Enchantés par cette suggestion, Daphnée, Maximien et Florien se joignirent à eux, laissant Adenora seule.

À peine Abbygaelle venait-elle de se lever que Marcus se matérialisait soudain à côté d'elle, la faisant sursauter. D'un signe de tête discret, il indiqua à Hadrien de prendre les devants avec sa fille. De cette façon, il pouvait surveiller la jeune femme et l'observer à loisir. Abbygaelle percevait très bien sa présence derrière elle, si bien qu'elle ne put s'empêcher de jeter un coup d'œil furtif par-dessus son épaule. En constatant qu'il avait le regard braqué sur sa nuque, elle trébucha, se rattrapant de justesse au bras de son père.

Ce fut dans ce climat électrique qu'ils parvinrent jusqu'au petit cimetière qui bordait la plage. Intriguée par la silhouette des tombes anciennes qui se détachaient sous le ciel étoilé, Abbygaelle entraîna son père vers l'arche de pierre qui tenait lieu d'entrée. Mal à l'aise, il la suivit, non sans avoir fixé Marcus d'une étrange façon. Ce dernier lui fit un signe de tête discret avant de s'arrêter. Mis à part Hadrien, aucun membre du groupe ne se risqua à fouler la terre consacrée. Toute à son exploration, Abbygaelle n'y prit pas garde. Ce ne fut qu'au bout d'un certain temps qu'elle constata qu'ils étaient seuls. Elle scruta les environs, les sourcils froncés. Pressentant un flot de questions, Hadrien chercha à attirer son attention sur un mausolée qui datait du début des années 1800, mais sans succès.

— Où sont les autres ? demanda-t-elle sans détour.

— Daphnée et Maximien en ont profité pour s'éclipser en tête-à-tête, mentit-il avec un certain inconfort après un bref moment d'hésitation.

Par chance, Abbygaelle n'était pas en mesure de déchiffrer son expression dans la pénombre. Cependant, sa voix avait dû le trahir, car elle se rapprocha de lui.

— Où sont Florien et Marcus ?

— Florien est retourné auprès de sa fille. Quant à Marcus... je l'ignore.

— Hum ! Je vois ! Cet homme est étrange, papa !

— Quel homme, ma chérie ? Si tu fais référence à Florien, tu n'as pas à te préoccuper. C'est un excellent gestionnaire.

— Papa ! s'impatienta Abbygaelle. Je ne parle pas de ton patron. Le peu que j'en ai vu ce soir me porte à penser qu'il semble en effet digne de confiance. Même chose pour Maximien et Daphnée. C'est de Marcus que je me méfie. Tu es sûr que tout va bien de ton côté ? Je sais que tu travailles sur le terrain avec lui, je veux être certaine qu'il te traite convenablement.

— Abby, je t'assure ! Marcus est quelqu'un d'intègre et de très bonne compagnie. Je n'ai pas à me plaindre à ce sujet !

La jeune femme croisa ses bras sur sa poitrine, fixant son père d'une drôle de façon. «Pourquoi est-ce que tout le monde s'accorde pour décrire Marcus comme quelqu'un de louable ?» se demanda-t-elle avec scepticisme.

— Tu es persuadé de ce que tu avances ? Il n'exerce aucune pression sur toi ?

— Pas du tout ! Où vas-tu chercher de telles idées ?

— Honnêtement, l'image que tu me dépeins ne cadre
pas vraiment avec l'opinion que je me suis faite de lui. Il
m'apparaît plutôt comme un être froid et intransigeant.

— Laisse-lui le temps de faire plus ample connaissance
avec toi tout de même. Après tout, vous vous êtes à peine
adressé la parole depuis ton arrivée. Marcus est réservé, tu
ne peux pas juger une personne à partir de si peu.

— Papa, tu sais que c'est justement une de mes forces.
Ce n'est pas pour rien que j'ai étudié en psychologie.

— Personne n'est infaillible, ma chérie! Tu devrais le
savoir plus que quiconque.

Là-dessus, il fit volte-face pour retourner vers l'entrée
du cimetière. La mine soucieuse, Abbygaelle demeura
immobile quelques instants avant de se décider à le
rejoindre. Pour une raison qu'elle ne parvenait pas à s'expliquer, elle se sentait en sécurité en ces lieux. Ce fut donc à
contrecœur qu'elle quitta l'endroit. Elle eut la vague impression de courir tout droit à sa perte en franchissant à son
tour l'arche de pierre. Comme pour confirmer ses dires, elle
se retrouva nez à nez avec Marcus. Après le choc initial,
elle releva la tête vers son visage et recula d'un pas en observant que ses prunelles luisaient étrangement dans la nuit.
Puis, plus rien; l'éclat inhabituel qui s'y trouvait avait disparu. Avait-elle été victime de son imagination? Sans lui
laisser la possibilité de reprendre ses esprits, Marcus
lui indiqua de la main la direction à suivre pour rejoindre
les autres près du feu de camp.

— Ton père est déjà reparti. Il m'a chargé de
t'accompagner.

— Il croit vraiment que passer plus de temps avec toi
améliorera l'opinion que je me suis faite à ton sujet.

— Tiens donc ! T'aurais-je fait mauvaise impression, Mademoiselle Beauchenais ? la questionna-t-il d'un ton narquois.

— Pas besoin d'être aussi condescendant. Certaines personnes nous sont antipathiques dès le premier regard ; c'est ton cas. De toute façon, je suis certaine que c'est réciproque.

— Tu serais mal avisée de présumer quoi que ce soit en ce qui me concerne, Mademoiselle Beauchenais.

— Que suis-je censée comprendre ?

— Ce que bon te semble…

Exaspérée, elle préféra attendre quelques secondes avant de répondre. Elle carra les épaules et le toisa avec morgue.

— Je me demande vraiment ce que mon père apprécie en toi ! lâcha-t-elle froidement.

— Tu le découvriras bien assez vite, répliqua-t-il d'une voix sourde.

À ces paroles, Abbygaelle frémit. Elle se départit du blouson qu'il lui avait passé peu de temps auparavant et le lui plaqua de force contre la poitrine. Elle ne voulait rien de sa part, ni lui être redevable d'une quelconque manière. Trop irritée pour ressentir la morsure du vent, elle se dirigea à grandes enjambées vers le feu de camp. Elle était fatiguée ; pire, à bout de nerfs. La journée avait été riche en émotions, et elle ne désirait plus qu'une seule chose : dormir.

Abbygaelle se réveilla très tôt après une nuit agitée emplie de cauchemars. D'humeur morose, elle releva le coin du rideau de sa porte vitrée pour jeter un regard à l'extérieur. Une brume dissimulait le paysage environnant, l'isolant dans un cocon opaque. Souhaitant s'éclaircir les idées avant d'affronter les autres, elle s'empara d'un muffin aux framboises et au chocolat noir qui lui restait de la veille. Elle l'engloutit en quelques bouchées. Elle enfila ensuite des vêtements chauds et remonta ses cheveux avec une pince. Elle était fin prête pour son jogging matinal. Se rappelant avoir aperçu un sentier à travers le champ lorsqu'elle s'était rendue à la boulangerie, elle décida d'aller découvrir ce lieu retiré de tout.

Dès qu'elle fut dehors, Abbygaelle se sentit happée par le brouillard alors qu'une chape chargée d'humidité se déposait sur son épiderme. Il lui fallut peu de temps pour retrouver le champ balisé ; toutefois, avec cette ambiance de plomb, la piste qui le traversait avait perdu de son attrait. Elle jeta un regard circulaire aux alentours et hésita. Elle aurait pu se croire seule à des kilomètres à la ronde. Une rangée d'arbres bien alignés lui faisait face, balisant le parcours. Ce fut ce qui la décida. Déterminée à bouger un peu, elle s'élança. Elle prit garde cependant de suivre les contours fantomatiques des troncs noueux afin de ne pas s'égarer.

Elle courait depuis une bonne quinzaine de minutes déjà lorsqu'elle entendit l'écho d'autres pas. Elle s'immobilisa et tenta sans succès de percer le banc opaque de brume. Soudain, une sorte de grognement animal retentit de nulle part. Sentant poindre le danger dans chacune des fibres de son corps, elle porta une attention toute particulière aux bruits environnants.

Quelqu'un murmura son prénom d'une voix lugubre. Une peur viscérale s'insinua en elle, tel un poison. L'estomac noué, elle pivota sur elle-même. Son nom fut prononcé une seconde fois, suivi d'un rire sardonique. Un faible cri lui échappa lorsqu'elle aperçut une silhouette qui se précisait peu à peu dans le brouillard. L'homme était grand, mais sans être costaud. Il paraissait même difforme. De plus, son visage semblait étiré sur le devant, et ses bras, beaucoup trop longs pour être normaux. Il tenait dans l'une de ses mains un objet qu'elle ne put distinguer de prime abord. Elle plissa les yeux et s'affola en reconnaissant une lame. Alors que l'inconnu s'avançait vers elle d'un air sinistre, une montée d'adrénaline la fouetta, l'extirpant de sa léthargie morbide.

Aussitôt, elle s'élança dans la direction opposée. Son cœur cognait douloureusement contre sa poitrine, de fines gouttelettes de sueur perlaient à son front. Sa respiration était laborieuse, ses jambes menaçaient de se dérober sous elle. Elle n'arrivait plus à raisonner. Seul son instinct de survie la poussait au-delà de ses capacités. Contre toute attente, elle percuta de plein fouet une masse sombre. Assommée, elle perdit l'équilibre, mais fut aussitôt rattrapée par une étreinte puissante. Elle tenta de se libérer dans un cri d'effroi, mais l'étranger la tenait solidement. Elle hurla telle une possédée tout en cherchant à frapper l'homme de ses poings et de ses pieds. L'inconnu la retourna sans effort pour la plaquer contre son torse aussi dur que du roc. Un bras vigoureux l'immobilisa, alors qu'une main s'emparait de son cou à la hauteur de son menton pour renverser sa nuque vers l'arrière dans une traction à la limite du supportable. La poigne ferme qui la retenait captive par la taille lui coupait le souffle. Elle ne faisait pas le poids face à ce colosse, et ses forces commençaient à l'abandonner.

Incapable d'appeler à l'aide, elle essaya de dégager sa tête, mais peine perdue. Des larmes traîtresses roulèrent sur ses joues. Ayant une pensée pour son père, elle s'étrangla dans un sanglot.

— Chut, Abby! murmura une voix rude.

Elle se figea, le corps parcouru d'une décharge électrique. Cette intonation lui était familière. «Marcus!» Sous la stupeur, elle ouvrit de grands yeux, cherchant de plus belle à s'échapper.

— Cesse de bouger! ordonna-t-il d'un ton impératif.

La respiration courte, elle cligna plusieurs fois des paupières. Un engourdissement étrange l'envahit. Tout son être semblait vouloir se plier à cette directive, alors que sa conscience se rebellait. Comme s'il avait perçu cette dualité en elle, Marcus frôla sa gorge de ses lèvres dans une caresse légère. Malgré elle, Abbygaelle laissa fuser un gémissement rauque.

— Abby, tu ne cours plus aucun danger. Je suis là maintenant, susurra-t-il contre sa tempe.

Ces paroles prirent quelques secondes avant de percer le voile qui obscurcissait sa raison. En inspirant profondément, elle chercha son regard. Lorsqu'elle le croisa, elle y lut une réelle inquiétude qui l'étonna. Elle tenta de reprendre ses esprits, mais il continuait de la fixer avec une intensité inhabituelle qui la déstabilisait.

Secouée, elle tremblait de toute part. Elle s'agrippa à lui, puis tourna son regard apeuré sur sa gauche.

— Un homme me pourchassait! parvint-elle à dire d'une voix blanche. Il tenait un couteau…

Incapable de poursuivre, elle s'étrangla tout en resserrant ses doigts sur le tissu de son t-shirt. Marcus referma ses bras sur elle et déposa un baiser rassurant sur le sommet de sa tête. Il aurait dû la rembarrer sans douceur, mais il n'en avait pas le courage. Ce qu'il redoutait le plus venait de se produire. Lucurius avait retrouvé sa trace. Elle avait été si près de tomber entre ses griffes qu'il avait peine à demeurer stoïque. Daphnée et Maximien avaient pourchassé Lucurius, alors que lui-même s'était élancé au-devant d'Abbygaelle pour la protéger, ne voulant prendre aucun risque.

— Abby, tu n'aurais pas dû t'aventurer seule de si bon matin, surtout par un temps pareil. Ne sais-tu pas qu'un déséquilibré rôde dans la région ? Une jeune fille a été assassinée avec sauvagerie il y a deux jours à proximité du cégep.

Afin de ne pas se trahir, il se tut quelques secondes, puis la regarda droit dans les yeux.

— Si je n'avais pas eu rendez-vous avec ton père ce matin, nous ne t'aurions jamais vue quitter l'auberge. J'ai tenté de t'interpeller, mais tu ne m'as pas entendu, mentit-il avec aplomb. Suis-moi, je te raccompagne. Ensuite, j'irai signaler l'incident aux autorités.

Évidemment, il n'avait pas l'intention de le faire. Cependant, il devait se montrer suffisamment convaincant pour endormir sa méfiance. Il influa même sur son esprit afin de mieux la mystifier. Abbygaelle peinait à s'y retrouver ; tout s'était passé si rapidement. Elle crut tout ce que Marcus lui dit sans aucune hésitation. Quand il se détacha d'elle, elle tressaillit. Daphnée, qui les avait rejoints, déposa une main sur son bras.

— Est-ce que tout va bien, Abby ? demanda-t-elle avec inquiétude.

— Je crois… Enfin, il me semble… répondit-elle avec confusion. J'ai eu si peur…

— Tu as eu beaucoup de chance! Si Marcus ne t'avait pas aperçue, j'ose à peine imaginer ce qui te serait arrivé. Tu ne dois plus jamais t'éloigner seule.

— Je n'ai pas l'intention de m'y risquer à nouveau! J'ai l'impression d'avoir vieilli de dix ans, tenta-t-elle de plaisanter.

Sa voix chevrotante ne trompa pas Marcus. S'autorisant un geste affectueux, il replaça avec douceur une mèche derrière son oreille et lui sourit.

— Viens, Abby, lui ordonna-t-il gentiment. Allons rejoindre ton père.

Pour la première fois, elle le suivit sans rouspéter. Elle l'observa du coin de l'œil durant tout le trajet. Ce jour-là, il était vêtu d'un jeans noir, d'un t-shirt blanc, ainsi que d'une ceinture de cuir qui entourait sa taille et mettait en valeur ses muscles découpés à la serpe. Il était plus grand que la moyenne, ce qui l'intimidait quelque peu. À chacun de ses pas, ses bottes résonnaient sur la chaussée. Nerveuse, elle s'obligea à détourner le regard en se raclant la gorge. Toujours mal à l'aise en sa présence, elle ne pouvait s'empêcher dans un même temps de lui être redevable. «On peut difficilement détester quelqu'un qui vient de vous sauver la vie!» songea-t-elle avec sa logique implacable. S'apercevant qu'elle ne lui avait pas encore exprimé sa reconnaissance, elle accéléra le pas pour le rejoindre. Non sans hésitation, elle déposa une main sur son épaule afin d'attirer son attention. Marcus s'arrêta et se tourna vers elle avec un sérieux qui le caractérisait si bien. Lui avait-il réellement souri tout à l'heure?

— Je dois te remercier, lâcha-t-elle presque à contre-cœur, d'un ton un peu sec.

Marcus releva un sourcil interrogateur à ses paroles. Abbygaelle se troubla en prenant conscience de son manque évident d'enthousiasme. Inspirant un bon coup, elle se reprit.

— Marcus… Merci d'être venu à mon secours, dit-elle avec plus de conviction cette fois-ci. Vraiment… Merci beaucoup !

— Ces remerciements te sont restés coincés en travers de la gorge, n'est-ce pas ? railla-t-il avec une certaine dureté avant de se détourner d'elle pour continuer son chemin.

Cette réponse cinglante la laissa sans voix. Elle serra la mâchoire, blessée dans son orgueil. Cet homme était vraiment un salaud de premier ordre ; mieux valait ne pas se rabaisser à son niveau. Ravalant les paroles acerbes qu'elle se préparait à lui lancer, elle le dépassa en trombe et s'engouffra dans l'auberge en coup de vent. Sitôt l'intimité de sa chambre regagnée, elle glissa lentement contre la porte close. Elle entoura de ses bras ses jambes repliées sur sa poitrine en laissant libre cours à ses larmes amères.

La matinée était bien entamée lorsqu'Hadrien envoya Daphnée chercher sa fille. Apparemment, il n'était pas au courant de ce qui s'était produit plus tôt et Abbygaelle souhaitait que cela reste ainsi. Elle ne désirait pas l'inquiéter. Malgré qu'elle se soit aspergé le visage d'eau froide, ses yeux demeuraient boursouflés. Elle était allongée sur le dos depuis un bon moment, un linge humide sur ses paupières fermées quand Daphnée la rejoignit. Les coups frappés discrètement à sa porte la firent sursauter. Elle s'était assoupie sans s'en rendre compte. Ayant besoin de quelques minutes pour se reprendre, Abbygaelle lui signala qu'elle descendait sous peu. Aussitôt, elle s'empressa d'appliquer une fine couche de cache-cerne sous ses yeux, puis se recoiffa rapidement. Avisant la température clémente à l'extérieur, elle enfila un pantalon de coton léger, ainsi qu'un chemisier. Elle attrapa une veste de lainage au passage avant de regagner le hall d'entrée.

Elle ne fut pas surprise d'apercevoir que tout le groupe y était déjà, mis à part Adenora. Tout en évitant le regard de Marcus, elle alla retrouver son père, et le serra avec tendresse en guise de bonjour. De bonne humeur, celui-ci éclata de rire en la pressant contre son cœur. Visiblement, il était enchanté par ce qu'il se préparait à lui proposer. Résolue à ne pas lui gâcher sa joie, elle relégua Marcus au second plan. Elle comptait bien ne plus se laisser intimider par ce rustre. Qu'il déverse sa hargne sur quelqu'un d'autre. S'emparant du bras de son père, elle gratifia la bande d'un sourire chaleureux. Seul Marcus eut droit à un bref salut impersonnel de la tête. Celui-ci tiqua, mais n'en laissa rien paraître. Ainsi, elle avait décidé de l'ignorer. « À la bonne heure ! » Leurs rapports n'en seraient que plus aisés.

Il était tout près de 13 h lorsqu'ils arrivèrent en vue du parc des Portes de l'Enfer. Selon les dires de son père, le panorama valait le détour. En fait, il désirait surtout lui faire découvrir la chute du Grand-Sault, haute de vingt mètres.

À peine sortis de la voiture, ils se dirigèrent vers le belvédère en bois qui surplombait la chute. Abbygaelle s'arrêta net, subjuguée par le décor naturel. Devant elle, des trombes d'eau se déversaient dans un bruit fracassant entre deux gigantesques parois rocheuses. Elle fut ravie à la perspective de parcourir le sentier pédestre qui longeait le canyon, curieuse également de visiter le campement de draveurs reconstitué en contrebas.

Elle préféra cependant demeurer en retrait lorsque son père et les autres s'avancèrent pour s'appuyer à la balustrade de la terrasse. Souffrant de vertige depuis sa plus tendre enfance, l'idée même d'approcher si près du bord la terrorisait. Malgré tout, elle ne manquait rien de la vue saisissante qui s'offrait à elle. Ce qui la dérangeait par-dessus tout, c'était le regard insistant que Marcus dardait sur elle de temps à autre. Elle suspectait ce diable d'homme d'avoir deviné la raison pour laquelle elle se tenait à l'écart. Nul doute qu'il ne raterait pas l'occasion de lui lancer une réflexion acerbe de son cru à ce propos dès que l'occasion se présenterait.

Étrangement, toutefois, il n'en fit rien. Il s'enferma plutôt dans un mutisme complet tout le long de leur descente. L'air sentait bon le sapinage, et des oiseaux piaillaient joyeusement dans les arbres alors qu'une légère brise rafraîchissait son corps en sueur. «C'est si agréable!» songea-t-elle en fermant les paupières. Elle goûta le plaisir simple des bruits et des odeurs environnants. Marcus, qui était appuyé à un tronc massif, la contempla avec ferveur. La voir s'offrir ainsi, au cœur même de la forêt, réveillait ses plus bas instincts.

Malgré lui, cette scène lui rappela un autre lieu, à une autre époque. Durant une trop courte période de son existence, il avait été marié et père de trois magnifiques enfants. La vie s'était cependant chargée de lui ravir tout ce bonheur en un instant. Une douleur familière lui broya le cœur. En dépit de toutes ces années écoulées depuis l'incident, songer à Agniela et aux petits se révélait toujours aussi dévastateur. Il refoula sa souffrance au plus profond de son être tout en observant Abbygaelle. Était-il réellement prêt à s'investir une seconde fois avec une femme, celle-ci de surcroît ? Il était seul depuis si longtemps… alors que l'avenir d'Abbygaelle était des plus précaires… Daphnée lui aurait répondu «oui» sans aucune hésitation, alors que Maximien et Florien se seraient montrés plus magnanimes. N'avaient-ils pas tous deux assisté à sa descente aux enfers après le décès de sa famille ? Eux, plus que quiconque, savaient de quoi il en retournait exactement. Que devrait-il faire dans ce cas ? Une chose était certaine : il ne pourrait maintenir la jeune femme à distance, ni la provoquer en toute impunité indéfiniment. Ce serait suicidaire de laisser leur relation se désagréger à ce point, surtout après l'incident de ce matin. Qu'il le veuille ou non, il demeurait un gardien des portes, le protecteur attitré d'Abbygaelle. Telle était la décision d'Hyménée et du conseil des anciens. Il se devait alors d'agir avec discernement. Néanmoins, il ne s'attendait pas à devoir faire face à une jeune femme au caractère si trempé.

Il en était à cette réflexion lorsqu'Hadrien proposa au groupe de se diriger vers le pont suspendu. À cette perspective, Abbygaelle perdit de son entrain et lança un coup d'œil incertain vers la passerelle qu'elle entrevoyait entre les branches. «Pourquoi Hadrien place-t-il sa fille dans une situation aussi délicate ?» se demanda Marcus en interceptant son regard. Il devait pourtant savoir qu'elle était effrayée par le vide. Pour sa part, il avait très bien perçu sa peur sous-jacente tout à l'heure sur le belvédère. Hadrien n'avait-il pas remarqué qu'elle se tenait à une bonne distance du bord? «À quel jeu malsain joue-t-il donc?» Même lui n'aurait pas osé lui imposer une telle chose tant sa crainte était viscérale. Immédiatement, son instinct protecteur s'éveilla. Il tenta d'intercéder en sa faveur, mais elle se cabra aussitôt. Pensant à tort qu'il se raillait à nouveau d'elle, Abbygaelle se crut obligée de lui démontrer qu'il se trompait à son sujet. Si l'intervention était venue de Daphnée, de Maximien ou même de Florien, sans nul doute aurait-elle écouté la voix de la raison, mais dans son cas, c'était peine perdue. Elle refusait de faire preuve de faiblesse en sa présence.

Non sans une certaine appréhension, elle le devança en serrant les dents. Toutefois, plus elle avançait sur le pont, plus sa détermination vacillait. Sa démarche devenait de plus en plus hésitante, et elle blêmissait à vue d'œil. Ses doigts se crispèrent sur la rampe alors que sa respiration s'accéléra, si bien que, parvenue à mi-chemin, elle figea sur place. Une lueur de panique traversa ses prunelles lorsqu'elle prit conscience qu'elle se retrouvait à une hauteur vertigineuse au-dessus de la cime des arbres. Au moment où ses jambes se dérobèrent sous elle, Marcus la rattrapa par la taille. Il savait qu'elle regrettait son choix. D'ailleurs, il la sentait au bord des larmes. Jetant un regard succinct en direction d'Hadrien, Marcus comprit en apercevant son visage défait que celui-ci n'avait eu aucune idée de l'ampleur du malaise de sa fille. Probablement Hadrien avait-il cru à tort qu'il s'agissait d'un caprice d'enfant à l'époque. Le coup d'œil inquiet qu'il lança vers Abbygaelle était empli de remords.

Il allait devoir trouver un moyen de la sortir de cette position précaire avant qu'elle ne perde le peu de maîtrise qui lui restait. Sans doute dut-elle percevoir un changement chez lui, puisqu'elle tourna la tête dans sa direction, le défiant malgré la peur qui la tenaillait.

— Ne t'avise surtout pas de te moquer de moi... souffla-t-elle d'une voix misérable.

— Jamais en de telles circonstances, Abby ! Si je suis intervenu tout à l'heure, c'était uniquement pour t'éviter cette situation. Je ne voulais pas te blesser, ni te porter préjudice.

— Tu as une étrange façon de le montrer... lâcha-t-elle en détournant le regard.

— Je te l'ai déjà dit : ne présume jamais de mes intentions envers toi !

Là-dessus, il relâcha son emprise et remonta son bras vers le haut de sa poitrine. Elle avait retrouvé suffisamment d'aplomb pour se tenir debout. D'une poigne solide, il enserra son épaule, la plaquant contre son torse. Captive de son étreinte, Abbygaelle ne put faire autrement qu'agripper son avant-bras de ses doigts tremblants. Elle sentait la chaleur de Marcus dans son dos, de même que sa force brute. Avec aisance, il écarta légèrement les jambes afin d'assurer son équilibre. Ainsi stabilisée, elle souffrit moins du tangage. Abbygaelle savait pertinemment que sa réaction était démesurée, mais c'était plus fort qu'elle. Elle n'arrivait pas à réprimer cette satanée phobie du vide et regrettait amèrement sa bravade.

De son côté, Marcus demeura de marbre, toute son attention concentrée sur la jeune femme. Il aurait été plus pratique d'influer sur son esprit, mais ce n'était ni le lieu ni le moment de se livrer à une telle démarche. Il se contenta donc de la rassurer afin de l'inciter à avancer.

— Abby, commença-t-il d'un ton qui se voulait apaisant. Nous allons rebrousser chemin ensemble.

À ces mots, elle se tendit en enfonçant ses ongles dans sa chair. Une faible complainte franchit ses lèvres closes. De sa position, Marcus pouvait très bien entendre les battements précipités de son cœur.

— Nous ne pouvons pas rester ici, murmura-t-il. Plus vite nous retrouverons la terre ferme, mieux tu te sentiras. Tu n'as rien à craindre, je suis là. Je n'ai aucune intention de te lâcher, poursuivit-il avec plus de chaleur. Ferme les yeux, aie confiance en moi.

Il lui fit faire demi-tour et avança à pas mesuré. Il percevait toujours le sentiment de panique qui la rongeait.

— Tout doux, ma belle, nous y sommes presque.

Sa voix était si apaisante que la frayeur qui l'habitait fit graduellement place à une émotion beaucoup plus sereine. Ses doigts, malgré qu'ils demeurèrent accrochés à lui, se relâchèrent d'eux-mêmes. Peu à peu, ils progressèrent vers le sentier. Quand ils atteignirent enfin le couvert des arbres, Marcus la conduisit vers un endroit passablement isolé derrière un rocher. Avec des gestes empreints de délicatesse, il la retourna face à lui. En silence, il appuya son menton sur le sommet de sa tête et glissa tendrement ses mains dans sa chevelure. Il resta ainsi quelques secondes avant de prendre un certain recul. Toutefois, il ne la libéra pas pour autant. Soulevant alors les paupières, elle rencontra son regard tranquille. Un faible sourire jouait sur ses lèvres.

— Tu te sens mieux maintenant ? s'informa-t-il en massant sa nuque.

Sa peur avait déjà reflué, la laissant vulnérable devant cette soudaine gentillesse. Envahie par un étrange sentiment de plénitude, elle demeura captive de son emprise.

— Abby, insista-t-il avec gravité. Est-ce que tout va bien?

— Hum! Hum! parvint-elle seulement à répondre.

— Abby, si tu ne te décides pas à t'éloigner de toi-même, je pourrais être tenté de t'embrasser, murmura-t-il d'une voix rauque. Est-ce ce que tu souhaites? demanda-t-il.

Comme sous l'effet d'une douche froide, Abbygaelle retrouva ses esprits, puis recula avec précipitation. La rougeur qui colora alors ses joues ne la rendit que plus désirable. Malgré lui, il s'avança vers elle, les yeux brillants de convoitise. Effrayée par son propre abandon, elle battit en retraite. Sans un regard en arrière, elle entama la descente qui menait jusqu'au campement de draveurs reconstitué. Les autres lui emboîtèrent le pas, Marcus fermant la marche. Il devait impérativement trouver un moyen de rejoindre Hyménée avant que la situation entre Abbygaelle et lui ne se corse davantage. Dès ce soir, il partirait à sa recherche avec Florien. Il prendrait soin de laisser Daphnée et Maximien en compagnie de la jeune femme. Quant à Adenora, il préférait la maintenir à distance d'Abbygaelle pour l'instant. Il devait au préalable s'assurer qu'elle était suffisamment stable.

Perturbée par ce qui venait de se produire, Abbygaelle demeura indifférente face à la beauté du paysage qui l'entourait. Ses pensées la ramenaient immanquablement vers Marcus. «Ciel!» Il s'en était fallu de peu qu'elle se laisse séduire par ce baiser plein de promesses. Que lui arrivait-il tout à coup? Marcus l'effrayait et la fascinait tout à la fois.

Il pouvait être si tendre et protecteur à certains moments, mais si intransigeant et cinglant aussi qu'elle se perdait en conjectures. Il lui avait montré tour à tour deux côtés diamétralement opposés de sa personnalité. Malgré tout, elle était de plus en plus attirée par lui. Personne n'avait jamais eu un tel ascendant sur ses sens auparavant. C'était comme si elle était ensorcelée...

Égarée dans ses réflexions peu amènes, elle sourcilla en découvrant le campement en contrebas. Devant elle se dressait désormais un adolescent habillé avec les vêtements typiques d'un draveur de l'époque. Un sourire de bienvenue éclairait ses traits. Conscient que les autres l'avaient rejointe, elle se glissa dans le groupe qui s'était formé, résolue à chasser Marcus de ses pensées. Celui-ci demeura en retrait, fidèle à lui-même. Toutefois, il sembla ne rien perdre des propos du guide. Du coin de l'œil, Abbygaelle le vit prendre place près d'une palissade de rondins, un pied remonté sur une caisse de bois. Ses avant-bras étaient croisés sur son genou et son corps, légèrement penché vers l'avant. De le voir si décontracté la laissait perplexe. Confuse, elle reporta son attention sur l'animateur. Par chance, celui-ci s'apprêtait à commencer la visite. D'une voix enjouée, il entama ses explications.

— Pour commencer, il me faut vous dire que les draveurs étaient des bûcherons, qui, le printemps venu, descendaient les rivières en crue avec leur chargement de billots amassés tout au long de l'hiver. Ils parcouraient cette distance sur des radeaux, abrités uniquement sous une tente sommaire.

Surprise, Abbygaelle détailla le campement rudimentaire. Sa curiosité piquée, elle se concentra davantage sur les propos du guide, oubliant momentanément le sombre personnage derrière elle.

— Armés de leur pique, ils déplaçaient d'énormes troncs qu'ils devaient ramener jusqu'aux papetières aménagées sur les rives, poursuivit le guide. De par la nature de leur travail, les propriétaires avaient surnommé ces travailleurs téméraires les « castors ».

Intriguée, Abbygaelle porta une attention plus soutenue à la pique que le guide tenait entre ses mains, si bien qu'elle ne remarqua pas que Marcus s'était glissé à ses côtés.

— Ce qu'il a omis de dire dans son discours, c'est que les draveurs devaient demeurer constamment vigilants, ajouta celui-ci d'une voix basse, la faisant sursauter. Ils devaient réagir rapidement à toute situation. Se retrouver prisonnier entre deux billots signait son arrêt de mort. Nombre d'hommes ont perdu un bras ou une jambe en de pareilles circonstances.

Marcus faisait preuve d'une telle gravité qu'Abbygaelle en resta coite. Se penchant davantage, il la frôla presque.

— Étant donné que la majorité des travailleurs étaient de miséreux francophones, les dirigeants des papetières, uniquement anglophones, ne s'en souciaient guère. C'était un métier suicidaire et mal rémunéré. Les papetières faisaient un profit considérable sur leur dos. Sans parler des maladies omniprésentes à cause des conditions de vie exécrables, des nombreux cas d'hypothermie et des noyades qui étaient monnaie courante.

Fascinée par ses paroles, Abbygaelle ne parvenait plus à détacher son regard de Marcus. Il s'exprimait avec tant de passion et de conviction qu'elle aurait été tentée de croire qu'il avait vécu une expérience similaire. Ce qui était impossible, puisque la drave n'existait plus depuis longtemps.

— Peux-tu seulement imaginer ce que ça représentait d'œuvrer sans relâche en équilibre sur ces engins infernaux ? Les billots roulaient sans cesse sur eux-mêmes et pouvaient changer de trajectoire en une fraction de seconde à cause du courant déchaîné des rivières en crues. Soulever l'extrémité d'un tronc uniquement à l'aide d'une pique requérait une force colossale, poursuivit-il avec ferveur avant de se taire en voyant l'expression exaspérée du guide.

Incapable de dire quoi que ce soit, Abbygaelle le scruta sans détour. Il paraissait si humain tout à coup qu'elle en fut ébranlée. La transformation était saisissante. De son côté, Marcus demeurait attentif à la moindre de ses réactions. Se dirigeant vers l'une des piques, il en caressa le manche avec respect, le regard perdu au loin. Curieuse, Abbygaelle le rejoignit pour lui faire face.

— Comment se fait-il que tu connaisses autant de détails à ce sujet ? demanda-t-elle avec une certaine réserve.

— En fait, je me passionne pour tout ce qui touche de près ou de loin notre héritage. La société d'aujourd'hui vit à l'ère numérique. Elle oublie peu à peu ses racines, ainsi que ses liens avec la nature. C'est un constat désolant, ne trouves-tu pas ?

Abbygaelle ne sut que répondre. Elle était quelque peu déstabilisée. Il était vrai que la génération dont elle faisait partie tenait pour acquis tout ce qui l'entourait, sans égard pour ceux qui avaient travaillé si fort pour bâtir ce pays. En toute honnêteté, elle ne s'était jamais arrêtée à cette question. Mais dans un sens, Marcus avait raison. Cette richesse qu'était leur passé ne devait pas disparaître.

— Je comprends ce que tu sous-entends et j'abonde dans ce sens. Toutefois, il est très difficile de ne pas se laisser submerger par la technologie de nos jours. Elle est omniprésente !

— À nous dans ce cas de faire en sorte que les choses changent.

— Plus facile à dire qu'à faire, si tu veux mon avis ! lâcha-t-elle en se prenant à cette joute verbale.

— Pourtant, c'est exactement ce qui vient de se produire. Avant notre petite visite dans ce campement, tu n'avais aucune idée de ce pan de notre histoire, alors qu'il en est autrement désormais.

Face à sa logique implacable, Abbygaelle éclata d'un rire joyeux. Elle lui accordait ce point avec grand plaisir. De toute évidence, il savait parfaitement défendre ses convictions. De son côté, Marcus était satisfait d'avoir orienté son attention vers une discussion beaucoup plus légère.

❊ ❊ ❊

Ce soir-là, trop fatiguée pour descendre dîner avec les autres, Abbygaelle s'excusa auprès de son père et se fit monter un repas à sa chambre. Elle aspirait à un peu de tranquillité après l'amalgame d'émotions de la journée. Se remémorant ce qui s'était produit lors de son jogging matinal, elle tressaillit. Avait-elle rêvé cette silhouette armée dans le brouillard ? Son imagination lui jouait-elle des tours ? En fait, elle n'était plus tout à fait certaine de ce qu'elle avait aperçu. Tout se confondait dans son esprit, comme si les images s'effaçaient d'elles-mêmes.

Enfilant un t-shirt évasé, elle s'allongea sur son lit à plat ventre. La tête appuyée dans le creux de sa paume, elle se plongea dans la lecture de son roman. Absorbée par le récit, elle ne vit pas le temps filer, si bien qu'elle s'endormit, ses paupières se refermant d'elles-mêmes. Elle glissa dans un cauchemar peuplé d'êtres étranges qui cherchaient à l'agripper. Abbygaelle sursauta lorsque l'un d'eux pointa une lame rougie dans sa direction. Effrayée, elle se redressa brusquement. Peu à peu cependant, les scènes devinrent de plus en plus floues pour disparaître finalement de ses souvenirs. Tout ce qui subsista par la suite, ce fut le sentiment désagréable d'avoir échappé à un danger imminent.

Le lendemain matin, Abbygaelle se fit un point d'honneur à être prête la première. Affamée, elle commanda un déjeuner copieux sur la terrasse arrière. Dès qu'elle mit les pieds dehors, elle enfila une veste de lainage en constatant que le fond de l'air était frisquet malgré le soleil qui perçait derrière les nuages. Son père la rejoignit une quinzaine de minutes plus tard. Il l'accompagna durant son repas en devisant gaiement avec elle.

Il était tout près de 8 h 30 lorsque le reste du groupe les retrouva. Les yeux creux et cernés de Marcus la troublèrent. Sa barbe était naissante, ses cheveux, ébouriffés. Avait-il passé une nuit mouvementée ? Sensible à ce charme brut, Abbygaelle préféra reporter son attention sur Daphnée et son père. Elle eut toutefois le temps de noter qu'il portait son éternelle veste de cuir sur un t-shirt gris, ainsi qu'un jeans bleu marine. Une tenue qui mettait trop bien en valeur ses larges épaules et ses cuisses musclées. Pour sa part, Marcus ne fut pas dupe de son manège. Ses prunelles pétillèrent de malice alors que l'un des coins de sa bouche se relevait en un sourire narquois.

Nullement conscient de la tension entre les deux, Hadrien prit la parole, les ramenant abruptement à la réalité. Il désirait leur exposer le plan de match qu'il avait prévu pour la journée. Une excursion en bicyclette sur la route verte des Basques était au menu. Il avait d'ailleurs réservé des vélos pour chacun, et ceux-ci les attendaient au point de rencontre au camping Plage Trois-Pistoles.

L'idée plut à tout le monde, Abbygaelle la première. Elle adorait ce type de promenade, surtout que la piste cyclable qu'ils allaient emprunter longeait en grande partie le bord du fleuve. Selon Hadrien, le paysage était à couper le souffle.

❄ ❄ ❄

Ils avaient déjà parcouru une distance importante lorsqu'Hadrien donna le signal d'arrêt. Il avait planifié faire une halte pour leur permettre de se restaurer un peu et profiter du panorama qu'offrait le promontoire du coin. Munis d'un copieux repas préparé par la cuisinière de l'auberge, ils descendirent de leurs vélos.

Libérée enfin de son casque de protection, Abbygaelle secoua vivement la tête, laissant la brise soulever sa chevelure emmêlée. C'était si rafraîchissant. Le visage tourné vers le large, elle inspira à pleins poumons l'air vif et salé. La mer lui avait terriblement manqué durant ses longues années d'étude.

Se retournant, elle aperçut au loin les vestiges d'une vieille demeure qui semblait avoir été érigée dans les années 1800. Seul le squelette des murs construits avec des pierres grossières avait survécu au fil des ans. Entourée d'herbes folles, la maison avait quelque chose de sinistre. Intriguée, Abbygaelle s'avança. Selon une légende du coin, cette habitation était hantée. N'ayant jamais été très superstitieuse, Abbygaelle se glissa à l'intérieur par l'une des ouvertures.

D'après ce que l'on racontait, un homme y aurait été tué d'un coup de couteau lors d'une bagarre, de nombreuses années auparavant. Son cadavre aurait été enterré dans la cave afin de dissimuler le crime. Par la suite, l'endroit aurait servi de poste pour la contrebande de boisson au temps de la prohibition, ainsi que de taverne pendant des soirées particulièrement bien arrosées. L'âme du pauvre bougre, qui n'aurait pu trouver le repos éternel, chercherait depuis lors à se faire entendre. Ses cris mêlés au vacarme qu'il produisait se seraient révélés si pénibles que la maison aurait été abandonnée. On dit aussi que le corps du malheureux n'aurait jamais été retrouvé.

Abbygaelle frôla la pierre du bout des doigts, un sourire amusé sur les lèvres. Elle ne comprenait pas ce qui poussait les gens à croire toutes ces histoires. Toutefois, quelque chose attira son attention lorsqu'elle s'apprêta à ressortir. Une faible complainte parvint à ses oreilles. Pensant de prime abord qu'il s'agissait d'un son émis par le vent entre des fissures, elle en chercha l'origine. Après avoir scruté les murs, elle dut pourtant se résigner à reconnaître que le bruit venait d'ailleurs. En réalité, il semblait provenir des entrailles de la terre.

— Mais qu'est-ce que c'est? murmura-t-elle en sentant ses poils se hérisser.

En comprenant qu'elle n'était plus seule tout à coup, un sentiment d'incertitude la gagna. Quelqu'un ou quelque chose se trouvait dans la maison avec elle. Faisant un tour rapide sur elle-même, elle commença à douter de ses propres perceptions. « C'est complètement idiot! » se morigéna-t-elle. Aussi soudainement que la sensation était apparue, elle disparut. Malgré tout, Abbygaelle crut voir du coin de l'œil le corps d'un homme allongé sur le dos, un couteau fiché en pleine poitrine. Elle sortit précipitamment de la demeure, le cœur battant la chamade.

Perturbée, elle se laissa tomber sur le sol. Elle croisa les bras sur son ventre et replia ses jambes. Marcus capta aussitôt sa détresse. Se tournant dans sa direction, il chercha à croiser son regard, mais Abbygaelle avait la tête penchée. Il se redressa et marcha vers elle, inquiet. Il s'était pourtant promis de ne pas l'approcher de trop près ce jour-là. Arrivé à sa hauteur, il s'accroupit à ses côtés pour tenter de décrypter ses pensées, mais sans résultat.

— Abby, l'appela-t-il doucement. Qu'est-ce qu'il y a?

Lorsqu'elle releva les yeux vers lui, il eut un choc en remarquant son expression. Il vit de l'incompréhension, mais aussi de la peur.

— Abby, est-ce que tu souffres? Quelque chose t'aurait-il effrayée?

Lentement, elle pivota la tête en direction de la maison.

— Ils avaient raison… murmura-t-elle.

Marcus observa à son tour les ruines. Que cherchait-elle à lui expliquer? Un élément lui manquait, mais lequel? Perplexe, il fronça les sourcils.

— Que veux-tu dire ?

En prononçant ces mots, il déposa une main sur ses genoux, ce qui la fit sursauter. Il eut l'impression de la faire sortir d'un mauvais rêve. Surprise, elle le contempla d'un regard beaucoup trop clair.

— Marcus, que fais-tu ici ? demanda-t-elle d'une voix lointaine.

Elle semblait vraiment déroutée. De plus en plus soucieux, il se passa une main dans les cheveux. Sans nul doute la fixait-il avec trop d'intensité, car elle commençait à montrer des signes de nervosité.

— Tu viens manger ? s'informa-t-il avec empressement pour interrompre ses réflexions.

— Non, merci. En vérité, je n'ai pas très faim.

— Tu es certaine ?

Pour toute réponse, elle hocha la tête. Elle avait l'estomac trop noué pour avaler quoi que ce soit. Lançant de nouveau un coup d'œil troublé en direction de la demeure, elle se détourna au plus vite en remarquant que Marcus n'avait rien perdu de la scène. Il comprit alors que quelque chose s'était produit à l'intérieur de ces murs.

— J'ai bien envie de visiter cette vieille maison à mon tour. Est-ce que tu m'accompagnes ?

— Non ! s'écria-t-elle aussitôt avec une pointe d'angoisse.

Surpris par la véhémence de son objection, il plissa les yeux. Pourquoi réagissait-elle si vivement ? Que s'y était-il donc passé pour qu'elle soit aussi chamboulée ? Il ne pouvait raisonnablement s'agir de Lucurius, puisqu'il ne sentait pas sa présence. Déterminé à découvrir l'origine de son malaise, il se releva d'un bond énergique avec l'intention de s'y rendre.

— N'y va pas, Marcus! lâcha-t-elle d'une voix aiguë en le retenant par la main.

— Pourquoi, Abby? Qu'y a-t-il dans cet endroit qui t'effraie tant?

Consciente d'être allée trop loin, elle le relâcha. Elle n'aimait pas faire étalage de ses états d'âme devant les autres, encore moins lorsqu'il s'agissait d'un homme qu'elle connaissait à peine. Il était hors de question qu'elle lui décrive ce qu'elle croyait avoir aperçu. Déjà qu'elle avait peine à s'y retrouver. Peut-être que cette vision cauchemardesque n'avait été que le fruit de son imagination. Toutefois, si quelque chose de malsain habitait réellement cette demeure, elle ne voulait prendre aucun risque. Ne sachant que faire, elle trouva la première excuse qui lui vint à l'esprit pour le tenir éloigné.

— Ce ne sont que de vieilles pierres sans importance. Il n'y a rien à voir, lâcha-t-elle d'un ton faussement détaché.

Nullement dupe, Marcus se dirigea vers la maison. Paralysée par une peur viscérale, Abbygaelle resta interdite. Marcus perçut très bien son désarroi, ce qui l'incita encore plus à découvrir le fin mot de cette histoire. Quand il pénétra dans la maison, il distingua les échos de la terreur qu'Abbygaelle avait éprouvée, mais rien d'autre. «Seigneur!» Qu'est-ce qui avait bien pu l'effrayer à ce point? Était-ce là l'un des nouveaux maléfices de Lucurius? Si c'était exact et qu'il n'arrivait pas à en déterminer la source, cela n'augurait rien de bon.

En ressortant, il remarqua que la jeune femme avait rejoint le groupe pendant son absence. Il nota aussitôt qu'elle s'était placée de façon à pouvoir garder un œil sur les ruines. Ce ne fut qu'en constatant qu'il revenait sain et sauf qu'elle se détendit. Que diantre aurait-il donc dû craindre dans cette veille maison? Apparemment, elle seule le savait. Le plus frustrant, c'était qu'elle refusait d'offrir toute explication. «Nom de Dieu! pensa-t-il. Comment la protéger, si j'ignore d'où provient la menace?»

Le reste de la journée se déroula sans accroc, mais Marcus pressentait que la bonne humeur d'Abbygaelle était feinte. Par chance, Hadrien n'en remarqua rien, mais Daphnée devina que quelque chose n'allait pas. Elle ne cessait de lancer de brèves œillades en direction de la jeune femme, sans toutefois oser la questionner.

De retour à l'auberge, Abbygaelle préféra se réfugier à nouveau dans sa chambre pour la soirée, prétextant une migraine. De l'autre côté de sa fenêtre, Marcus la vit s'effondrer sur un fauteuil, le regard perdu dans le vague. Il patienta une heure, puis monta à l'étage. Les coups énergiques frappés à sa porte firent sursauter Abbygaelle. En apercevant le visage de Marcus par l'œil magique, elle se figea. C'était la dernière personne qu'elle désirait voir en ce moment. Déjà qu'elle l'avait rendu perplexe par son comportement de l'après-midi, elle ne souhaitait pas lui fournir davantage de munitions pour l'attaquer. Peut-être qu'en l'ignorant, il se lasserait et repartirait. C'était cependant mal le connaître. Alors qu'elle retournait à sa place, deux nouveaux coups furent frappés avec plus d'insistance encore.

— Abby, je sais que tu es là. Ouvre! tonna-t-il d'une voix puissante.

«Il risque d'ameuter tout l'étage!» songea-t-elle avec impatience. Irritée par son entêtement, elle se prépara à le rembarrer. Il ne lui en laissa pas le temps et pénétra dans la chambre sans y avoir été invité. Ne désirant pas se donner en spectacle, elle referma la porte d'une poussée et croisa les bras sur sa poitrine en signe de mécontentement. Marcus constata avec un certain amusement qu'elle fulminait. «Bien!» C'était préférable que de la voir se ronger les ongles dans le noir comme une âme en peine.

Tel un conquérant, il s'appuya nonchalamment à l'un des montants du lit et la détailla de la tête aux pieds sans aucune gêne. Abbygaelle rougit en s'apercevant tout à coup qu'elle ne portait pour tout vêtement qu'un t-shirt beaucoup trop grand qui lui arrivait à peine à mi-cuisse. Ne sachant quelle attitude adopter, elle demeura interdite. Apparemment, ce qu'il vit lui plut, car une flamme incandescente s'alluma dans son regard.

— Qu'est-ce que tu fais ici, Marcus? parvint-elle à demander après s'être éclairci la gorge.

— Je voulais savoir comment tu allais, rétorqua-t-il d'une voix grave qui la fit frémir.

— Comme tu peux le constater, je vais très bien! se dépêcha-t-elle de répliquer. Maintenant que te voilà rassuré sur mon sort, aurais-tu l'amabilité de quitter ma chambre?

— Non, lâcha-t-il crânement.

— Pardon? s'étrangla-t-elle. Espèce de goujat! Sors immédiatement! s'écria-t-elle en pointant la porte du doigt.

En guise de réponse, il s'approcha d'elle d'une démarche féline, un sourire de prédateur sur les lèvres. Il s'arrêta à quelques centimètres à peine d'elle, si bien que son torse effleurait la pointe de ses seins. Tout en déglutissant avec difficulté, elle chercha à reculer. Il la suivit. Bientôt, elle se retrouva acculée au mur. Son souffle chaud chatouilla sa joue lorsqu'il se pencha vers elle.

— Tu mens très mal, Abby, susurra-t-il à son oreille. Tu as peut-être berné les autres, mais pas moi.

Du bout des doigts, il traça le contour de son visage, ce qui lui arracha un frisson. Puis, sa langue dessina une ligne de feu sur son cou, la faisant tressaillir. En se redressant, il plongea son regard dans le sien et frôla ses épaules d'une caresse sensuelle.

— Quelque chose t'a effrayée tout à l'heure dans la vieille maison, et j'ai l'intention de découvrir de quoi il en retourne, murmura-t-il contre ses lèvres d'une voix rendue rauque par le désir.

Le souffle court, elle tenta de se dégager. Ce faisant, elle entra en contact avec une certaine partie de son anatomie qu'elle ne put ignorer. Électrisé par ce mouvement furtif, Marcus la plaqua contre le mur. Il pressa son bassin contre le sien sans équivoque. Empoignant ses mains, il les immobilisa de chaque côté de sa tête, tout en glissant une jambe entre les siennes. Elle n'était désormais plus en mesure de se soustraire à son emprise. Elle ferma les paupières, convaincue qu'il allait l'embrasser. Un froid soudain l'envahit. Avant même d'ouvrir les yeux, elle comprit qu'il avait quitté sa chambre. En proie à la confusion la plus totale, elle demeura figée sur place, le corps embrasé. Un rire dérisoire monta dans sa gorge. Pour un peu, elle lui en aurait voulu de s'arrêter en si bon chemin. Décidément, cet homme avait le don de déclencher des émotions contradictoires en elle.

Frustrée, elle se coucha dans son lit en sachant pertinemment qu'elle ne parviendrait pas à trouver le sommeil de sitôt.

De son côté, Marcus était lui aussi trop agité pour espérer dormir. Il n'eut de cesse de parcourir la forêt avoisinante à la recherche d'Hyménée. Plus que jamais, il était urgent de la retrouver. Il devait savoir le plus rapidement possible si interagir plus intimement avec Abbygaelle risquait de lui porter préjudice d'une façon ou d'une autre. La bête en lui devenait beaucoup trop instable et pouvait se déchaîner à tout moment. Même lui n'y pourrait rien. Il allait devoir se résigner à lui abandonner du terrain, sous peine d'en payer le prix.

CHAPITRE III

Le gardien

Lorsque l'aube se leva, Abbygaelle était encore agitée. Les rares moments où elle avait pu dormir avaient été peuplés de rêves où Marcus occupait le centre de ses intérêts. Elle tenta de se détendre, sachant qu'elle ne pouvait se présenter devant les autres dans cet état.

Elle achevait tout juste de s'habiller quand son père frappa à sa porte. Elle l'ouvrit en réfrénant un soupir. Des effluves sucrés s'échappèrent de la boîte qu'il tenait entre ses mains. De toute évidence, il avait fait un saut aux Folles Farines avant de la rejoindre. Elle déposa deux baisers sur ses joues, touchée par cette attention, et nota au passage qu'il semblait fier de lui.

— Bonjour, papa ! Te voilà bien matinal.

— Et comment, commença-t-il d'un air enjoué. J'ai une proposition des plus intéressante à te faire.

— Dis toujours, tu m'intrigues ! affirma-t-elle, un sourire en coin, en s'emparant d'une pâtisserie.

— Que dirais-tu d'une petite balade en kayak dans l'Havre-du-Bic ? Nous partirions en excursion une bonne partie de la journée.

— Mais, c'est une excellente idée! s'écria-t-elle d'emblée avec joie. Les autres viennent-ils également?

— En fait, nous ne serions que trois. Daphnée et Maximien avaient prévu autre chose de leur côté. Quant à Florien, il doit régler certains détails avec des clients.

Ce qui ne laissait donc que Marcus, songea-t-elle en suspendant son geste alors qu'elle se préparait à prendre une bouchée. Il était peu probable qu'il s'agisse d'Adenora. Réprimant avec peine un mouvement d'humeur, elle s'extorqua au calme.

— J'aurais aimé passer un peu de temps seule avec toi, papa.

— Je suis désolé, ma chérie, mais j'ai déjà proposé à Marcus de nous accompagner. C'est un grand amateur de sport nautique. Je savais que cela lui plairait.

— Ce n'est pas grave! lâcha-t-elle d'un ton faussement enjoué afin de cacher sa déception.

Satisfait, Hadrien lui décocha un sourire éblouissant avant de la serrer dans ses bras.

— Il te faudra être prête dans une heure environ. Je t'attendrai dans le hall. Marcus viendra nous chercher avec sa voiture. D'ici là, profites-en bien pour te régaler, déclara-t-il avec malice en lui faisant un clin d'œil.

Dès son départ, Abbygaelle secoua la tête. L'idée de se retrouver en compagnie de Marcus lui coupa l'appétit, surtout après ce qui était arrivé la veille. Toutefois, elle allait devoir passer outre les émotions contradictoires qu'il suscitait en elle et faire bonne figure. Peut-être se révélerait-il d'agréable compagnie cette journée-là. Avec de la chance, il se montrerait assez gentleman pour agir comme si rien ne s'était produit dans sa chambre la veille.

❋ ❋ ❋

En s'assoyant sur le siège arrière, Abbygaelle ne sut que penser. Marcus n'eut pas un seul regard dans sa direction. Il l'ignora même tout au long du trajet. Troublée, elle lui jeta de temps à autre de brefs coups d'œil.

Contrairement à ce qu'elle croyait, Marcus était tout à fait conscient de sa présence. Trop même, car il parvenait avec peine à maintenir la bête à l'écart. Tout autre que lui aurait probablement abdiqué, mais il se faisait un point d'honneur de résister. Il avait de nouveau cherché Hyménée durant toute la nuit, en vain. Son absence prolongée commençait sérieusement à devenir suspecte. En désespoir de cause, il avait envoyé les siens à sa recherche dès les premières lueurs de l'aube. Pour sa part, il préféra demeurer auprès d'Abbygaelle. Il y avait des risques, mais il n'avait pas le choix. Aucun des membres du groupe n'aurait été à même de la protéger d'une attaque de Lucurius autant que lui. Il se devait donc de tenir le coup. Toutefois, le seul fait de humer son parfum de femme, de la sentir si proche le narguait. Serrant les doigts sur le volant, il se renfrogna davantage.

Lorsqu'ils arrivèrent en vue du bassin d'amarrage, Abbygaelle poussa un soupir de soulagement qui fit tiquer Marcus. Il s'adossa nonchalamment à la portière de sa Mazda, ses prunelles sombres rivées sur Abbygaelle pendant qu'elle se dirigeait vers le bureau de location avec son père. Vu de l'extérieur, il offrait l'image même du type crâneur, alors qu'il en était tout autrement en réalité. Consciente de son regard, Abbygaelle ne sut que faire. Qu'avait-il donc à la dévisager de la sorte? Ne comprenait-il pas que son comportement ne facilitait pas leurs rapports ? Résolue à ne pas se laisser intimider, elle releva le menton en signe de défi. Lorsqu'elle le foudroya avec hargne, il la dévisagea avec une telle férocité qu'elle recula de quelques pas, le souffle court. Il y avait quelque chose chez lui qui l'effrayait, mais elle n'aurait su dire s'il s'agissait de sa personnalité, de son physique ou bien de son attitude. Dans tous les cas, elle y était sensible et cela commençait sérieusement à l'indisposer. Était-elle donc la seule à s'en apercevoir ?

Comme s'il avait suivi le cours de ses pensées, Marcus contracta sa mâchoire. « Diantre ! » Elle avait entrevu sa vraie nature l'espace d'un bref instant et semblait sur le point de tourner les talons pour s'enfuir. Il percevait même les battements précipités de son cœur. Une telle confusion régnait en elle… Son cerveau cherchait à comprendre ce dont il avait été témoin, alors que son corps réagissait d'instinct. Ne voulant pas lui laisser la possibilité de réfléchir à la question plus longuement, il s'approcha d'elle d'une démarche assurée, les poings enfoncés dans les poches de son jeans. Abbygaelle se dirigea rapidement vers les kayaks en décelant la menace sous-jacente derrière son calme apparent.

Nullement conscient de la tension qui régnait sur les lieux, leur guide, Alexandre, les invita avec enthousiasme à s'installer dans leurs kayaks respectifs. Avec aisance, Marcus s'inséra à l'intérieur de l'embarcation, puis s'éloigna de la rive en solitaire. Lorsqu'Abbygaelle et son père se furent installés, Alexandre les fit ramer quelque temps dans le bassin du Havre, afin de leur permettre de se familiariser avec les manœuvres et les courants. La marée n'était pas assez haute pour leur cacher la beauté du fond marin, mais suffisamment pour qu'ils puissent naviguer avec facilité. Quelques goélands virevoltaient au-dessus d'eux en poussant leurs cris stridents. Alexandre les jugea rapidement aptes à poursuivre plus loin leur escapade. Par bonheur, la cadence qu'ils adoptèrent aida Abbygaelle à se débarrasser du sentiment de panique qui l'avait gagnée quelques instants plus tôt à l'approche de Marcus.

Le paysage était à couper le souffle et leur guide leur désigna à tour de rôle l'île Brûlée, ainsi que le Cap Enragé. Sous l'œil curieux d'Abbygaelle, il attira leur attention sur la pointe rocheuse de l'île du Massacre. C'était là d'ailleurs qu'ils se rendaient.

Dès qu'ils accostèrent, Alexandre se départit de sa ceinture de sécurité, qu'il laissa tomber dans son kayak. Il se dirigea vers une grosse pierre plate d'un pas assuré et s'y assit avec une insouciance feinte, tout en les invitant à en faire autant. Abbygaelle arbora un sourire moqueur. Leur guide se donnait une prestance qu'il était loin de posséder. Le pauvre garçon semblait perdre tous ses moyens sous l'expression inquisitrice de Marcus. Pour sa part, elle ne savait que penser et préférait l'ignorer.

Elle sentait toutefois son regard braqué sur elle, si bien que résister à la tentation de jeter un coup d'œil par-dessus son épaule relevait presque de l'exploit. Par chance, Alexandre lui fournit une diversion idéale en prenant la parole.

— Savez-vous pourquoi ce lieu s'appelle l'île du Massacre ? demanda-t-il à brûle-pourpoint.

Saisissant l'occasion qu'il lui offrait, elle se concentra sur ses propos. Alexandre lui sourit mystérieusement, satisfait de son entrée en matière.

— La légende qui est rattachée à cet endroit aurait pris naissance au début des années 1500. À cette époque, la région était encore un territoire amérindien. Un groupe de nomades micmacs aurait décidé d'établir un campement provisoire sur cette île. Au sein de ce clan se trouvaient des familles entières. Lors d'une soirée de festivités, deux jeunes guetteurs sont revenus en courant vers les leurs pour donner l'alerte : ils avaient aperçu plusieurs Iroquois qui se dirigeaient droit vers eux. Étant trop loin de la rive, les malheureux n'ont pas eu la possibilité de se rendre à leurs canots et ont dû renoncer à fuir. Ils ont donc opté pour l'unique solution qui leur restait : se réfugier dans une caverne dont eux seuls connaissaient l'existence. Ils ont été une centaine à s'y cacher.

Prenant un temps d'arrêt pour ménager son effet, Alexandre les observa tour à tour. À l'écart, Marcus se contentait de surveiller les environs, une expression indéchiffrable sur le visage. En revanche, Hadrien et Abbygaelle semblaient captivés par son récit.

— La nuit a été longue. Ils étaient pressés les uns sur les autres dans un endroit humide et glacial. Les enfants étaient effrayés et les mères essayaient tant bien que mal de les rassurer. Par crainte de se faire repérer par leurs ennemis, ils n'ont fait aucun feu. Toutefois, malgré toutes leurs précautions, et le mur de branchages qu'ils avaient érigé à l'entrée de la grotte pour en dissimuler l'ouverture, les Iroquois les ont retrouvés.

Rivée sur place, Abbygaelle ressentait plus qu'un simple intérêt pour cette histoire : son propre cœur battait au même rythme que ceux qui l'avaient vécue. C'était une sensation déroutante qu'elle n'arrivait pas à s'expliquer. Alexandre poursuivit sa narration avec plus de profondeur dans la voix.

— Étant donné que les Iroquois ne désiraient pas s'exposer, ils ont embrasé les branches avant de se mettre à couvert, leur arc en main. La chaleur qui s'est dégagée du feu, ainsi que l'abondance de fumée ont obligé les Micmacs à sortir de leur cachette. En s'extrayant des flammes, les hommes ont tenté de percer les lignes ennemies, mais leurs efforts ont été voués à l'échec. À tour de rôle, ils sont tombés sous le tir des flèches iroquoises. Ç'a été un vrai massacre! Ensuite, ç'a été le tour des femmes, puis des enfants de connaître le même sort. Seulement cinq jeunes ont réussi à s'échapper et à regagner la berge où se trouvaient les canots. Le reste de la tribu a été décimé...

Le guide fit une pause. Il se rengorgea en constatant l'effet que son récit avait eu sur les deux principaux intéressés. L'autre type pouvait bien demeurer de marbre, il n'en avait cure.

— Imaginez la terreur qu'ils ont éprouvée. D'après la légende locale, les ossements des pauvres victimes seraient encore au fond de la grotte. Aucun de ceux qui ont péri au cours de ce carnage ne serait parvenu à trouver le repos éternel. Leurs âmes hanteraient les lieux, assoiffées de vengeance! Toujours selon la légende, le spectre des défunts pourrait être aperçu lors de certaines occasions. Les témoins de ces faits étranges préfèrent d'ailleurs ne plus s'aventurer sur cette île.

Le guide prit une seconde pause. Mettant la main en coupole sur son oreille droite, il poursuivit d'un ton lugubre.

— Si vous tendez l'oreille, il vous sera possible d'entendre leurs gémissements à travers le fracas de la mer, termina-t-il.

Abbygaelle n'eut même pas besoin de se concentrer pour percevoir les hurlements de terreur. En fait, elle les distinguait très clairement depuis un certain moment déjà. Ce qui avait passé pour un bruit de fond à l'origine avait pris une telle ampleur que c'en était devenu assourdissant. Maintenant que le récit d'Alexandre était achevé, c'était l'odeur de la chair calcinée qui l'emplissait tout entière. Une étrange sensation de nausée l'envahit.

Conscient du changement qui s'était opéré chez Abbygaelle, Marcus se retourna en plissant les yeux. Le visage de la jeune femme était d'une pâleur anormale. Ses prunelles semblaient hantées par des images horribles. D'un bond, il fut à ses côtés, faisant sursauter Hadrien et Alexandre par la même occasion. Il frôla ses tempes d'une caresse légère, mais son geste ne provoqua aucune réaction de sa part. De plus en plus inquiet, il se pencha vers elle et murmura son nom à son oreille, ce qui ne lui arracha guère plus qu'un faible frisson. Sans se détourner d'elle, il interpella son père d'un ton abrupt.

— Hadrien, j'aimerais m'entretenir en privé avec Abby.

Ce dernier prit peur. Marcus n'agissait jamais à la légère. Ce qui signifiait qu'Abbygaelle courait un grave danger. Partagé entre son désir de lui venir en aide et celui d'obéir, il ne savait que faire. Marcus le ramena à l'ordre. Tout en se secouant, Hadrien s'efforça d'adopter une expression enjouée et fit signe à leur guide de le suivre. Malgré lui, il jeta un coup d'œil anxieux en direction de sa fille, mais elle semblait à des lieues de là.

Dès que les deux hommes se furent éloignés, Marcus fronça les sourcils en avisant le regard vide de la jeune femme.

— Abby, qu'est-ce qu'il y a? s'informa-t-il d'une voix profonde.

Elle se releva en l'ignorant et se dirigea vers la forêt d'une démarche vacillante. Marcus lui emboîta le pas, plus nerveux que jamais. Il ne percevait aucune présence maléfique dans les environs. Les évènements qui avaient eu lieu la veille dans la maison de Trois-Pistoles se reproduisaient. C'était à n'y rien comprendre. «Qu'est-ce qui lui arrive, nom de Dieu?» se demanda-t-il en ne la quittant pas des yeux. À peine eurent-ils franchi les limites des bois qu'elle s'immobilisa, le souffle court, les pupilles dilatées par la peur. Elle tourna sur elle-même, à la recherche de quelque chose. Tout son être lui intimait de fuir, mais elle était incapable de réagir. Quelle ne fut pas sa terreur alors en voyant jaillir des fourrés plusieurs Amérindiens! Elle ouvrit la bouche pour crier, mais une main se plaqua sur ses lèvres. Elle chercha en vain à s'en libérer, mais la poigne qui la retenait prisonnière était inflexible. Pourtant, elle devait absolument s'en dégager. Des Iroquois lui faisaient maintenant face, la détaillant avec animosité. Avant même qu'ils ne s'emparent de leurs armes, elle comprit qu'ils s'apprêtaient à la prendre en chasse, tout comme ils l'avaient fait avec les Micmacs cinq cents ans auparavant. L'un des guerriers avait tendu son arc et se préparait à lui décocher une flèche. Paniquée, elle se débattit avec une ardeur renouvelée, mordant la paume qui l'étouffait.

Ce fut à ce moment-là que Marcus se matérialisa dans sa vision. En prenant conscience du danger qui la menaçait, il la repoussa aussitôt derrière lui. Sans hésitation, il s'interposa entre elle et ses assaillants. La flèche lancée dans leur direction lui transperça l'épaule. Tout en retenant un rugissement de douleur, il cassa l'empenne avec rage, puis la retira d'un mouvement sec en tressaillant. Trop stupéfaite pour réagir, Abbygaelle demeura figée sur place. Ce fut alors que les évènements se succédèrent à un rythme effréné. Elle fut soulevée, puis jetée en travers du dos de Marcus comme un vulgaire sac de patates. Elle eut tout juste le temps de s'agripper à ses bras avant qu'il ne s'élance. Ses muscles jouaient sous l'effort fourni, et le paysage défilait à une vitesse phénoménale. Elle remarqua le sang qui s'écoulait de la blessure de Marcus. Après une course folle dans la forêt, il freina brusquement. Il la remit sur pied avec rudesse.

Marcus la fixa d'une expression bestiale en reprenant son souffle. Il lui fallait se calmer avant que la situation ne dégénère davantage. De son côté, Abbygaelle peinait à se ressaisir. Elle ne pouvait détacher son attention de la tache rouge qui grandissait sur le chandail de son compagnon. Secouée par des tremblements impossibles à réprimer, elle sentit ses jambes se dérober sous elle. Elle pâlissait à vue d'œil, si bien que Marcus crut qu'elle allait s'évanouir. Par prudence, il l'agrippa par la taille et plongea son regard dans le sien. Il devait absolument s'insinuer de nouveau dans ses pensées afin d'effacer de sa mémoire les derniers évènements survenus. Il ne savait pas comment cela était possible, mais apparemment Abbygaelle pouvait désormais évoluer dans un univers parallèle au leur : celui des esprits. Comment s'y était-elle prise pour y arriver seule et sans préparation ? Lucurius avait-il été assez fou pour jouer avec des forces qui le dépassaient? Était-ce pour cela qu'il la pourchassait? Parce qu'elle pouvait servir de pont entre les deux mondes; le leur et celui des démons. La situation était pire encore que ce qu'il appréhendait. Or, Abbygaelle n'était pas prête à affronter une telle vérité. C'était uniquement à cause du lien étrange qui les unissait qu'il était parvenu à établir un contact entre eux, qu'il avait été en mesure d'intervenir. Il était clair qu'il lui faudrait dès lors renforcer cette connexion pour être en mesure de la protéger de toute nouvelle attaque.

Il n'y avait pas d'autre solution. Il devrait faire fi de ses craintes et laisser la bête cohabiter avec lui. Aucune échappatoire n'était envisageable, ni pour lui, ni pour Abbygaelle d'ailleurs. Leurs destins étaient maintenant scellés. Cependant, il ne devait surtout pas la brusquer. Ce serait suicidaire. Dans l'immédiat, il préférait effacer de sa mémoire ce qui venait de se produire. Toutefois, l'état d'esprit de la jeune femme lui compliquerait la tâche; il allait donc devoir l'assujettir à son pouvoir pour y arriver. À cette seule idée, le monstre en lui exulta.

Pour la seconde fois, il entra en contact avec ses pensées. Un long frisson le parcourut. Il n'aimait pas du tout les émotions violentes qui s'éveillaient en lui! Un grognement rauque roula dans sa gorge. Emporté par un désir brut, il s'empara de sa bouche et prit possession de tout son corps. Ce fut avec délice qu'il goûta la saveur suave de ses lèvres.

Telle une noyée qui cherche à refaire surface, Abbygaelle s'accrocha aux épaules de Marcus et tenta de reprendre pied. Les sens en ébullition, elle ne put s'empêcher de répondre avec fougue. Il l'étreignit avec force, attisé par l'intensité de sa réaction. Inconsciemment, il inséra un genou entre ses jambes. En percevant le renflement de sa virilité contre sa cuisse, Abbygaelle réagit d'instinct. Elle ondula le bassin dans une invite muette, l'échauffant dangereusement. Perdant toute notion de la réalité, Marcus l'agrippa par le cou, afin d'approfondir davantage son baiser. Abbygaelle haletait sous cet assaut presque sauvage. Son cœur battait violemment contre sa poitrine. Un gémissement rauque lui échappa lorsqu'il remonta son chandail et caressa sa peau frémissante. En glissant ses paumes sur ses épaules, elle le sentit tressaillir.

Prenant soudainement conscience de ce qu'il s'apprêtait à faire, Marcus s'arracha à elle dans un cri de rage. Abbygaelle était égarée et dut prendre appui sur la pierre pour ne pas s'écrouler. Quant à Marcus, il se mit à tourner en rond, tel un ours en cage. La bête en lui était assoiffée, si bien qu'il avait été submergé avec une force incroyable, manquant l'espace d'un instant de perdre son sang-froid. Il devait se reprendre rapidement, même s'il lui fallait en payer le prix ultérieurement. Abbygaelle l'observait entre ses cils mi-clos, incapable de prononcer le moindre mot. Sa seule présence la troublait au-delà de toute raison. Tout en fermant les paupières, elle inspira profondément, cherchant ainsi à réfréner l'intensité de ses émotions. Elle n'arrivait pas à retrouver le fil de ses pensées. Tout était si embrouillé dans sa tête qu'elle n'y comprenait plus rien. Il y avait eu le récit d'Alexandre, puis… le vide total.

Furieux de la tournure des évènements, Marcus se départit de son chandail et le roula en boule d'un geste brusque. La plaie à son épaule s'était refermée d'elle-même ; il ne lui restait plus qu'à essuyer le sang pour faire disparaître toute trace. Par miracle, il avait réussi à effacer les souvenirs d'Abbygaelle avant de couper brutalement le lien entre eux. Du moins l'espérait-il. Il n'était pas certain d'y être parvenu entièrement. De toute façon, il ne pouvait prendre le risque de retenter l'expérience. Il percevait toujours les effluves envoûtants de son parfum, ce qui était mauvais signe. Ils devaient à tout prix rejoindre les deux hommes. Tout en inspirant profondément, il s'avança vers Abbygaelle. L'empoignant par le bras, il l'obligea à le suivre.

— Une minute! s'écria-t-elle aussitôt en le tirant vers l'arrière.

— Quoi? s'impatienta Marcus en lui faisant face.

— Je... les Amérindiens... le sang... chercha-t-elle à expliquer d'un débit haché, alors que des images fugaces refaisaient surface dans son esprit.

En la voyant reculer de quelques pas, Marcus fronça les sourcils. Elle n'aurait jamais dû être en mesure d'avoir accès à ces souvenirs.

— Tu sembles confuse, Abby, lâcha-t-il d'un ton doucereux.

Elle cilla au son de sa voix et secoua la tête avec vigueur afin de tenter de s'éclaircir les idées.

— Tais-toi! souffla-t-elle misérablement.

Maintenant libérée de son emprise, elle se massa le front. Elle grimaça en ressentant les prémices d'une migraine. Elle avait l'impression de perdre la raison. Que lui arrivait-il tout à coup? Pourquoi ne réussissait-elle pas à se rappeler ce qui s'était passé depuis le récit d'Alexandre, mis à part ce baiser qu'ils venaient d'échanger? Cette étreinte l'avait à ce point perturbée qu'elle préférait pour l'heure ne pas y songer. Cependant, quelque chose lui échappait, mais quoi?

Marcus l'observait, le corps tendu, n'osant bouger de crainte de l'effaroucher encore plus. Il détestait devoir la manipuler de la sorte. Il voyait bien à son regard voilé qu'elle cherchait désespérément à s'y retrouver. Jamais par le passé il n'avait eu à s'opposer à une telle volonté. Cela dépassait l'entendement! Au vu des circonstances actuelles, il était plus que jamais persuadé qu'Hyménée lui cachait quelque chose. Abbygaelle était plus qu'une simple clé de voûte... À dire vrai, il n'était plus certain de vouloir découvrir de quoi il en retournait exactement.

— Écoute, Abby, j'ignore ce qui t'arrive, mais apparemment, tu ne vas pas très bien. Je crois qu'il serait préférable que tu regagnes l'auberge afin de t'y reposer.

— Je ne comprends pas! Ma tête... commença-t-elle en se massant les tempes.

Profitant de l'ouverture qui s'offrait à lui, Marcus s'approcha d'elle lentement et la soutint par le coude.

— Tu as trébuché sur une souche. Tu as probablement heurté ta tête en tombant, mentit-il sans scrupule.

— Je... Je ne me souviens de rien...

— Abby, je vais te raccompagner jusqu'aux kayaks, insista-t-il.

— D'accord... eut-elle pour toute réponse en s'avançant d'un pas hésitant.

Marcus jura tout bas. Pour la première fois depuis très longtemps, il doutait du bien-fondé de ses actions. Sauf qu'il n'y avait pas d'autres solutions envisageables dans l'immédiat. Abbygaelle n'était pas prête à connaître la vérité; peut-être ne le serait-elle jamais. Sa première mission consistait à la protéger de Lucurius et de ses acolytes. Ce qui était déjà un défi en soi. Maintenant, il lui faudrait regagner sa confiance. Il n'avait aucune idée jusqu'où il pourrait aller. La situation était extrêmement délicate, car elle exerçait un attrait redoutable sur ses sens. Il ne pouvait se permettre la moindre erreur. Portant de nouveau son attention sur elle, il l'incita à le suivre. Ce qu'elle fit, tel un automate.

Quand ils débouchèrent sur la grève, il se glissa devant Abbygaelle de façon à la soustraire au regard d'Alexandre. Leur guide n'aurait pas manqué de noter son expression égarée. Hadrien, en revanche, ne fut pas dupe. Immédiatement, il appréhenda le pire. À aucun moment, leur chef n'aurait usé de son pouvoir, à moins que cela ne se soit avéré nécessaire. Hadrien comprit que ce n'était ni le lieu ni le moment de l'interroger. Il s'occupa donc de leur guide, afin de le maintenir à l'écart du couple, du moins jusqu'à ce qu'Abbygaelle se ressaisisse. Sur un signe affirmatif de Marcus, il prit place à l'avant de son kayak, donnant ainsi le signal du départ à Alexandre. Marcus installa Abbygaelle à l'arrière avec d'infinies précautions. Agrippant les rebords de l'embarcation, il se préparait à les pousser lorsqu'elle sortit de son hébétude. En remarquant qu'il était torse nu, elle fronça les sourcils, perplexe. Elle se rappelait parfaitement bien son baiser enfiévré, mais pour le reste… Au souvenir de leur étreinte, son cœur fit un bond. Marcus se tendit, sensible à son humeur. Il devait s'éloigner d'elle et vite, sous peine de se perdre. D'un geste brusque, il les propulsa.

Leur retour au bassin d'amarrage se fit dans le silence le plus complet. Sans doute Alexandre avait-il ressenti le malaise qui s'était instillé au sein du petit groupe, car il n'insista pas pour les divertir davantage. Ce fut même avec soulagement qu'il revint à leur point de départ. Ce qui était apparemment le cas aussi pour Marcus. À peine eut-il atteint la rive qu'il tirait déjà son kayak sur la berge et regagnait sa voiture. Quelle mouche l'avait piqué? Décidément, Abbygaelle n'arrivait pas à le comprendre. Pressé d'en finir, Hadrien se dirigea vers le bureau de location afin d'y déposer leurs vestes de sauvetage. La tension qui régnait entre Marcus et sa fille était palpable, ce qui ne lui disait rien qui vaille. Marcus n'avait pas pour habitude de laisser ainsi transparaître ses émotions. Il fallait vraiment qu'il soit perturbé pour être déstabilisé de la sorte.

La nuit avait recouvert les environs de son manteau sombre lorsque Marcus se faufila dans la chambre d'Abbygaelle. La soirée s'était révélée désastreuse, et même la nature enjouée de Daphnée n'était pas parvenue à alléger l'atmosphère. Revenant au moment présent, il détailla avec tendresse la jeune femme qui dormait à quelques mètres de lui, les cheveux en bataille. Son expression était plus sereine qu'en temps normal. Il se déplaça en silence et vint se poster sur sa droite. Avec précaution, il frôla son front d'une caresse légère avant de s'insinuer dans son esprit et de terminer ce qu'il avait commencé sur l'île. Abbygaelle s'agita à son contact. Il lui murmura alors à l'oreille des paroles apaisantes, humant au passage son odeur envoûtante. La poitrine d'Abbygaelle se souleva dans un profond soupir, ce qui attira son regard sur la courbe de son cou. Ce qui était arrivé dans la forêt lui revint alors avec une clarté effarante. Elle avait été si délicieuse qu'il eut envie de goûter à nouveau la douceur de sa peau. Lentement, il se pencha vers elle et pressa ses lèvres dans le creux de sa gorge. Un désir vif l'embrasa, le remuant jusque dans ses tripes. Comprenant qu'il jouait avec le feu, Marcus s'empressa de terminer de manipuler ses souvenirs avant de couper brusquement le lien entre eux. Le matin venu, Abbygaelle ne se rappellerait plus rien au sujet des Amérindiens, ni de sa blessure à l'épaule. Cependant, il doutait de pouvoir effacer l'épisode du baiser. C'était trop profondément ancré en elle. Force lui fut pourtant de reconnaître qu'il l'espérait d'une certaine façon, ce qui lui fit l'effet d'un coup de poignard en plein ventre. Déconcerté par cette découverte, il l'enveloppa d'un regard empreint d'incertitude. Le cœur en déroute, il s'éloigna de quelques pas. Il devait la quitter sur-le-champ, mais avait peine à s'y résoudre. Que n'aurait-il pas donné pour avoir la possibilité de s'allonger à ses côtés sans danger et de la serrer dans ses bras ? Une complainte déchirante s'échappa de ses lèvres.

Tout en se secouant, il gagna la porte qui accédait au balcon arrière. Lorsqu'il l'entrouvrit, une brise tiède glissa sur lui telle une caresse légère. Réprimant le désir qui le tenaillait, il sortit prestement. Il devait impérativement s'éclaircir les idées avant de rejoindre Hyménée. Il avait finalement reçu un appel d'elle en début de soirée, et il comptait bien obtenir des réponses à ses questions. Non sans un dernier coup d'œil vers la chambre de la jeune femme, il s'élança dans la nuit.

Hyménée se présenta au point de rencontre avec trente minutes de retard, ce qui n'améliora pas l'humeur déjà sombre de Marcus. Son expression ne laissait rien transparaître de ses émotions, à l'inverse de Marcus, qui était toujours sous le choc de ce qu'il avait découvert quelques minutes plus tôt dans la chambre d'Abbygaelle. S'obligeant à se recentrer sur celle qui s'avançait vers lui, il se raidit. À peine Hyménée arriva-t-elle à sa hauteur qu'il l'apostropha sans détour.

— Qu'est-ce que vous m'avez caché?

La nouvelle venue releva la tête, croisant aussitôt son regard implacable. Dire qu'il fulminait était en deçà de la vérité. Elle allait devoir jouer de finesse avec lui.

— Bonsoir, Marcus!

— Trêve de balivernes, Hyménée! Je ne suis pas là pour ça, vous le savez pertinemment.

Devant cette attaque pour le moins inhabituelle de sa part, elle retint de justesse un sourire satisfait. Ainsi, ce grand seigneur des ténèbres perdait de son flegme. Elle était ravie de constater que la présence d'Abbygaelle éveillait son côté primitif. Apparemment, elle avait vu juste à son sujet. Il lui faudrait en informer le cercle des anciens. Tel qu'elle l'avait prédit, la fille d'Hadrien était l'élue qui pouvait surplomber jusqu'au souvenir d'Agniela dans le cœur endurci de Marcus. Avec ce qui se manigançait dans l'ombre, les humains avaient plus que jamais besoin de la force de frappe d'êtres de sa trempe. Il était donc impératif que Marcus réapprenne à coexister avec la bête en lui. Certains des membres du cercle n'avaient pas cru en son plan, le trouvant beaucoup trop risqué. Elle pouvait enfin leur prouver qu'ils avaient eu tort. En le nommant gardien de la jeune femme, elle avait déclenché une suite d'évènements qui joueraient en leur faveur. Une fois qu'Abbygaelle serait prête, leurs deux pouvoirs réunis seraient un atout considérable dans ce qui se préparait. Il suffisait de pousser Marcus dans ses derniers retranchements.

Tout en fixant Hyménée d'un regard ombragé, le principal concerné se renfrogna. Marcus devenait de plus en plus nerveux. Méfiant de nature lorsqu'il s'agissait des anciens, il s'inquiéta du soudain silence d'Hyménée. Il n'aimait pas ce qui se tramait et la suspectait de lui dissimuler quelque chose d'important.

— Qu'arrive-t-il à Abby ? demanda-t-il d'une voix cassante.

— Que veux-tu dire exactement, Marcus ?

— Ne jouez pas ce petit jeu avec moi, Hyménée. Je ne suis pas d'humeur à ça, lâcha-t-il entre ses dents.

— Contrairement à ce que tu imagines, je n'ai pas la science infuse !

— J'ai peine à vous croire ! Vous et ceux de votre espèce êtes beaucoup trop retors pour ma tranquillité d'esprit.

— Je le sais très bien ! Tu n'as jamais caché ton ressentiment envers nous depuis la mort d'Agniela et des enfants.

— Vous auriez pu intervenir… les sauver ! Mais vous avez préféré demeurer à l'écart ! cracha-t-il avec rancœur.

— Combien de fois t'ai-je expliqué que nous ne pouvions rien faire ? C'était indépendant de notre volonté.

— Foutaise ! s'écria-t-il, la rage au cœur. Chose certaine, je ne vous laisserai pas porter préjudice à Abbygaelle. Je refuse que l'histoire se répète !

— Nous ne voulons aucun mal à la petite, elle nous est beaucoup trop précieuse.

— J'ai peine à le croire pourtant…

Les poings serrés, il marcha de long en large dans l'espoir de se calmer. Il devait garder la tête froide, mais raviver ses souvenirs d'une autre époque alors qu'il était dans un tel état de tension était extrêmement dangereux. Malgré sa souffrance passée, il ne devait pas perdre de vue son objectif présent.

— Pourquoi Abby a-t-elle réagi aussi vivement à notre présence ? demanda-t-il sans ambages.

— C'est son ascendance qui la rend si sensible à votre vraie nature. Tu n'as rien à craindre à ce sujet, elle finira par s'acclimater. Il ne lui faut qu'un peu de temps.

— C'est déjà le cas pour le reste de la meute.

— Mais pas en ce qui te concerne, n'est-ce pas ?

Le silence de Marcus était des plus éloquents. Hyménée en déduisit qu'elle avait deviné juste.

— Tu es l'alpha le plus puissant parmi les tiens, Marcus, et je ne fais pas seulement référence à ceux de ton clan. Tu es de la première souche. Est-ce si surprenant dans ces conditions qu'Abbygaelle soit des plus réceptives à ton pouvoir ? De plus, son statut de clé de voûte influe sur ses perceptions. Ce qui arrive était incontournable…

— Vous saviez qu'il en serait ainsi ? Vous l'avez soumise à mon emprise en toute impunité !

— N'y vois aucune malice de notre part. Abbygaelle avait besoin d'un gardien à la hauteur de la tâche. Lucurius la recherche activement, tu étais donc le mieux placé pour interférer. Personne ne le connaît autant que toi. Si elle veut survivre, il lui faut être sous ta protection. C'est sa seule chance !

— Êtes-vous consciente qu'à travers cette démarche, je ne pourrai faire autrement que de la réclamer comme mienne? Jamais la bête qui cohabite en moi ne permettra qu'elle lui échappe plus longtemps.

— Nous le savons pertinemment, et nous n'avons aucune crainte à ce sujet.

Quelque part en lui, le monstre s'agita à la perspective de cette éventualité. La tête en feu, il l'obligea à reculer. Il n'était pas prêt encore à le relâcher.

— Risque-t-elle de souffrir ou d'être blessée si je l'assujettis davantage à mon pouvoir?

— Non! mentit Hyménée avec une facilité déconcertante et un calme qui était l'apanage des anciens.

Il était hors de question qu'elle l'informe des répercussions à venir. À son contact, des changements radicaux s'opéreraient chez Abbygaelle, qui mèneraient à l'aboutissement de sa destinée. Quand Marcus en prendrait conscience, le processus serait déjà trop avancé pour faire marche arrière.

Loin de se douter d'une telle fourberie, Marcus poursuivit le cours de ses pensées. Il lui restait une chose à discuter avec elle.

— Il y a fort à parier que Lucurius manipule des puissances qui le dépassent, déclara-t-il d'une voix sourde.

— Qu'est-ce qui te fait croire ça? demanda Hyménée, le front soucieux.

— Une brèche s'est ouverte. Abby a commencé à en ressentir les effets. Elle peut voir des fragments de l'Autre monde.

Hyménée parut surprise de la révélation de Marcus. Un terrible pressentiment s'empara d'elle. Elle regarda le métamorphe d'un air inquiet.

— C'est très fâcheux! Elle n'est pas prête encore à y faire face.

— Je le sais très bien! C'est pourquoi j'ai pris sur moi d'effacer certain de ses souvenirs. Cependant, elle a une forte personnalité. Il est impossible de la mystifier entièrement. Tôt ou tard, elle se rappellera tout.

— Chaque chose en son temps. Tout d'abord, elle doit s'acclimater à ta vraie nature, accepter ta présence à ses côtés. Ce n'est qu'après que nous pourrons envisager de la former. Elle ne pourra pas éternellement compter sur ceux de ton clan; il lui faudra aussi apprendre à se protéger elle-même. Il est impératif qu'elle demeure hors de portée de Lucurius pendant cette période transitoire. Qui sait quel dommage il pourrait provoquer.

— J'en suis tout à fait conscient! grogna Marcus. Si elle devait tomber entre ses mains, il la briserait, et je m'y refuse.

— J'ai confiance en toi, Marcus. Je sais que tu ne l'abandonneras pas.

Sur ces paroles, Marcus lui lança un regard inquisiteur avant de repartir. Il se promit que de son vivant, personne ne s'en prendrait à Abbygaelle, pas même les ancêtres.

C'était aujourd'hui qu'ils devaient tous se rendre au chalet réservé par Florien au parc national de Forillon. À cette seule perspective, la nervosité d'Abbygaelle monta d'un cran. Comment vivre dans une telle promiscuité avec

Marcus après le baiser qu'ils avaient échangé sur l'île? Il l'avait royalement ignorée la veille et son indifférence l'avait quelque peu refroidie. L'esprit confus, elle empaqueta les effets dont elle aurait besoin pour ce petit séjour avant de descendre dans le hall, la mine sombre.

Sur la terrasse arrière de l'auberge, Hadrien contemplait la mer, sans toutefois la voir réellement. Au lever du jour, Marcus les avait tous convoqués pour les informer des détails de sa discussion avec Hyménée. En apprenant que sa fille était déjà sous l'influence de l'Autre monde et percevait des fragments d'un passé depuis longtemps révolu, Hadrien s'était affolé. C'était beaucoup trop tôt! En dépit du fait qu'il s'était préparé à cette éventualité depuis sa naissance, il ne pouvait s'empêcher d'appréhender la suite des évènements. Abbygaelle accepterait-elle son héritage? Sa mère était morte en la défendant d'une attaque-surprise des sbires de Lucurius. Elle avait sacrifié sa vie pour préserver la sienne et sa fin avait été horrible... Songer à sa défunte épouse lui fit mal. Que n'aurait-il pas donné pour avoir été présent ce jour-là! Il aurait pu les sauver toutes les deux. Sauf que le destin en avait décidé autrement. En découvrant son corps mutilé à son retour du travail, il avait cru ne jamais pouvoir s'en remettre. Seul le fait qu'Abbygaelle ait survécu lui avait fourni le courage nécessaire pour poursuivre cette lutte. Pour protéger sa fille, il avait dû mentir sur la cause réelle du décès de sa mère, refusant également qu'elle soit exposée au funérarium. Avec le temps, Abbygaelle avait commencé à s'interroger à ce sujet. Inconsciemment, elle pressentait qu'il y avait beaucoup plus qu'une simple histoire d'infarctus. Si bien qu'elle revenait régulièrement à la charge.

Par chance, après l'offensive qui lui avait ravi son épouse, Marcus était parvenu à brouiller les pistes, à soustraire Abbygaelle à l'influence de Lucurius, du moins jusqu'à ce jour. Marcus lui avait expliqué ce qui s'était passé sur l'île du Massacre, à la vieille maison hantée, ainsi que dans le sentier en bordure du champ lors du jogging matinal de la jeune femme. Abbygaelle ne pouvait plus échapper à son destin désormais. Le pire était à venir. Ils devaient dorénavant mettre tout en œuvre pour la préserver, l'aider à comprendre ce qui lui arrivait. Il espérait seulement qu'elle n'y laisserait pas la vie. Il ne pourrait supporter que l'histoire se répète, que son épouse se soit sacrifiée en vain.

❄ ❄ ❄

Le jour tirait déjà à sa fin lorsqu'ils arrivèrent en vue de l'imposant chalet. Le deuxième étage, en forme de pignon, ainsi que les grandes fenêtres tout autour de la salle de séjour lui donnaient un aspect rustique. L'endroit était paisible, sans compter que la vue était saisissante sur la baie de Gaspé.

Lorsqu'Hadrien coupa le contact, Abbygaelle s'agita sur son siège. Ce fut avec un réel bonheur qu'elle s'extirpa de la Volkswagen. Elle était ankylosée après toutes ces heures passées sur la route. Les phares de deux voitures percèrent la pénombre derrière elle. Dans la Mazda se trouvaient Marcus, Maximien et Daphnée, alors que dans la seconde automobile, Adenora et Florien.

Lançant un regard furtif en direction de Marcus, elle fut surprise de constater qu'il semblait beaucoup plus détendu que la veille, voire d'humeur enjouée. S'y perdant en conjectures, elle se détourna pour reporter son attention sur le chalet. Elle gagna le perron et pénétra dans la demeure d'une démarche assurée. Pour l'instant, ce qu'elle désirait plus que tout, c'était se rafraîchir un peu. Daphnée, qui venait de la rejoindre, lui indiqua sa chambre. En montant au premier étage, Abbygaelle poussa un soupir de satisfaction. Enfin, elle allait avoir droit à un moment de tranquillité après ce voyage éreintant.

Elle esquissa un sourire amusé en ouvrant la porte. Tout ici était rustique, du lit en bois rond jusqu'à la commode d'une autre époque. Elle entreprit de mettre tous ses effets personnels dans le meuble de rangement. Elle s'empara ensuite de dessous propres, d'un jeans à taille basse et d'un pull moulant, puis prit la direction de la salle d'eau commune qui se trouvait tout au bout du couloir. Mais à peine eut-elle franchi le seuil qu'elle se retrouva nez à nez avec Marcus. Interdite, elle jeta un coup d'œil derrière lui et se raidit en s'apercevant que leurs chambres étaient mitoyennes.

— Génial! Il ne manquait plus que ça, marmonna-t-elle entre ses dents.

Faisant mine de n'avoir rien entendu, Marcus plongea son regard dans le sien. Abbygaelle se fit un point d'honneur à ne pas baisser les yeux. Ils s'affrontèrent ainsi quelques secondes, avant qu'il ne se décide à reculer d'un pas pour lui céder le passage. Ce faisant, il détailla succinctement les vêtements qu'elle tenait entre ses mains. En apercevant la lingerie fine d'un blanc diaphane et bordée de dentelle, il sentit son sang ne faire qu'un tour dans ses veines. Bien malgré lui, il dut abaisser sa garde, car Abbygaelle pâlit. Elle le contourna en lui décochant un regard perçant, puis s'éloigna prestement.

❉   ❉   ❉

Quand Abbygaelle fit son apparition dans le salon, tous ceux qui étaient présents se turent, la scrutant avec un intérêt prononcé. Quelque chose avait changé dans leur attitude. L'atmosphère était lourde, si bien qu'elle était presque intimidée. Tout en se raclant la gorge pour cacher son trouble, elle baissa les yeux. Brisant le silence inhabituel, Marcus se leva et la salua avec chaleur. Avec un sourire en coin, il l'invita à les rejoindre. Elle s'assit avec une certaine raideur sur un fauteuil, déstabilisée par sa bonne humeur évidente. Avant de retourner à sa place, Marcus laissa errer ses doigts sur sa nuque dégagée, la faisant sursauter. Le sourire amical qu'elle s'apprêtait à dédier à Daphnée se figea sur ses lèvres. Elle croisa les prunelles incendiaires d'Adenora au même moment et se crispa d'instinct.

Son inconfort n'échappa pas à Marcus, ce qui lui sembla étrange. Abbygaelle était entourée de personnes dévouées à sa cause. Pourquoi cette soudaine méfiance ? Les sens en alerte, il suivit discrètement la direction de son regard. Il fronça les sourcils devant l'expression belliqueuse d'Adenora. Sentant alors que Marcus la jaugeait à son tour, l'adolescente s'empressa d'effacer toute trace de colère sur son visage. Marcus se raidit, plus soucieux que jamais. Il était censé avoir une confiance aveugle en les siens ; pourtant, il ne savait que penser du rictus presque haineux qui avait déformé les traits d'Adenora l'espace d'un bref instant. S'agissait-il d'un simple caprice de petite fille gâtée ou bien d'une jalousie profonde ? Dans l'incertitude, il préféra réserver son jugement pour l'immédiat, mais se promit en revanche de la surveiller. En fin de compte, il avait été bien avisé d'installer Daphnée et Maximien dans la troisième chambre à l'étage et Adenora au rez-de-chaussée.

❊ ❊ ❊

Ce soir-là, ils mangèrent tout en discutant gaiement. Abbygaelle fut étonnée de découvrir à quel point Marcus était plus facile d'approche lorsqu'il n'affichait pas son air renfrogné. Quelle que fût la raison de ce soudain revirement, l'ambiance générale en fut améliorée. Pour sa part, elle était beaucoup plus décontractée, appréciant davantage chaque instant du repas. Maximien se révéla un conteur plein d'humour, les faisant rire à plus d'une occasion. Quant à Marcus, elle se rendit compte qu'il était quelqu'un de cultivé, mais aussi de sensible à la cause humaine, nullement le misanthrope qu'elle s'était imaginé. Ce qu'il disait était sensé et dénotait une profondeur de jugement qu'elle n'aurait pas deviné chez lui. Pourquoi alors lui avait-il laissé croire le contraire ? Abbygaelle nota également que seule Daphnée se permettait de taquiner Marcus, ce dernier faisant preuve d'une indulgence presque fraternelle à son égard. Il n'y avait qu'Adenora qui se démarquait du reste du groupe par sa mauvaise humeur, si bien que tous finirent par l'ignorer. Abandonnée à elle-même, l'adolescente se retira dans sa chambre au bout d'un certain temps. Abbygaelle se sentit dès lors plus légère, s'autorisant à son tour des échanges plus animés.

Florien se montra somme toute d'une simplicité déroutante. Il avait tout de l'apparence d'un homme dans la force de l'âge et sûr de lui. Ses cheveux, presque entièrement gris, et sa barbe taillée à la perfection lui conféraient d'ailleurs un air de patriarche. Ses yeux d'un brun lumineux renfermaient de la bonté, ainsi que de la sagesse, ce qui n'était en rien comparable avec sa fille. Adenora était non seulement provocante, mais aussi maquillée à outrance. Elle s'était exhibée dans une robe presque transparente. Ce soir-là, la jupe qui lui arrivait à peine à la mi-cuisse dévoilait sa culotte échancrée dès qu'elle se penchait. Une ceinture basse enserrait ses hanches fines, et quelques chaînettes y pendaient librement, déclenchant une série de tintement au moindre de ses mouvements. L'encolure osée laissait entrevoir beaucoup plus que la naissance de ses seins, tandis que sa longue tignasse foncée, lissée vers l'arrière, lui donnait l'aspect d'une aguicheuse vulgaire. Sa bouche pulpeuse, rehaussée d'un rouge à lèvres éclatant, affichait une moue boudeuse, mais ses yeux, en revanche, d'un noir profond, contrastaient avec le fard d'un vert éblouissant qui recouvrait entièrement ses paupières. Sans contredit, l'adolescente lui faisait penser à une panthère noire. Un félin sournois, cruel, au regard acéré. Lorsque personne ne lui portait attention, Adenora la dévisageait avec une férocité à couper le souffle. Pour rien au monde, elle n'aurait souhaité rencontrer cette fille dans une ruelle obscure et déserte.

En ce qui concernait Maximien, elle était désormais très à l'aise en sa présence. Il faut dire qu'avec ses boucles brunes rebelles, son teint hâlé et ses yeux marron, il était assez bel homme. Son rire était contagieux, et une lueur amoureuse brillait dans son regard dès que Daphnée s'approchait de lui. Il aurait fallu être aveugle pour ne pas remarquer à quel point ces deux-là s'adoraient. D'une certaine façon, Abbygaelle enviait leur bonheur.

Elle en était à cette réflexion lorsque son regard croisa celui de Marcus par inadvertance. Le sourire qu'il lui dédia alors la déconcerta. Avant même qu'elle ne puisse comprendre ce qui arrivait, il s'était déjà levé. C'était toutefois la soudaine douceur qu'il dégageait qui la déstabilisa le plus. Il la rejoignit en trois enjambées. «Seigneur!» songea-t-elle, le souffle court. Elle aurait pu se perdre dans les deux yeux sombres qui la fixaient. Submergée par cette nouvelle transformation, elle ressentit un léger vertige. Quand il lui proposa d'aller marcher à l'extérieur pour se dégourdir les jambes, elle accepta, des papillons dans le ventre. Daphnée et Maximien s'empressèrent de se joindre à eux.

Le ciel éclairci offrait une vue magnifique sur les étoiles qui scintillaient de mille éclats, plongeant le paysage environnant dans une atmosphère presque féerique. Abbygaelle observait avec nostalgie Daphnée et Maximien qui se promenaient, blottis l'un contre l'autre. Rêveuse, elle porta son attention sur la mer. À ses côtés, Marcus percevait la moindre de ses émotions. Il s'avança vers elle en lui tendant galamment son bras. Étonnée par son geste, elle se tourna vers lui, un sourire amusé sur les lèvres. Elle déposa sa main dans le creux de son coude avec une lenteur délibérée. Une chaleur bienfaitrice se propagea instantanément dans tout son être, lui procurant du même coup une sensation de paix.

En silence, ils parcoururent la distance qui les séparait de la plage. Tout y était si calme. Sur un signe de tête, Daphnée et Maximien bifurquèrent vers la gauche en direction d'un chemin broussailleux, les laissant seuls. Marcus savait qu'ils demeureraient toutefois à portée de voix en cas de besoin. Lorsque les deux tourtereaux se furent éloignés, il fit face à la jeune femme, la forçant à s'immobiliser. Nerveuse tout à coup, Abbygaelle le relâcha.

— Est-ce que je t'effraie, Abby? demanda Marcus.

— Je… tenta-t-elle d'expliquer. À dire vrai, je ne sais trop quoi penser…

— Que crains-tu réellement? chuchota-t-il en s'avançant.

Que redoutait-elle? Tout et rien à la fois. Elle ne parvenait pas à se fier à son jugement en ce qui le concernait, ni à le cerner. C'était la première fois que cela lui arrivait, si bien qu'elle était déroutée. Qui était-il réellement? Pourquoi s'était-il montré si désobligeant et si blessant avec elle de prime abord? Tout en fronçant les sourcils, elle l'observa avec attention. Cet homme était à couper le souffle, et l'aura de mystère qui l'entourait n'arrangeait rien. Il y avait une telle force qui se dégageait de lui qu'elle était chavirée jusqu'au plus profond de son être. Prenant alors conscience qu'il l'attirait comme personne ne l'avait fait auparavant, elle eut froid dans le dos. Elle n'avait jamais cru au coup de foudre… Sans broncher, elle leva le menton afin de soutenir son regard. Fin chasseur, Marcus sentait son agitation. Il adorait relever les défis, et Abbygaelle en était un de taille. Maintenant qu'il avait pris la décision de laisser libre cours à son inclinaison, il était plus que jamais à l'affût de ses réactions.

— Abby, susurra-t-il d'une voix envoûtante en insérant ses doigts dans sa chevelure.

Alors qu'il soulevait ses boucles rebelles avec sensualité, son souffle chaud effleura sa nuque, lui arrachant un tressaillement. Puis, une odeur boisée l'envahit, lui engourdissant les sens. Abbygaelle chercha à calmer les battements désordonnés de son cœur. Marcus fit glisser ses mains le long de son cou dans une caresse légère. Avec lenteur, il se pencha vers elle.

— N'aie crainte, Abby, je ne te veux aucun mal, murmura-t-il en laissant fuser une faible dose de ses phéromones.

Abbygaelle se figea lorsque ses lèvres frôlèrent sa bouche dans un baiser tendre. Bien malgré sa volonté, elle émit une complainte rauque avant de s'alanguir contre lui. Afin de ne pas la bousculer, il la libéra de son emprise, se réjouissant en silence de son égarement évident. Quelque chose au fond d'elle-même remua avec une telle vigueur qu'elle vacilla.

Marcus la rattrapa par la taille avec délicatesse, puis l'incita à s'asseoir sur le sable. Sans hésiter, il prit place derrière elle, ses bras autour de ses épaules. Elle eut l'étrange impression de se retrouver exactement là où elle devait être, ce qui la perturba d'autant plus. La chaleur de son corps dans son dos lui fit oublier ses craintes l'espace d'un instant. Imprégnée de son odeur, elle eut la sensation de baigner dans un cocon apaisant.

Marcus en profita pour déposer une myriade de baisers dans son cou. Lorsqu'il captura à nouveau sa bouche, elle n'opposa aucune résistance. Tirant parti de la connexion qui s'établissait entre eux, il influa à petite dose sur son esprit, l'entraînant malgré elle vers un état proche du sommeil. Il ne désirait pas la manipuler indéfiniment, mais devrait s'y résoudre pour un certain temps, du moins jusqu'à ce qu'elle se soit adaptée à lui, qu'elle ait appris à le connaître. Le problème, c'était qu'il ignorait de combien de temps il disposait avant que Lucurius ne frappe. Jugeant plus prudent

cependant de ne pas pousser plus loin ce délicieux tête-
à-tête, il se détacha d'elle à contrecœur, un sourire triste sur
le visage. Elle s'endormit en une fraction de seconde.
Lorsqu'elle s'affala contre son épaule, il fut certain qu'elle
s'était profondément assoupie. Il la contempla en silence
d'un regard empli de nostalgie. C'était si déroutant
d'éprouver à nouveau des sentiments pour une femme qu'il
n'arrivait pas à y voir clair. Elle avait envahi ses pensées
avec une rapidité effarante. Trop facilement pour sa tranquillité d'esprit. Sa poitrine se serra à la seule perspective
de la perdre. L'histoire ne devait pas se répéter… Il prit une
profonde inspiration avant de la soulever avec aisance. Il
devait la ramener au chalet.

Tout en songeant à la mise en garde d'Hyménée au sujet
de Lucurius, il quitta la chambre d'Abbygaelle en lançant
un dernier regard lourd de sens dans sa direction. Il devait
se préparer à toutes les éventualités, demeurer sur un pied
d'alerte. Il resta longtemps éveillé, écoutant les bruits furtifs
de la nuit, ainsi que la respiration régulière d'Abbygaelle
dans l'autre pièce. Ce ne fut que lorsque Daphnée et
Maximien regagnèrent leur chambre qu'il s'autorisa enfin
un sommeil réparateur. C'était à Maximien de prendre la
relève pour les prochaines heures.

En ouvrant les yeux, Abbygaelle nota aussitôt qu'elle était
dans son lit, tout habillée, ce qui était troublant. Elle se
creusa la tête en se demandant comment elle en était arrivée
là. Elle se rappelait très bien les lèvres de Marcus sur les
siennes, puis plus rien, sinon ses paupières qui se faisaient

de plus en plus lourdes. Elle devait être plus vannée qu'elle ne l'avait cru de prime abord pour s'endormir dans un moment aussi magique. Cela ne lui ressemblait pas pourtant. Les idées embrouillées, elle fouilla dans le meuble à la recherche de vêtements pour se changer. Marcus montait les escaliers d'un pas précipité au moment où elle se préparait à gagner la salle de bain. Il atteignit le palier avant même qu'elle ne referme la porte derrière elle.

— Bonjour, Abby! lâcha-t-il d'un ton joyeux.

— Bonjour... répondit-elle avec un certain embarras.

Sans lui laisser le temps de reprendre ses esprits, il s'approcha d'elle et s'appuya négligemment au chambranle en lui décochant un sourire ravageur.

— Je te recommande d'adopter une tenue vestimentaire chaude et confortable pour aujourd'hui. N'hésite pas à apporter un gilet avec toi, tu pourrais bien en avoir besoin. Ne tarde pas trop, le déjeuner est servi.

Alors qu'elle relevait un sourcil interrogateur, il s'éloigna sans un mot de plus. Elle rougit légèrement au souvenir de la manière dont il avait flirté avec elle la veille. Leur relation s'engageait sur un chemin des plus inattendus; rien à voir avec son attitude initiale. Peut-être après tout avait-il éprouvé des réserves envers elle, ou encore l'avait-il mal jugée, tout comme elle l'avait fait avec lui. Déterminée à faire preuve d'optimiste, elle enfila ses espadrilles avec entrain, puis attrapa sa veste au vol. Elle était plus que jamais tentée de s'amuser un peu, de prendre la vie du bon côté.

❋ ❋ ❋

La Mazda filait sur la route cahoteuse. Abbygaelle appréciait d'autant plus cette randonnée dans le parc que la journée était magnifique. Étant donné que Marcus avait enlevé le toit ouvrant, elle laissa voleter ses cheveux au vent, savourant ce moment à sa juste valeur. Elle ne regrettait pas sa décision d'être partie en sa compagnie, ni d'avoir accepté un pique-nique en tête-à-tête avec lui. De toute façon, ils devaient tous se retrouver plus tard pour une petite excursion.

Arrivée à destination, elle eut le souffle coupé à la vue du paysage enchanteur qui se dévoilait sous ses yeux. Un magasin général, ainsi qu'une vieille maison pittoresque se découpaient en avant-plan sur l'anse Blanchette. Plus loin en contrebas, la mer d'un bleu limpide et des falaises escarpées se démarquaient par leur beauté. Sous le charme, Abbygaelle sortit de la voiture et contempla avec ravissement le panorama. Marcus l'observa quelques secondes avant de la rejoindre. D'humeur joyeuse, elle fit volte-face. Il lui retourna un sourire chaleureux et entrelaça ses doigts aux siens. Tout naturellement, il l'entraîna dans une course folle.

Ils déboulèrent devant le magasin Hyman dans un éclat de rire complice. Le premier bâtiment qu'ils décidèrent de visiter était une résidence privée qui datait de 1864, dont le rez-de-chaussée avait été transformé en magasin général vers 1918 par un certain William Hyman. C'était une jolie construction peinte en jaune, qui contrastait agréablement avec la végétation environnante. En pénétrant dans l'immeuble, Abbygaelle s'imprégna aussitôt de l'ambiance de l'époque. C'était fascinant et divertissant tout à la fois. À certains égards, elle enviait l'existence rude qui avait été celle de leurs ancêtres. Les valeurs n'étaient pas les mêmes qu'aujourd'hui ; de plus, la vie revêtait alors une signification très différente de celle qui prévalait dans la société actuelle.

Abbygaelle tourna sur elle-même, ravie par tout ce qu'elle découvrait, frôlant du bout des doigts le bois du comptoir qui s'était poli au fil du temps. Parcourant la pièce du regard, elle nota au passage la présence d'une panoplie d'objets antiques. Il était évident aux yeux de Marcus qu'elle aimait cette visite. Entraîné par son exubérance contagieuse, il entreprit de lui faire une description détaillée de deux ou trois choses. Le sourire en coin qu'il affichait lui donnait un air coquin. Se prenant au jeu, Abbygaelle lui désigna d'autres items. Elle fut déconcertée par ses connaissances approfondies.

Tout en s'amusant de sa réaction, Marcus l'entraîna vers la maison familiale typique de celles qui existaient à l'époque de la pêche à la morue. Il y avait longtemps qu'il en avait vues. Il puisa dans ses souvenirs une mine de renseignements qu'il partagea avec elle. Les anecdotes qu'il raconta étaient captivantes, et les lieux reprenaient vie à son contact.

Alors qu'ils sortaient du dernier bâtiment, Marcus l'attrapa par la taille d'un geste leste. D'humeur badine, il replaça une mèche de ses cheveux derrière son oreille, puis se pencha lentement vers elle. Le baiser qu'ils échangèrent fut voluptueux. Lorsque Marcus la libéra de son emprise, Abbygaelle cligna des yeux. Une certaine gravité habitait tout à coup le regard de son compagnon, ainsi qu'une profondeur qu'elle avait rarement vue chez un homme de cet âge. Rompant le charme, il caressa sa joue avec tendresse avant de retourner à la voiture pour y chercher leur pique-nique. Il ne désirait pas se dévoiler davantage pour le moment, ni la brusquer. Tout à ce bonheur nouveau, Abbygaelle fit face à la mer, les prunelles brillant d'éclat.

Le repas se révéla des plus savoureux. Plus d'une fois, Marcus la fit rire par ses propos pleins d'humour, à tel point qu'elle éprouva un réel plaisir à se retrouver en sa compagnie. Étrangement, il ne l'indisposait plus, comme si toute tension entre eux s'était volatilisée. Elle s'allongea sur la couverture pour scruter le ciel, rassasiée après ce festin de roi. Marcus en fit tout autant et appuya sa tête dans la paume de sa main gauche. Arrachant une brindille d'herbe, il frôla ses joues, son nez, puis son cou, son attention rivée sur elle. Abbygaelle demeura immobile, incapable de détourner les yeux, le souffle court. Sans la quitter du regard, Marcus s'empara d'une fraise. Avec une expression mystérieuse, il entreprit de caresser langoureusement la bouche de la jeune femme avec le fruit juteux, puis aspira le sucre à la commissure de ses lèvres, tel un libertin. Abbygaelle gémit faiblement en entrouvrant les lèvres dans une invite muette. Il en profita pour prolonger ce léger effleurement en un baiser ardent. Attisée par les sentiments qu'il faisait naître en elle, Abbygaelle se tendit davantage vers lui. Elle eut l'impression qu'on lui fouettait le sang. Sur le point de défaillir, elle s'accrocha à ses épaules, le cœur en déroute.

Marcus réfréna son élan à contrecœur, puis se détacha d'elle. S'il ne prenait pas garde, la situation risquait de déraper. Avançant en zone inconnue, il préférait ne pas brûler les étapes. Il se redressa donc d'un bond et s'activa à ranger l'excédent du repas. Il était conscient de la frustration d'Abbygaelle, mais jugea plus prudent d'agir comme si de rien n'était. De toute façon, ils avaient un départ prévu au quai de Grande-Grave pour 13 h. Il était donc plus que temps qu'ils s'y rendent. D'ailleurs, le reste du groupe s'y trouvait déjà. Abbygaelle le suivit en silence, trop déroutée pour contester. Des émotions diverses se bousculaient en elle. Normalement, elle ne se serait pas abandonnée aussi facilement avec un homme qu'elle venait à peine de rencontrer, mais avec Marcus, elle perdait tout sens du commun. Son corps la trahissait, réclamant avec insistance ses caresses, ainsi que ses baisers. Lorsqu'il s'éloignait, elle avait l'impression d'être projetée dans le vide. Elle avait peine à se reconnaître, mais d'un autre côté, c'était si bon...

Une fois arrivé au lieu de rencontre, Marcus sortit de sa valise deux gros chandails de laine, ainsi que deux coupe-vent. Tout en affichant un sourire frondeur, il tendit un de chacun à la jeune femme et enfila les siens. Abbygaelle le dévisagea avec curiosité, ne sachant pas à quoi s'attendre exactement. Qu'avaient-ils encore prévu ? Devant sa mine sceptique, Marcus éclata de rire et lui désigna le quai d'embarquement où patientaient les autres.

— Alors, prête pour une excursion aux baleines sur un zodiac ? demanda-t-il joyeusement.

— Pourquoi n'avoir rien dit ? s'informa-t-elle d'emblée.

— Nous voulions t'en faire la surprise. Ton père savait que c'était quelque chose que tu rêvais de faire. Allez, viens ! lança-t-il en l'entraînant à sa suite. Tu verras, on retrouve différentes espèces de baleine dans la région. La visite vaut vraiment le détour.

Ravie, elle mit de côté ses questionnements au sujet de Marcus et de leur relation naissante, se promettant d'y revenir plus tard. Pour l'heure, elle souhaitait profiter pleinement de ce moment. Sans plus tarder, elle enfila avec fébrilité son imperméable, ainsi que la veste de sauvetage qu'il lui tendait, les yeux brillant d'éclat.

❋ ❋ ❋

La première baleine qu'ils aperçurent fut un rorqual bleu. Abbygaelle était fascinée par la grosseur du mammifère qui se dessinait sous l'eau, mais lorsqu'il émergea près du bateau, elle ne put s'empêcher de pousser un faible cri. La puissance du souffle qu'il évacua était telle qu'ils furent aspergés. Non sans crainte, elle le vit glisser sous leur embarcation avant de s'éloigner. Instinctivement, elle se rapprocha de Marcus. Il entoura sa taille d'un bras rassurant et déposa un baiser léger sur le bout de son nez. Ce faisant, il lui désigna sur la gauche le petit îlot rocheux en forme de vieille femme qui se trouvait à l'extrémité de la pointe de la Gaspésie.

Une fois parvenu aux abords des falaises, le capitaine attira leur attention sur le regroupement de rorquals qui venait de faire surface. Ils étaient une douzaine environ qui filaient vers le large en fendant les vagues. À tour de rôle, ils plongèrent dans la mer majestueusement. Devant un spectacle si grandiose, un sourire éblouissant illumina le visage d'Abbygaelle, ce qui ravit Marcus. Il avait l'impression en la regardant que mille étoiles dansaient dans ses yeux. Sans effort, il se concentra de nouveau sur la faune environnante.

Averti soudain par radio qu'un rorqual à bosse avait été aperçu plus loin en aval, le capitaine quitta les lieux et remonta rapidement le long de la côte. La baleine se préparait à faire un bond au moment où ils arrivèrent. Une gerbe de pluie monumentale éclaboussa tous ceux qui se trouvaient tout près lorsqu'elle heurta l'eau en retombant. Après quelques coups frappés sur l'onde avec sa nageoire, elle leva sa queue dans les airs, puis plongea. Le capitaine fut aussi ahuri que la jeune femme. De mémoire d'homme, il ne se rappelait pas avoir eu droit à un tel spectacle en une seule sortie. Ses passagers avaient une chance inouïe. À l'arrière, Marcus glissa en douce un clin d'œil complice en direction de Maximien et de Florien. Hadrien, qui avait intercepté leur échange, lui adressa en retour un bref hochement de tête en signe de reconnaissance. Grâce à Marcus, sa fille passait un moment mémorable. C'était plus qu'il en espérait en ces temps incertains.

Alors qu'ils s'apprêtaient à retourner au quai d'embarquement, le capitaine fit un détour par une des saillies où était attroupé un banc de phoques. Quelques-uns nageaient paisiblement aux abords. L'un d'eux cependant poussa l'audace jusqu'à s'approcher du bateau pendant que les autres se prélassaient sur la rive. Avec insouciance, Marcus étira sa main au-dessus de l'onde, tout juste à la surface des flots. Quel ne fut pas l'étonnement d'Abbygaelle en voyant émerger la tête d'un bébé phoque. Comme s'il était hypnotisé, le petit donna un coup de langue râpeuse sur la paume offerte de Marcus. Dès lors, elle eut l'étrange impression que les rencontres de l'après-midi n'avaient nullement été le fruit du hasard.

❄ ❄ ❄

Le soleil était tout aussi radieux et propice pour une balade en voiture le lendemain. Contre toute attente, Abbygaelle se retrouvait de nouveau seule avec Marcus. Elle suspectait d'ailleurs son père et les autres d'avoir comploté dans ce sens, ce qui ne la dérangeait pas en définitive. Elle commençait à prendre goût à ces moments en sa compagnie. Curieuse d'en apprendre davantage sur les origines de la ville de Gaspé, elle se tourna vers Marcus. Au cours des derniers jours, elle avait découvert qu'il pouvait se révéler un orateur captivant. Lorsqu'il narrait des épisodes du passé, il semblait animé par une flamme intérieure. On aurait presque pu croire qu'il avait vécu ces évènements. Il rendait les récits vivants, voire uniques. Devinant d'ores et déjà qu'elle ne regretterait pas cette sortie, elle se cala dans son siège. En souriant, Marcus prit la parole, heureux de la voir si bien disposée envers lui.

— À l'époque, les Micmacs appelaient cet endroit Gespeg, ce qui signifie « bout de la terre », commença-t-il de bonne humeur. Selon les comptes rendus recueillis au fil du temps, il apparut que Jacques Cartier aurait fait un arrêt à Gaspé pendant l'été 1534, tout juste après avoir échappé une ancre dans les eaux froides de la baie. Il a dès lors été obligé de trouver refuge dans cette contrée. C'est à la suite de cet incident inusité que Gaspé est devenue le « berceau du Canada français », continua-t-il avec simplicité.

Alors qu'elle contemplait la baie de Gaspé avec un regard neuf, elle vit qu'ils arrivaient au Musée de la Gaspésie. Marcus désirait lui montrer le monument à Jacques Cartier, pour ensuite faire un détour par la croix de

Jacques Cartier, sur la rue de la Cathédrale. Lorsqu'ils parvinrent en vue du bâtiment, Abbygaelle remarqua immédiatement les six stèles qui avaient été érigées en l'honneur de Jacques Cartier. Les scènes représentant la première rencontre entre les Européens et les Amérindiens avaient été gravées dans la fonte. Elle fut très impressionnée par la perfection du détail, ainsi que l'ampleur du travail exécuté.

En silence, Marcus s'approcha de la stèle où était reconstitué l'entretien entre Jacques Cartier et un Amérindien. Il frôla la fresque avec déférence, un sourire énigmatique sur les lèvres.

— Connais-tu le récit entourant Donnacona? demanda-t-il à brûle-pourpoint.

— Ce nom ne m'est pas étranger, mais contrairement à toi, je ne me souviens pas vraiment de tout le contenu de mes cours d'histoire au secondaire.

— En réalité, il faut vivre l'histoire pour être en mesure d'en saisir toutes les subtilités, autrement il ne nous en reste que des parcelles souvent altérées par le temps, ajouta-t-il avec une note de nostalgie dans la voix.

— Dans ce cas, comment peux-tu en savoir autant? Avec toi, j'ai l'impression de revivre ces époques… Tu ferais un excellent professeur d'histoire d'ailleurs, lâcha-t-elle avec humour.

— Oh! Mais, j'ai déjà exercé cette profession par le passé, eut-il pour toute réponse.

— Ciel! À t'entendre parler, on pourrait croire que tu as vécu plusieurs siècles, s'exclama Abbygaelle en blaguant.

— En fait, deux mille sept cents années serait le nombre exact.

Le rire de la jeune femme resta coincé dans sa gorge. Elle écarquilla les yeux de surprise, ne sachant trop quelle attitude adopter. Elle savait qu'il se moquait d'elle, mais étrangement, l'idée ne lui paraissait pas aussi saugrenue qu'elle semblait l'être de prime abord. Sa réflexion lui fit l'effet d'un coup de poing dans l'estomac et remua des émotions vives au plus profond de son être. Toutefois, en croisant le regard amusé de Marcus, elle s'en voulut de s'être fait berner si facilement.

— Je peux poursuivre mon récit, ou bien préfères-tu te reposer un peu? Tu es toute pâle.

— Je... Non! Ça va! Je suis curieuse d'en connaître un peu plus sur le sujet. J'ai eu un moment de faiblesse... c'est tout.

Tel un fauve guettant sa proie, Marcus l'observa avec une attention soutenue. Il avait volontairement lâché cette information dans leur conversation afin de la tester. Le résultat avait été à la hauteur de ses attentes. Abbygaelle n'avait pas été en mesure de rire de cette affirmation, ni de la réfuter au demeurant. Il dirait même qu'elle avait été rudement secouée. Cependant, il ne souhaitait pas lui faire peur, seulement la préparer peu à peu à ce qui ne tarderait plus à suivre. S'avançant vers elle d'une démarche souple, il l'attira avec douceur dans ses bras. Le baiser qu'ils échangèrent fut tendre et plein de promesses. Abbygaelle tenta de reprendre le cours de ses pensées, mais la proximité de Marcus la perturbait de plus en plus, son odeur enivrante l'emplissant tout entière. Inconsciemment, elle se moula à lui. Marcus resta maître de lui, se contentant de l'effleurer.

De façon inattendue, il recula de quelques pas, laissant Abbygaelle pantelante. Un froid inconfortable l'envahit. Elle n'arrivait pas à le comprendre. Tour à tour, il l'enlaçait avec passion, puis s'éloignait subitement sans un seul mot d'explication. Frustrée et départagée entre des émotions contradictoires, elle ne savait plus que penser. Son être en entier le réclamait avec une force inouïe. Elle désirait goûter à nouveau la saveur envoûtante de ses lèvres, la chaleur de son corps. Poussée par son instinct, elle franchit l'espace qui les séparait sans en prendre conscience. Aussitôt, Marcus la pressa contre lui, sa bouche se faisant plus exigeante. Il n'hésita pas à la chercher plus profondément encore. Abbygaelle frémit de la tête au pied, le corps animé par une volonté presque sauvage. Attisé par son audace, il l'entraîna vers le bois, en bordure du musée.

Dès qu'ils furent à couvert, il l'allongea sur le tapis de feuilles et entreprit de l'explorer avec avidité. Ses mains étaient partout, l'embrasant. Abbygaelle répondait à ses étreintes avec la même énergie, emportée par un torrent de passion. Marcus savait qu'il devrait mettre un frein sous peu à cette ardeur débridée. Le cœur d'Abbygaelle battait déjà à coups redoublés, et sa respiration devenait plus laborieuse. Elle était submergée par ses phéromones.

— Marcus… parvint-elle à murmurer d'une voix sourde.

Elle était au bord de l'apoplexie. Inspirant par saccades, il la plaqua contre le sol. Tout en prenant appui sur ses avant-bras pour ne pas l'étouffer, il fit reculer la bête en lui. Son regard sombre chercha le sien.

— Abby, je suis désolé…

Elle tenta de retrouver ses esprits, mais son corps refusait d'abdiquer. Inconsciemment, elle pressa son bassin contre le sien dans une invite impérieuse, si bien que

Marcus dut se faire violence pour ignorer cet appel primitif.

— Abby ! souffla-t-il, hors d'haleine.

Dans un gémissement douloureux, elle enfouit son visage dans son cou. Il lui caressa les cheveux avec tendresse. Graduellement, ses tremblements s'espacèrent. Quand elle se raidit sous lui, il la libéra. Mal à l'aise, elle préféra fuir son regard. Elle ne se reconnaissait plus. D'un bond souple, Marcus se redressa et lui tendit la main en silence. Abbygaelle se releva sans son aide, se détournant pour cacher son trouble. Croisant les bras sur sa poitrine, elle inspira profondément afin d'apaiser les battements précipités de son cœur. Lorsque Marcus frôla son épaule, elle fit volte-face, tendue comme un arc.

— Que cherches-tu exactement, Marcus ? Pourquoi t'intéresser à moi tout à coup ? Je n'y comprends rien, tu n'éprouvais envers moi que du dédain jusqu'à tout récemment. De plus, près de dix années nous séparent. Alors je me demande ce que je représente réellement pour toi. Suis-je une petite distraction de passage, un bon coup ?

Trop énervée pour poursuivre, elle s'éloigna de lui d'une démarche saccadée. Mieux valait mettre une certaine distance entre eux avant que ses paroles ne dépassent sa pensée. À peine fit-elle trois pas que déjà, elle était happée par-derrière, puis retournée comme un simple fétu de paille. Frustrée, elle ouvrit la bouche pour l'invectiver, mais Marcus ne lui en laissa pas le temps. Il s'empara de ses lèvres avec une fougue presque bestiale. Il prit possession de tout son corps, la faisant ployer sous la passion qui l'habitait. Captive, Abbygaelle ne put que se soumettre, les sens complètement chavirés. Il n'y avait rien de doux dans ce baiser, seulement le désir brut.

Tout en la maintenant par la nuque, Marcus s'arracha de ses lèvres. Abbygaelle tremblait et peinait à retrouver ses esprits. Lui-même d'ailleurs était tout près de perdre le peu de sang-froid qui lui restait.

— Abby, murmura-t-il d'une voix rauque. Tu me plais énormément…

La jeune femme tenta de reprendre contenance, plus que jamais mitigée. Les paroles de Marcus s'insinuèrent en elle, avivant son incompréhension. Marcus poussa un soupir, conscient des émotions contradictoires qui l'animaient.

— Je te demande pardon, Abby. Je sais que je me suis conduit comme un parfait goujat avec toi, et ce, dès le départ. Je suis conscient aussi qu'il n'est pas toujours facile de me suivre, mais sois patiente. Il y a si longtemps que personne n'a touché mon cœur comme tu l'as fait… poursuivit-il d'une voix éteinte.

En percevant l'écho d'une douleur ancienne, Abbygaelle s'adoucit et chercha à lire au plus profond de son âme. Selon toute vraisemblance, il avait énormément souffert par le passé. Ce qui le rendait encore plus humain à ses yeux. Elle savait désormais qu'il ne s'agissait pas d'une passade d'un soir pour lui, qu'il éprouvait des sentiments réels envers elle. Les trois journées qu'ils avaient passées ensemble s'étaient révélées merveilleuses. Marcus était un homme charmant, prévenant, voire fascinant. Toutefois, il y avait cette impression étrange qui l'oppressait. Un élément vital lui échappait et cela la troublait plus que de raison. Devenait-elle trop paranoïaque? Son père lui avait pourtant suggéré de jouir pleinement de son été, de se dérider un peu. Sans doute avait-il raison. Elle était austère depuis le décès de sa mère. Peut-être le moment était-il venu pour elle de profiter de la vie, ainsi que des joies simples qu'elle lui offrait. Déterminée à mettre de côté sa méfiance excessive, elle opta pour une approche complètement différente.

— D'accord… mais en revanche, j'attends de toi que tu te montres honnête.

Face à son mutisme, elle releva la tête, une expression soucieuse sur le visage. Une émotion douloureuse ombragea le regard de Marcus un bref instant, mais ce fut si fugace qu'elle n'eut pas le temps de l'analyser.

— Je suis sérieuse, Marcus. Je n'accepterai plus aucun faux-fuyant.

Marcus ferma les paupières en soupirant. Lorsqu'il déposa un baiser furtif sur son front, elle se rembrunit.

— Marcus… commença Abbygaelle.

— Je te promets de faire attention, Abby.

Cette promesse évasive ne la satisfaisait pas entièrement ; cependant, quelque chose dans l'expression de Marcus la retint de pousser plus loin.

— Bien… je me contenterai de cette réponse pour l'instant.

Sa moue dubitative arracha un esclaffement libérateur à Marcus, allégeant du même coup l'atmosphère. Retrouvant son humeur joviale, il lui décocha un sourire malicieux.

— Et si nous revenions à Donnacona maintenant ?

— Donnacona… Évidemment… Tu ne l'aurais pas croisé par hasard ? le questionna-t-elle avec ironie.

— Ce serait possible en effet, répondit-il avec humour.

Décidément, songea Abbygaelle, Marcus maniait beaucoup trop bien l'art de la répartie. C'était inutile de lui lancer des boutades douteuses, car sa riposte s'avérait plus piquante encore que la réplique initiale. Agacée, elle secoua la tête en se dirigeant vers la stèle. Marcus éclata de nouveau d'un rire sonore. C'était si bon d'être en sa compagnie. D'un pas léger, il la rejoignit. Dès qu'il fut à sa hauteur, il lui encercla la taille avec familiarité avant d'entreprendre de lui narrer les évènements entourant la rencontre entre Cartier et Donnacona. D'emblée, ses traits s'animèrent.

— En fait, Cartier a fait preuve de beaucoup d'audace. Il faut dire que c'était un homme hors du commun, qui a pris le risque de ramener en France Donnacona et ses fils, avec l'intention de les présenter au roi. C'était d'ailleurs grâce à eux qu'il avait été en mesure de découvrir l'entrée du fleuve.

— Qu'est-il advenu d'eux une fois arrivés en terre de France ? demanda-t-elle avec curiosité.

— Donnacona est décédé après avoir contracté un virus mortel, alors ses fils ont regagné le Nouveau Monde, répondit-il d'une voix lointaine.

Incertaine, elle fronça les sourcils. Elle aurait presque pu croire que Marcus était troublé tout à coup, ce qui était assez surprenant venant de lui. De son côté, perdu dans ses pensées, Marcus se détourna de la stèle en fixant le vide. En réalité, Donnacona n'avait pas succombé de cette façon. Il aurait souhaité pouvoir rectifier l'histoire à ce propos, mais tout comme ceux présents au moment du drame, il avait juré de garder le secret sur cette sombre affaire. Abbygaelle frôla son avant-bras d'une douce caresse, désireuse de chasser les ombres qui obscurcissaient soudain son regard rieur.

— Qu'y a-t-il, Marcus?

Comme il aurait aimé pouvoir être franc avec elle, mais c'était encore trop tôt. Elle n'était toujours pas prête. Pourtant, lui dissimuler la vérité devenait de plus en plus ardu. Il détestait jouer avec elle ainsi, craignant par-dessus tout que cela finisse par se retourner contre lui. Abbygaelle n'était pas de celle dont on pouvait se moquer en toute impunité. Désireux de lui changer les idées, il poursuivit son récit sur Donnacona. Étrangement, parler de ce sujet avec elle allégeait son fardeau.

— Est-ce que tu connais la raison de la présence de la croix de granite sur la rue de la Cathédrale?

Abbygaelle réfréna un soupir exaspéré. La psychologue en elle avait très bien perçu la fêlure dans sa carapace. Elle aurait voulu pouvoir lui apporter son soutien, mais de toute évidence, il préférait garder pour lui la cause de ses tourments. Sachant qu'il ne servirait à rien de le pousser dans ses retranchements, elle abandonna.

— En effet, j'ignore tout au sujet de cette croix, mais il en va autrement pour toi si je ne m'abuse! lâcha-t-elle avec une pointe d'humour.

Marcus éclata d'un rire tonitruant devant son expression mitigée. Avec tendresse, il lui effleura la joue. Sa seule présence était un baume en soi. Diantre! Comment cela était-il possible? Il avait pourtant cru son cœur mort avec Agniela. Il s'obligea à revenir dans le temps réel, refusant de laisser son esprit divaguer dans ce sens. Abbygaelle attendait toujours une réponse de sa part.

— La croix de Jacques Cartier est différente de celle que Cartier a plantée à Gaspé en 1534. À l'époque, il l'avait fait pour revendiquer ce territoire au nom du roi de France. C'était un moment exaltant !

C'était aussi une chance de commencer une nouvelle vie, loin des persécutions et des guerres de clans… il y avait bien longtemps de cela déjà. Depuis, ce Nouveau Monde ressemblait tout autant à celui qu'il avait quitté jadis. Percevant tout à coup l'incertitude d'Abbygaelle, il reporta son regard sur elle.

— Savais-tu que la croix de granite actuelle a presque terminé sa route au fond de la mer ? Elle avait pourtant parcouru un très long chemin en bateau. En réalité, elle avait été transportée à Gaspé depuis Québec, mais lorsque les ouvriers ont tenté de la ramener sur la terre ferme, ils ont failli la laisser tomber au cours du débarquement. Il faut dire qu'elle faisait son poids et n'était pas facilement maniable. En ce qui concerne la croix que Cartier a installée, elle ne faisait pas l'unanimité, car Donnacona était extrêmement contrarié par sa présence sur son territoire.

— De quelle façon Cartier s'y est-il pris pour le convaincre de la garder alors ?

— Il a utilisé un subterfuge simple. Il lui a fait croire qu'il s'agissait tout bonnement d'un point de repère pour lui et son équipage.

— Et Donnacona l'a cru ? s'exclama Abbygaelle avec surprise.

— Plus ou moins à dire vrai, mais cette réponse avait malgré tout apaisé quelque peu sa colère.

— Cartier était assurément très persuasif.

— En effet, il savait très bien ce qu'il fallait faire pour gagner les individus à sa cause…

— Comment peux-tu affirmer toutes ces choses avec autant de certitude ? demanda-t-elle avec suspicion.

— Je le sais, c'est tout…

Une fois de plus, Abbygaelle éprouva un profond malaise. Elle le dévisagea avec circonspection, ne pouvant s'empêcher de songer de nouveau à la possibilité qu'il ait vraiment vécu tous ces évènements. Tout en secouant la tête, elle s'efforça de chasser cette pensée farfelue de son esprit. En reportant son attention sur Marcus, elle le trouva lointain, à mille lieues d'elle.

— As-tu une idée de ce que pouvaient ressentir les marins lorsqu'ils se retrouvaient sur l'immensité bleue de la mer, avec pour seule compagnie le vent et le soleil ?

Ne sachant que répondre, Abbygaelle s'abstint de tout commentaire, retenant son souffle de peur d'interrompre sa réflexion. Marcus esquissa un bref sourire au souvenir de cette période. Quel bonheur il avait éprouvé en apercevant les falaises au loin, après un parcours d'une vingtaine de jours. Durant le périple, ils avaient essuyé un terrible orage, mais heureusement, les soixante et un membres de l'équipage avaient survécu et les deux navires s'étaient rendus à bon port. À bord de *La Petite Hermine*, lors de son premier voyage, Marcus avait su dès lors qu'il avait atteint la terre promise. Ici, il allait pouvoir laisser libre cours à sa vraie nature. Maximien et Florien l'avaient d'ailleurs accompagné dans cette expédition. Conscient que la jeune femme n'avait pas répondu à sa question, il se retourna vers elle.

— La traversée entre la France et le Nouveau Monde était quelque chose de particulier. En haut du mât, la chaleur était torride. Par chance, la brise du large rafraîchissait quelque peu les visages burinés par le soleil de plomb. Le seul fait d'éviter le naufrage et les pirates était déjà un exploit. Malgré tout, la vision des falaises après plusieurs semaines en mer était un enchantement. Pouvoir enfin toucher terre… C'était mémorable! Il y avait des forêts à perte de vue. Un de ces jours, je te ferai écouter la chanson *La Grande Hermine* de Marion Brassard. Tu comprendras mieux alors de quoi il en retourne.

De nouveau, Abbygaelle sentit que quelque chose d'important lui échappait. Mais quoi? Un jour ou l'autre, elle finirait bien par le découvrir.

Abbygaelle apprécia chaque instant, si bien que l'après-midi défila avec une rapidité effarante. À la fin de leur visite au musée, elle arriva devant un campement amérindien miniature aménagé spécialement dans une salle. À la vue de la maquette, un sentiment de panique la gagna. Une odeur de chair calcinée monta brusquement jusqu'à ses narines, alors que des cris d'agonie résonnaient à ses oreilles. Puis, il y eut du sang… celui d'un homme blessé par une flèche. Un frisson d'effroi la secoua. Tant bien que mal, elle essaya de faire le tri dans ce flot incessant d'émotions vives qui l'envahissaient soudainement. À l'instant où elle se sentit sur le point d'y voir plus clair, une main s'abattit sur son épaule, la faisant sursauter. D'emblée, ses réminiscences disparurent d'elles-mêmes. Marcus demeura sur le qui-vive, n'osant la bousculer. Ce ne fut que lorsqu'il fut certain d'être intervenu à temps qu'il l'entraîna vers la sortie. Par-dessus sa tête, il lança un regard noir en direction de l'exposition amérindienne. Abbygaelle avait été à deux doigts de se rappeler ce qui s'était passé sur l'île du Massacre. S'il l'avait laissée accéder à ces souvenirs, Dieu seul sait à quoi ils se seraient exposés. Il avait maintenant la preuve qu'elle était en mesure de contrecarrer ses pouvoirs, ce qui l'inquiéta, tout en l'intriguant.

Il la fit monter dans sa voiture et se dirigea vers le fleuve en silence. Il devait impérativement orienter ses pensées vers autre chose. Une petite promenade sur le bord de la mer était ce qu'il leur fallait. D'ici la fin de l'après-midi, elle aurait oublié cet épisode. Il y veillerait, même s'il devait de nouveau influer sur son esprit.

Abbygaelle en était à se remémorer les moments magiques passés en compagnie de Marcus sur la grève lorsque la voiture s'arrêta devant l'Hôtel des Commandants. C'était là qu'ils devaient dîner avant que le reste du groupe ne les rejoigne pour la représentation cinématographique en soirée. Avec curiosité, elle détailla l'édifice qui les dominait sur la colline. Elle eut un bref sourire quand Marcus contourna la Mazda. Tout en faisant preuve de galanterie, il ouvrit sa portière et lui tendit la paume pour l'aider à descendre. Au moment où elle posa ses doigts sur les siens, il y pressa ses lèvres avec douceur, une lueur espiègle dans les prunelles.

Ils étaient installés à l'une des tables en retrait et terminaient de déguster un repas copieux. La vue qu'ils avaient sur la baie était saisissante, surtout avec le soleil couchant. Pour sa part, Marcus était calé avec désinvolture dans son fauteuil, une coupe de vin rouge à la main. Il faisait tournoyer le liquide pourpre d'un air songeur. En déposant lentement son verre sur la nappe blanche, il se pencha vers Abbygaelle, une étincelle étrange dans le regard.

— Savais-tu qu'au début des années 1900, un autre hôtel se dressait ici même ? C'était d'ailleurs un lieu prisé par la bourgeoisie américaine. Cet établissement se prénommait l'Hôtel Baker. L'on y trouvait entre autres un court de tennis, un café-terrasse, ainsi qu'une somptueuse salle de réception. L'établissement de style victorien avait plusieurs étages et ses tourelles ajoutaient un cachet très plaisant à l'endroit. Malheureusement, en 1975 l'édifice a brûlé, si bien que ce merveilleux monument historique a disparu en poussière. J'aurais aimé pouvoir t'entraîner dans une valse viennoise lors de l'un de leurs fameux bals costumés. Je suis certain que tu aurais adoré l'expérience. À notre sortie, je te montrerai quelques photos d'époques qui sont exposées dans le hall d'entrée. Elles te donneront un aperçu de la magnificence des lieux, ainsi que du faste qui y prédominait.

— Es-tu conscient que tu commences vraiment à m'exaspérer ? lâcha Abbygaelle mi-sérieuse, mi-moqueuse. Tu fais étalage de l'histoire de cette région sans retenue, avec brio soit dit en passant, sans toutefois te dévoiler.

— Peut-être y a-t-il une raison précise à ma conduite… répondit-il en lui adressant un clin d'œil frondeur.

— Tu es insupportable ! s'exclama-t-elle en riant alors qu'il se redressait avec agilité.

— Hum ! C'est possible, rétorqua-t-il en tirant sa chaise. Et si nous allions voir ce film maintenant ? poursuivit-il. Les autres doivent nous attendre.

Ce fut en traversant le hall que Marcus remarqua l'inconnu qui flânait dans le terrain de stationnement en scrutant les alentours. Il se tendit en percevant l'odeur subtile qui émanait de lui. En l'identifiant, il se félicita d'avoir eu la présence d'esprit d'inviter le reste du groupe à se joindre à eux pour la présentation. Du moins, Abbygaelle serait dûment escortée lorsqu'ils regagneraient le chalet.

Ainsi, Lucurius se rapprochait du but, ce qui ne le surprenait guère. Dorénavant, ils devraient redoubler de prudence. De jour, Abbygaelle était relativement en sécurité, puisque ceux qui la traquaient redoutaient la lumière crue du soleil. De plus, peu d'entre eux parvenaient à cacher leur vraie nature aux humains. Étant donné qu'ils préféraient ne pas attirer l'attention, ils évitaient de s'exposer inutilement. Ces monstres étaient avant tout des créatures des ténèbres ! La nuit, en revanche, cet être abject n'hésiterait pas à tenter l'impossible pour la capturer.

Jetant un dernier regard inquisiteur en direction du terrain de stationnement, il conduisit Abbygaelle vers leur lieu de rendez-vous. En rejoignant les autres, il leur fit un signe discret afin de les informer de la situation. Aussitôt, Daphnée, Maximien et Florien se rembrunirent alors qu'Hadrien pâlissait. Seule Adenora ne démontra aucune émotion. De son côté, Abbygaelle ne remarqua pas le changement subtil qui venait de s'opérer dans le groupe. Marcus eut un sourire narquois en apercevant l'affiche du film *Anges et Démons* à l'entrée de la salle. Décidément, cette représentation était tout à fait de circonstance.

Lorsqu'ils arrivèrent en vue du chalet, Marcus sut immédiatement que quelqu'un était passé. Il entraîna Daphnée et

Maximien à l'écart, désireux de vérifier que personne ne demeurait dans les parages.

— J'amène Florien avec moi en reconnaissance. Je veux que tu nous accompagnes, Maximien. Quant à toi, Daphnée, tu tiendras compagnie à Abbygaelle et tu t'assureras par le fait même qu'elle ne coure aucun risque.

Daphnée hocha la tête, puis retourna auprès de la jeune femme. De son côté, Abbygaelle échangeait avec son père au sujet des évènements de la journée. Marcus prétexta une petite promenade entre amis, les laissant tous les deux aux bons soins de Daphnée.

CHAPITRE IV

Quand tout bascule !

M arcus et Abbygaelle roulaient ce jour-là en direction
des canons de Fort-Prével. La jeune femme prenait
plaisir à laisser ses pensées vagabonder alors que les doux
rayons du soleil caressaient sa peau. Fermant les paupières,
elle offrit son visage à la brise du large. Marcus eut un pincement au cœur en la voyant si sereine. Sous peu, son univers basculerait, l'entraînant dans un monde de ténèbres.
Quelle serait sa réaction en apprenant la vérité au sujet de
ses origines ? Parviendrait-elle seulement à accepter sa
nature réelle ? Réfrénant un soupir d'impuissance, il reporta
son attention sur le parc qui se découpait au loin.

Ils marchaient depuis quelques minutes déjà. Marcus
avait refoulé ses réflexions lugubres au plus profond de son
être, préférant plutôt jouir du moment présent. Demain
viendrait bien assez vite... Ce ne fut que lorsqu'ils
arrivèrent en vue des deux pièces d'artillerie qui avaient
jadis servi à protéger le Saint-Laurent contre d'éventuelles
attaques de sous-marins allemands que le sourire
d'Abbygaelle se figea. Un étrange pressentiment l'envahit,
assombrissant soudain son humeur. Elle ne put s'empêcher

de songer dès lors aux carnages que provoquaient les conflits, celui de la Seconde Guerre mondiale n'y faisant pas exception. Bien malgré sa volonté, elle commença à ressentir la douleur des hommes morts au combat. Ces émotions violentes se répercutèrent dans chacune des fibres de son corps, la laissant choquée sur leur passage. Tous ces jeunes gens abattus froidement, qui abandonnaient derrière eux des mères et des épouses éplorées. Elle s'ébroua en s'efforçant de reporter son attention sur Marcus.

— Pourquoi l'homme éprouve-t-il le besoin de tuer ses semblables avec autant d'empressement? demanda-t-elle avec un soupçon d'amertume.

— Oh là! s'exclama Marcus avec vigueur. Que d'aigreur par une si belle journée! Si j'avais pu deviner la tournure que prendraient tes pensées, j'aurais évité cet endroit.

— Cesse de te moquer de moi, Marcus. Je suis tout à fait sérieuse! Quel est le but de tout ceci? Pourquoi vouloir posséder les plus gros canons de l'Amérique du Nord? Certes, ces engins pouvaient propulser des obus énormes sur une courte distance, mais ensuite…

S'accordant un moment de réflexion, Marcus la toisa avec une attention accrue. Il la sentait sur les nerfs, tout à coup prête à exploser. Avec prudence, il choisit ses mots.

— Il n'y a rien de noble à massacrer son prochain, Abby. Je te le concède volontiers. Cependant, lorsque des milliers de gens sont persécutés et exterminés à cause des idéaux de dirigeants sans scrupules, nous avons le devoir de réprimer ces actions. Enlever la vie avec un fusil ou un mortier revient au même. Mais c'était un mal nécessaire à cette époque. Ces deux canons que tu vois servaient à freiner les sous-marins allemands qui tentaient de pourchasser les navires de ravitaillement en partance pour l'Europe. Il y avait une base aménagée à Gaspé. C'était d'ailleurs un privilège d'y être posté. Ces armes étaient uniquement des mesures de dissuasion. En outre, je te ferais remarquer que ce n'est pas nous qui avions lancé les hostilités, s'exclama Marcus avec ferveur bien malgré lui.

— Nous… s'étonna Abbygaelle.

— Ce n'est qu'une façon de parler, Abby, rétorqua-t-il rapidement. Tu prends beaucoup trop mes mots au pied de la lettre. Regarde, le soleil cherche à percer cette couche opaque de nuages, alors profitons-en pour marcher un peu. Oublions les horreurs de la guerre.

En constatant qu'Abbygaelle se mordillait la lèvre inférieure en le fixant, Marcus releva un sourcil interrogateur et changea de tactique.

— Et si nous allions grignoter un morceau au restaurant Le Bastion au lieu de ressasser ces vieilles histoires ? Il paraît que leur chef y prépare un saumon fumé des plus succulents.

La jeune femme lui lança un coup d'œil scrutateur en secouant la tête. Elle se dérida pourtant en avisant son expression gourmande.

— Tu es incroyable ! s'exclama-t-elle.

— C'est possible ! Le fait est que j'adore déguster des mets raffinés, répondit-il d'une voix pleine de sous-entendus.

De la façon dont il la dévorait des yeux, Abbygaelle en déduisit qu'il ne faisait pas uniquement référence à la nourriture. Préférant ne pas s'engager sur ce chemin pour l'instant, elle s'empressa de rejoindre le restaurant en question. Marcus éclata de rire devant sa fuite évidente.

❀ ❀ ❀

Abbygaelle folâtrait avec joie dans le sentier des pêcheurs, celui qui menait tout droit au village de Canne-de-Roches. Marcus l'avait entraînée dans cette direction peu après leur repas. Ils y déambulaient en silence depuis quelques minutes déjà. Elle appréciait d'autant plus cette promenade qu'ils étaient à l'écart de l'agitation de la ville. Elle percevait très bien la tension sous-jacente qui habitait Marcus depuis la veille, et espérait que ce petit moment d'intimité lui permettrait d'en apprendre un peu plus à son sujet. L'aura de mystère dans lequel il s'entourait commençait à l'exacerber, si bien qu'elle était décidée à découvrir le fin mot de l'histoire. Comme s'il avait ressenti ses émotions, il l'attrapa par la taille d'une main ferme. L'intensité de son regard la fit déglutir. Cet homme était tout à fait conscient de l'effet qu'il produisait sur elle et il s'en réjouissait. Tel un conquérant, il s'empara de sa bouche avec férocité. Il la dégustait, comme il l'aurait fait d'un fruit mûr. Elle entrouvrit les lèvres tout en s'accrochant à ses épaules. Il était si massif, si dur sous sa paume, que quelque chose de primitif remonta du plus profond de son être. Attentif à la moindre de ses réactions, Marcus la maintint d'une poigne inflexible. Son sang s'échauffait dans ses veines, une partie d'elle en souhaitait plus… beaucoup plus. Sa raison perdait du terrain face au désir brut qui affluait par vagues brûlantes. Un grognement rauque roula dans la gorge de Marcus, la galvanisant davantage.

C'était autant la bête que l'homme qui se délectait désormais de son goût suave. Malgré tout, Marcus s'obligea à la relâcher. Il recula, tout en lui permettant d'entrevoir une facette de sa vraie nature. Abbygaelle cilla en croisant son regard. Une forme de vie sauvage brillait dans ses prunelles, ce qui l'effraya, tout en l'excitant dangereusement. Sans nul doute Marcus dut-il percevoir cette dualité en elle, car un sourire prédateur se dessina sur ses lèvres.

— Je te conseille de courir, Abby! De courir très vite, lâcha-t-il d'une voix rocailleuse.

Abbygaelle devinait intuitivement qu'elle jouerait avec le feu si elle s'exécutait. En agissant de la sorte, elle ne ferait qu'attiser la convoitise de Marcus. Pourtant, elle était incapable de s'en empêcher. Elle voulait le provoquer...

Marcus devina ses intentions avant même qu'elle ne s'élance. Afin de rendre la chasse plus stimulante encore, il lui accorda une certaine avance. Son instinct de chasseur se réveilla. Quelques secondes plus tard, il s'enfonça dans le sous-bois avec célérité. Emportée par sa course, Abbygaelle ne prit pas conscience de prime abord qu'il avait changé les règles du jeu en cours de route. Ce ne fut qu'en arrivant sur la plage qu'elle se rendit compte qu'il n'était plus à ses trousses. Jetant un rapide coup d'œil vers le sentier, elle fut surprise de constater qu'il était désert. Elle scruta la forêt avec réserve. Son intuition lui disait que Marcus s'y cachait, cherchant à la confondre. Quelque peu troublée par la tournure que prenaient les évènements, elle s'approcha de la lisière des bois. Ne sachant quelle attitude adopter, elle tenta d'en percer la pénombre. Son cœur cognait violemment contre sa poitrine, et sa tête était en ébullition. Finalement, elle s'engagea sous le couvert des arbres. Le corps en sueur, elle défit les premiers boutons de son chemisier, dévoilant du même coup sa gorge où battait une veine. D'une main moite, elle releva sa jupe le long de ses jambes pour faciliter sa progression. Non loin de là, derrière les branchages, Marcus demeura immobile, ne perdant rien du spectacle aguichant qu'elle offrait. Abbygaelle s'enfonça encore plus profondément dans la forêt. Elle devinait sa présence, sans toutefois le voir. À cette idée, un mélange de peur et d'exaltation l'envahit. Elle se faisait l'effet d'être une proie à la merci d'un prédateur redoutable.

Soudain, elle perçut un bruit ténu dans son dos. Avant même d'être en mesure de réagir, une masse sombre fondit sur elle. Marcus la plaqua contre le tronc d'un arbre, l'emprisonnant de ses bras. Sans équivoque, il pressa son bas-ventre contre sa croupe. Les sens d'Abbygaelle s'embrasèrent en décelant le renflement de sa virilité à travers le fin tissu de sa jupe. Dans un gémissement enroué, elle cambra les reins. Sous l'intensité du désir qui l'assaillait, elle offrit son cou à ses lèvres. Il goûta avec volupté la douceur de sa peau. Simultanément, il défit les boutons qui retenaient sa chemise afin de libérer ses seins. Il en titilla l'extrémité sensible avec une habileté presque cruelle, lui arrachant des cris de plaisirs. Sans ambiguïté, il remonta sa jupe jusqu'à ses cuisses et glissa une main sous sa culotte. Le frôlement de sa paume calleuse sur sa féminité palpitante contrastait de façon troublante. Avec un ravissement presque pervers, il joua avec elle. Elle se consumait littéralement sous son emprise. Aspirant à davantage, elle se tendit vers lui dans une invite muette. Ne voulant pas encore la faire sienne, il entreprit de la soulager en insérant dans un premier temps un doigt en elle, puis deux. Sous la ferveur de cette caresse intime, Abbygaelle gémit tout en haletant. Il se mouvait en elle avec une science dévastatrice qui la rendait folle, se retirant un instant pour mieux revenir à la charge. Abbygaelle n'en pouvait plus de cette douce torture. Elle tremblait de désir, perdue dans ces sensations virulentes qui la chaviraient. Au moment de jouir, elle s'arqua dans un râle en enfonçant ses ongles dans l'écorce de l'arbre.

Alanguie après un tel foudroiement, elle s'abandonna à son étreinte. Marcus la tint serrée contre lui quelques minutes sans dire un mot, le temps que les derniers spasmes de plaisir se calment. Tendrement, il rajusta ses vêtements et déposa des baisers succincts sur son cou pour l'apaiser. Puis, avec douceur, il lui rappela qu'ils devaient retourner au chalet. Elle coula un regard embrumé dans sa direction. Marcus n'avait plus rien de l'homme posé des jours précédents. Ses prunelles étaient désormais habitées par une flamme incandescente, alors que sur ses lèvres se dessinait un sourire carnassier, tel un félin…

Par chance, au même moment, des voix d'adultes et des rires d'enfants parvinrent jusqu'à eux. Abbygaelle en profita pour prendre du recul. Conscient qu'elle était déstabilisée par ce qu'elle venait de découvrir, Marcus préféra lui accorder un instant de répit. Il se dirigea donc vers le sentier en silence. Il lui fallait maintenant du temps pour assimiler ce dont elle avait été témoin.

Abbygaelle fut soulagée de le voir s'éloigner. En se remémorant son expression, elle éprouva un sentiment étrange. En fait, une part d'elle-même était affolée, alors qu'une autre partie d'elle trépignait d'impatience à la perspective de tenter l'expérience une seconde fois. D'ailleurs, cette moitié réclamait Marcus avec une insistance presque effrayante. Contre toute attente, ce fut ce côté plus primitif de sa personne qui l'emporta. Elle ne devait plus se voiler le visage. Elle désirait Marcus… corps et âme. Étouffant la petite voix de la raison qui lui recommandait la prudence, elle s'engagea à son tour dans le sentier, plus résolue que jamais.

Quand elle retrouva Marcus, elle vit qu'il l'attendait, nonchalamment appuyé à la portière de sa Mazda. Elle s'avança vers lui sans appréhension, un sourire impudique sur les lèvres. À son expression, Marcus pressentit que quelque chose avait changé en elle. Son instinct s'était réveillé, comme si son héritage la rattrapait. Ce qui était impossible, puisque ses gènes étaient inactifs, tout comme ceux de son père. Se pouvait-il dans ce cas que le fait qu'elle soit une clé de voûte influe sur sa nature réelle? Était-ce cela qu'Hyménée tentait de lui cacher? Intrigué, il se promit de la surveiller avec plus d'attention encore, à l'affût de la moindre transformation qui le conforterait dans ce sens. Chose certaine, Abbygaelle n'avait plus rien de commun avec la jeune femme innocente qu'il avait côtoyée ces derniers jours. Il se dégageait d'elle dorénavant une essence beaucoup plus animale…

❋   ❋   ❋

Lorsqu'ils arrivèrent au chalet, Marcus était plus que jamais songeur. Alors qu'Abbygaelle regagnait sa chambre pour se préparer en vue de la soirée à venir, il invita Maximien à le rejoindre. Celui-ci se releva de son fauteuil avec souplesse en haussant un sourcil interrogateur. À l'évidence, quelque chose perturbait Marcus. Toujours en parfaite maîtrise de lui-même, leur chef n'avait pas l'habitude de laisser transparaître ses émotions de la sorte. Dès qu'il fut à sa hauteur, Maximien croisa les bras, se contentant d'attendre que Marcus ait cessé d'arpenter le sol à grandes foulées.

— Je crois qu'un processus de mutation est en cours chez Abby, lâcha Marcus sans ambages en s'arrêtant devant lui.

Sous la surprise, Maximien perdit contenance. Un pli soucieux barra son front. Il n'anticipait pas une telle révélation. Ainsi, Marcus avait vu juste. Hyménée leur avait bel et bien caché certaines informations. Réfrénant un juron bien senti, il le scruta longuement.

— Hyménée s'est jouée de nous !

— C'est ce que je pense aussi !

— Nous devrons surveiller attentivement Abby, si c'est le cas. Tu es conscient qu'il n'y a pas de précédent dans toute notre histoire ?

— Je suis mieux placé que quiconque pour le savoir. Ça ne me plaît pas du tout, et j'ignore comment Abby réagira.

— Pas très bien, si tu veux mon avis. C'est une jeune femme très cartésienne. Les êtres mythiques n'ont aucune place dans sa vision étroite de la vie.

— Il faudra bien qu'elle s'y fasse pourtant. Elle ne pourra pas échapper indéfiniment à sa destinée, quelle qu'elle soit.

— Prépare-toi alors à une confrontation musclée. Elle ne fléchira pas si aisément.

— J'en fais mon affaire ! Tout comme rendre une nouvelle petite visite à cette chère Hyménée.

Le regard féroce de Marcus fit secouer la tête à Maximien. Il commençait sérieusement à douter de l'état d'esprit de l'ancienne. Elle jouait à un jeu extrêmement dangereux, voire malsain. Il n'était pas judicieux d'échauffer la bête en Marcus. Les répercussions pourraient se révéler catastrophiques. Celui-ci avait pris tout près d'un quart de siècle avant d'être en mesure de brider ce côté sombre de sa nature. Libérer ce seigneur des ténèbres dans de telles conditions n'était pas tout à fait la chose la plus judicieuse à faire.

Même si Marcus ne l'avait pas formulé clairement, il était évident aux yeux de tous qu'il réclamait désormais Abbygaelle comme sienne. Il faudrait être suicidaire pour oser s'interposer entre eux ou encore pour porter préjudice à la jeune femme. Lucurius risquait de rencontrer une résistance plus corsée qu'il ne le croyait. Quant à Hyménée, il se demandait si ce n'était pas là son but. Peu importait, il n'en demeurait pas moins qu'il était inquiet. Marcus n'avait pas éprouvé d'émotions aussi vives pour une femme depuis très longtemps, trop longtemps…

— Seras-tu en mesure d'assujettir la bête, de ne pas succomber à sa volonté ? Tu dois être certain de toi, Marcus. Il n'y a aucune place pour l'erreur. Je ne veux surtout pas que tu te perdes en chemin. Une fois m'a suffi…

— Tu n'as rien à craindre à ce sujet, déclara Marcus en se rembrunissant. La bête gronde en moi, mais je peux la dominer. Abby m'est très précieuse ! Je ne ferai rien qui puisse la blesser.

— Tu m'en vois rassuré. Quand as-tu l'intention de lui en parler ?

— Dès que le moment sera opportun. Pour l'instant, je tente de la préparer en douceur.

— Et pour Lucurius et ses acolytes, que comptes-tu faire ?

— Dans l'immédiat, notre priorité demeure la protection d'Abby. Tant que Lucurius n'attaque pas, je préfère ne pas l'exposer trop rapidement. Je ne veux pas la terroriser inutilement. Elle aura à faire face à cette amère réalité bien assez vite !

— Je suis d'accord avec toi, et Hadrien abonde dans ce sens. Il est inquiet pour sa fille.

— Dès cette nuit, je dormirai à la belle étoile au pied de sa fenêtre afin de monter la garde. Nous le ferons d'ailleurs à tour de rôle, termina-t-il avant de se tourner d'un air songeur vers la forêt.

Comprenant qu'il n'y avait plus rien à dire et que Marcus avait besoin d'un moment de solitude pour analyser la situation, Maximien retourna auprès des autres pour les informer des derniers développements. Préoccupé, Marcus s'élança dans les bois. À l'endroit où aurait dû atterrir un homme, un félin au pelage aussi noir que les ténèbres apparut. La créature en lui réclamait son dû avec insistance, mais il était hors de question qu'il obtempère dans l'immédiat.

Maximien se renfrogna en apercevant la tenue aguichante qu'avait revêtue Abbygaelle pour la soirée. Incertain, il darda un regard interrogateur vers Marcus, une lueur de mécontentement au fond des prunelles. Il secoua la tête en soupirant, de plus en plus persuadé que cette sortie était une très mauvaise idée. Malheureusement, Abbygaelle avait insisté pour aller faire un tour au bistro-bar le Brise-Bise. Marcus avait tenté de l'en dissuader dans un premier temps, puis Maximien et Florien, mais apparemment, la jeune femme désirait s'amuser. Elle avait d'ailleurs laissé sous-entendu qu'elle n'hésiterait pas à s'y rendre seule s'ils refusaient de l'accompagner. Lorsque leur obstination avait commencé à éveiller sa suspicion, Marcus avait jugé plus sage de battre en retraite. Une force sous-jacente annihilait le tempérament plus effacé qu'affichait Abbygaelle en temps normal, l'exhortant à faire preuve d'une hardiesse inhabituelle. Ignorant tout de la transformation qui s'effectuait en elle, il préféra se montrer magnanime. Il ne souhaitait pas l'entraver inutilement, du moins jusqu'à ce qu'il sache à quoi s'en tenir exactement. Il était conscient cependant qu'il jouait avec le feu. Il leur faudrait donc la garder à l'œil et redoubler de prudence.

Pour sa part, Abbygaelle se savait provocante. C'était d'ailleurs ce qui avait motivé son choix vestimentaire. Poussée par quelque démon intérieur, elle n'avait pu résister à l'envie de tourmenter un peu Marcus. Elle voulait mener la danse cette fois-ci. Pour y arriver, elle avait revêtu une robe pourpre, confectionnée dans un tissu vaporeux qui ne cachait rien de ses courbes voluptueuses, avec une encolure échancrée à outrance sur le devant. De plus, les liens finement tressés dans son dos dévoilaient sans pudeur sa peau dorée par le soleil, alors que le bas de sa jupe dénudait suffisamment ses jambes fuselées pour attirer l'attention. Pour couronner le tout, elle avait laissé ses boucles retomber souplement sur ses épaules. Une telle sensualité se dégageait de tout son être que même Florien et Maximien y étaient sensibles.

L'intérieur du bistro-bar se révéla être à l'image des attentes de la jeune femme. Elle raffola de l'ambiance gaillarde qui y régnait. C'était exactement ce qu'il lui fallait. Alors qu'elle détaillait les lieux d'un regard appréciateur, Marcus s'installa sur un banc, les coudes appuyés sur la table derrière lui. Tout en se dirigeant vers lui, Abbygaelle afficha un sourire provocateur. Arrivée à sa hauteur, elle prit appui sur ses genoux, puis se pencha audacieusement vers lui, dévoilant par le fait même ses seins à peine dissimulés. Les prunelles de Marcus s'assombrirent. Certaine de son pouvoir sur lui, elle saisit l'une de ses mains et l'entraîna vers le plancher de danse. À l'évidence, elle avait le diable au corps. Sa vraie nature la révélait terriblement impétueuse, ce qui aiguisait ses perceptions sensorielles. Elle croyait donc pouvoir mener le bal. Dans ce cas, elle allait être surprise. La séduction était un art qu'il exerçait depuis trop longtemps déjà pour ne pas y être rompu.

Abbygaelle ondula lascivement contre lui au rythme d'un tempo langoureux. En réponse à son invitation, Marcus enserra ses hanches dans une étreinte possessive. Avec une lenteur affriolante, il caressa la cambrure de ses reins, tout en laissant fuser une faible dose de ses phéromones. Tous les sens d'Abbygaelle s'affolèrent en percevant l'odeur enivrante de Marcus. Embrasée, elle s'agrippa à son cou et ferma les paupières en haletant. Elle était dorénavant en son pouvoir, si bien que lorsqu'une musique endiablée s'éleva dans l'air, elle n'opposa aucune résistance. Sûr de lui, il la fit virevolter avec une rapidité effarante, lui arrachant un éclat de rire.

Mais brusquement, tout s'effaça autour d'elle ; le bar, la musique, les gens… Déstabilisée, Abbygaelle se crispa, le ventre noué par l'appréhension. Autour d'elle flottait désormais une brume glaciale. C'était comme si elle avait été prisonnière d'un univers parallèle au leur. Paniquée, elle tourna sur elle-même à la recherche d'une issue. Ce fut alors qu'un son percutant s'échappa des ténèbres et la fit sursauter. On aurait dit une horloge qui sonnait les douze coups de minuit. S'ensuivit le bruit fracassant de sabots, comme si une énorme bête dévalait une rue à grands galops. Au visage de Marcus s'était subtilisé celui d'un homme enténébré et sinistre. L'inquiétant personnage tout de noir vêtu portait un chapeau à fourrure, ainsi que des gants de velours. Ses cheveux noirs, comme la barbe fourchue qu'il arborait au menton, accentuaient ses pupilles aussi sombres qu'une nuit sans lune. Malgré son apparence courtoise et raffinée, il n'en dégageait pas moins une impression de danger. Tout à coup, il disparut. Désorientée, Abbygaelle trébucha. Marcus la rattrapa de justesse. Une sourde appréhension le gagna en rencontrant son regard hagard. Elle était pâle et semblait à des lieues du bistro-bar. De surcroît, une ombre maléfique l'entourait. Comprenant alors qu'elle était de nouveau sous l'emprise du monde des esprits, il la ramena près de lui, le cœur étreint dans un étau.

Abbygaelle avait la sensation que Marcus la faisait danser de plus en plus vite. Au même moment, le monde réel s'évapora pour la seconde fois. Des flammes progressaient sous ses pieds, alors qu'une vague odeur de soufre l'emplissait tout entière. Paniquée, elle chercha à fuir, mais Marcus la retint avec fermeté, devinant qu'elle se débattait contre quelque chose qui lui échappait. Elle leva un visage décomposé dans sa direction. Au loin, des violoneux jouaient un rythme effréné en tapant du pied. Abbygaelle avait l'impression d'être envoûtée par le diable en personne, comme l'avait été Rose Latulipe, cette jeune fille de la légende. À cette pensée, elle secoua vivement la tête, déconcertée. En voyant apparaître des griffes aux doigts de l'inconnu qui la guidait dans cette ronde folle, elle poussa un cri d'horreur, vite réprimé par la bouche de Marcus. Ne désirant pas attirer l'attention sur eux, Marcus la souleva dans ses bras et quitta les lieux rapidement. Les autres lui emboîtèrent le pas, inquiets.

Abbygaelle percevait à peine la voix de Marcus, qui lui semblait étouffée, tout comme ses traits, qui devenaient de plus en plus flous. Affolée, elle tenta d'échapper à son emprise. D'instinct, Marcus comprit qu'il lui fallait réagir promptement. Il savait Abbygaelle prisonnière entre deux mondes, vulnérables aux pouvoirs démoniaques de Lucurius. Il devait absolument l'extirper de là avant qu'elle ne perde tout contact avec la réalité, sinon, elle risquait d'errer pour l'éternité dans les limbes.

Ils arrivèrent sans encombre jusqu'à un petit parc isolé en bordure du fleuve. Des visions cauchemardesques défilaient dans l'esprit perturbé d'Abbygaelle, alors qu'une voix lugubre l'appelait avec insistance.

— Marcus… murmura-t-elle en haletant. Ma tête…

— Je sais, Abby, chuchota-t-il à son oreille en essayant de contenir l'angoisse qui montait en lui. Ouvre-toi à moi…

— Comment… lâcha-t-elle dans un souffle sans le voir.

— Permets-moi de me fondre en toi. Ne me repousse pas…

Jugulant la terreur qui la paralysait, elle cessa de combattre. En captant son abandon, Marcus laissa la bête surgir en lui. Il devait faire attention à ne pas la faire défaillir, mais seulement l'étourdir suffisamment pour qu'elle se soumette à sa volonté. Ce n'était que dans ces conditions qu'il l'atteindrait, l'unique moyen pour la rejoindre dans sa réalité et la soustraire à l'emprise du monde des esprits.

Des gouttes de sueur perlaient à son front. Inspirant profondément, il plongea au plus profond de lui-même, libérant la bête des chaînes qui l'entravaient. Refermant ses doigts autour des poignets de la jeune femme, il se concentra sur elle. Ce ne fut qu'au prix d'un pénible effort qu'il arriva à établir un contact entre eux. Un épais brouillard l'enveloppa, rendant difficile sa progression. L'univers dans lequel Abbygaelle évoluait était glacial et sinistre. En l'apercevant enfin, il se dirigea droit sur elle. Abbygaelle s'affala contre son torse dans une complainte déchirante. Spontanément, il l'étreignit. Le monstre en lui afflua, prêt à défendre âprement ce qui lui appartenait.

Discernant au loin la forme floue de Lucurius, il se crispa. Celui-ci le fixait, une lueur meurtrière au fond des yeux. Cet endroit était son domaine. Un hurlement de rage retentit, arrachant un cri de frayeur à Abbygaelle. Elle s'agrippa à Marcus avec l'énergie du désespoir, ses pupilles dilatées par la terreur. Il resserra son emprise autour d'elle, déterminé à l'extirper de ce cauchemar. Il tenta de capter son attention, mais elle demeura sourde à son appel.

Pressentant un danger imminent, il releva la tête. Simultanément, quatre griffes acérées lui entaillèrent le dos avec une cruauté démentielle.

— Elle est à moi ! rugit Lucurius.

— JAMAIS !… s'écria Marcus.

Un feu sanguinaire embrasa ses yeux, les faisant rougeoyer. À sa vue, les cheveux d'Abbygaelle se dressèrent sur sa tête alors que son sang se figeait dans ses veines. D'instinct, elle chercha à fuir cette nouvelle menace, plus confuse que jamais, mais Marcus la retenait prisonnière d'une poigne inflexible. De l'autre, il laissa surgir cinq griffes affûtées au bout de ses doigts. En position d'attaque, il se prépara au prochain assaut de Lucurius. Un tourbillon glacial les enveloppa en réponse, et le froid mordant fit grelotter la jeune femme.

— Abby… cria Marcus afin de couvrir le mugissement du vent. Tu dois le repousser de ton esprit, c'est notre seule chance d'échapper à cet enfer.

— Non… lâcha-t-elle misérablement.

— Abby ! tonna-t-il sans équivoque.

Ébranlée par cet appel incisif, elle se pétrifia. Un sanglot lui étreignit la gorge. Elle tressaillit en avisant son expression implacable.

— Tu dois reprendre contact avec le monde réel.

— J'ignore… comment…

— Canalise ton attention sur la terre ferme sous tes pieds.

— C'est trop difficile… gémit-elle.

— Bon sang, Abby ! Concentre-toi !

Marcus était parfaitement conscient qu'elle était affolée. Il lui fallait un point d'ancrage pour reprendre pied. D'emblée, il plaça l'une de ses mains sur sa poitrine.

— Écoute les battements de mon cœur.

Tout en la calmant d'une voix douce, il observa les alentours avec anxiété. Il refoula au second plan la souffrance qui le tenaillait en grimaçant. Ses plaies étaient à vif dans son dos ; pourtant, il ne pouvait faiblir, il devait tenir bon pour elle. Anticipant une nouvelle attaque, il pressa la jeune femme de s'exécuter. La forme grotesque de Lucurius émergea à nouveau des limbes. Avant même qu'il puisse les atteindre, la brume se dissipa comme par enchantement. Ils étaient enfin de retour dans leur réalité.

— Marcus, libère Abby! mugit Maximien en s'approchant de lui à pas mesurés. Elle ne va pas bien!

Comprenant qu'il la maintenait toujours sous son emprise, Marcus la relâcha brusquement et s'éloigna. Il batailla âprement pour faire reculer le monstre qui l'habitait. Il tremblait sous l'effort fourni, peinant à y parvenir. Par précaution, Florien déposa une main ferme sur son épaule, prêt à intervenir si la situation dégénérait. Abbygaelle s'effondra dès que le lien fut rompu. Ce fut Maximien qui la rattrapa de justesse avant qu'elle ne heurte le sol. Marcus émit un grognement menaçant en voyant son ami se départir de sa veste pour la recouvrir.

— Nul besoin de t'emballer de la sorte... commença Maximien avec prudence en relevant les paumes. Abby est transie de froid. Si tu ne désires pas qu'elle soit imprégnée de mon odeur, refile-moi ton blazer.

— Je suis tout à fait capable de la réchauffer, déclara Marcus d'une voix dangereusement calme.

— Je n'en doute pas une seule seconde. Cependant, il serait plus sage que tu restes là où tu es! Tu es allé au-delà de tes limites. Ce que tu as fait était risqué, même pour quelqu'un d'aussi puissant que toi. Le chasseur qui sommeille en toi est beaucoup trop éveillé pour que je te permette de la toucher.

— Je dois m'approcher pour vérifier qu'elle n'est plus sous l'emprise des ténèbres.

— Grâce à toi, elle ne l'est plus, Marcus. Toutefois, elle est à bout de force. Abby doit récupérer. Je la ramène au chalet. En ce qui te concerne, je te suggère d'aller faire une promenade dans les bois. Ça ne te ferait pas de mal si tu veux mon avis.

Malgré la justesse de ses propos, Marcus avait de la difficulté à laisser la jeune femme lui échapper. Même à cette distance, il percevait très bien les battements effrénés d'Abbygaelle. Inspirant profondément, il se contraignit au calme. Quant à Abbygaelle, tout demeurait si embrouillé dans sa tête qu'elle n'arrivait plus à distinguer avec clarté ce qui l'entourait. Les bruits lui parvenaient en sourdine, et tout son corps était fourbu. Puis, un trou noir l'engloutit. Maximien la souleva sans effort en contractant la mâchoire tandis que Marcus jugulait son irritation du mieux qu'il le pouvait. En retrait de la scène, Daphnée et Hadrien échangèrent un coup d'œil incertain. Seule Adenora affichait une expression satisfaite. En constatant le trouble de son épouse, Maximien la rejoignit à grands pas.

— Si j'étais toi, ma chérie, j'éviterais de m'approcher de Marcus dans l'immédiat. Il est beaucoup trop instable à mon goût, déclara-t-il, le front barré d'un pli soucieux.

Daphnée, qui se dirigeait d'une démarche hésitante vers la Mazda, s'immobilisa tout à coup. Avec appréhension, elle huma l'effluve fétide qui flottait dans l'air. Elle se raidit en reconnaissant l'odeur des acolytes de Lucurius. Ayant déjà perçu leur présence, Marcus scrutait le parc d'un regard dur.

— Ils ne sont plus très loin, nota-t-il avec rancœur. Nous sommes trop exposés. Il nous faut regagner le chalet sans plus tarder.

— Le moment est plutôt mal choisi, maugréa Maximien avec humeur. Es-tu seulement en état de nous aider ?

— Je ne suis pas invalide… s'emporta Marcus.

— Non, juste à la limite du point de rupture !

— Ça suffit ! tonna Marcus avec autorité.

Maximien courba l'échine. Pour sa part, Daphnée sursauta vivement, alors que Florien, Hadrien et Adenora reculèrent d'un pas. Marcus retrouva avec célérité la pleine maîtrise de ses moyens, fouetté par le danger qui menaçait sa compagne.

— Il est hors de question d'emprunter la 132 avec elle. Des hommes sont probablement déjà embusqués en bordure de la route au détour d'un virage. Je suis convaincu qu'ils nous ont tendu des pièges.

En proie à l'inquiétude, il s'approcha de Maximien. Celui-ci tenait toujours Abbygaelle entre ses bras. Le cœur étreint dans un étau, il frôla son visage du revers de la main. Un sentiment d'urgence le submergea en constatant qu'elle ne réagissait pas à son contact. Il devait la ramener en lieu sûr rapidement, s'assurer qu'elle n'avait pas subi de préjudices.

— Si nous coupons à travers la forêt, nous gagnerons un temps considérable. Peut-être serons-nous ainsi à même de leur échapper. Je prendrai Abby et Daphnée à cru, toi, Maximien, tu me suivras de près sous ton apparence de loup, décréta-t-il sans ambiguïté. Florien et Adenora, vous reconduisez Hadrien au chalet. Divisés de la sorte, nous aurons une chance de les confondre.

— Marcus, est-ce bien prudent ? demanda Maximien avec une pointe d'incertitude. Adopter une forme animale avec Abby dans les parages n'est pas judicieux, surtout après ce qui vient de se produire. Tu es beaucoup trop échauffé, les possibilités de perdre ton sang-froid sont trop élevées.

Pour toute réponse, Marcus le fusilla de son regard sombre. Tout dans sa posture trahissait son irritation.

Maximien préféra reculer sous cet assaut silencieux. Marcus était l'alpha du groupe; il n'entendait pas à ce que l'on discute ses ordres.

— Daphnée et Maximien, vous monterez Abby sur mon dos dès que ma transformation sera complétée, continua Marcus d'un ton sec. Daphnée, tu te hisseras derrière elle afin de la maintenir en équilibre et lui éviter une chute malencontreuse.

— Qu'as-tu l'intention de faire si Abby retrouve ses esprits entre-temps? se risqua Maximien.

— Je prends sur moi de l'engourdir pour qu'il ne lui reste au petit matin plus qu'une vague impression d'avoir fait un rêve saugrenu. Cette nuit entière ne sera d'ailleurs qu'un mauvais souvenir pour elle.

— Si j'étais toi, je ne compterais pas trop là-dessus! Abby est sous ton influence depuis quelques jours. Nous ignorons quel impact ça a eu sur son système. Il ne sera peut-être pas aussi facile de la duper cette fois-ci.

— Dans ce cas, nous aviserons en temps et lieu. Pour l'heure, mon unique souci est de la sortir indemne de ce guet-apens.

— Damnation! C'est à croire que quelqu'un les a informés de notre déplacement.

Du même avis, Marcus se rembrunit. Sans effort, il obligea son corps à se modifier, adoptant la forme d'un animal de son choix. Un craquement sinistre retentit quand ses membres s'étirèrent. Un feulement fusa de ses lèvres, arrachant un frisson à Abbygaelle. Apparut à sa place un magnifique étalon trakehner, dont la robe sombre luisait sous la lumière blanche de la lune. Daphnée s'approcha. D'un regard connaisseur, elle jaugea les articulations robustes et les muscles puissants. « Parfait », songea-t-elle avec satisfaction. L'étalon était tout à fait adapté pour une fuite précipitée. Si nécessaire, il serait à même de franchir tout obstacle sans risque. En outre, il semblait suffisamment résistant pour supporter deux cavalières, en plus d'une course exigeante. Elle prit appui sur l'échine de la bête d'une main ferme et l'enjamba avec agilité. Les épaules inclinées de l'étalon et son dos légèrement incurvé offraient une assiette idéale. Elle pouvait sentir sous ses cuisses la fermeté des muscles de l'animal. Tendant les bras vers Maximien, elle l'aida à monter Abbygaelle devant elle.

Marcus s'élança dès qu'il fut assuré que Daphnée tenait solidement la jeune femme. Elle coinça Abbygaelle sous son thorax, tout en s'allongeant sur l'encolure. Elle immobilisa ses jambes entre les siennes et les flancs de l'étalon. Marcus galopait à une cadence endiablée, indifférent à la surcharge de poids. Lorsqu'il atteignit la grève, des gerbes de sable se soulevèrent sur son passage. La brise du large faisait virevolter les boucles folles d'Abbygaelle, rafraîchissant son visage enfiévré. Avant même qu'elle n'ouvre les yeux, Marcus perçut un changement en elle. En se concentrant sur sa course, il essaya de l'engourdir à nouveau, mais le processus se révéla plus ardu qu'il ne l'aurait cru initialement. Abbygaelle résistait à ses tentatives. Dans un hennissement furieux, il secoua sa crinière. Ce ne fut qu'au bout d'une lutte acharnée qu'il arriva enfin à endormir sa conscience.

Les cavalières regagnèrent le chalet sans encombre. Marcus tremblait sous l'effort fourni, le corps luisant de sueur. Dès qu'il eut retrouvé sa forme humaine, il saisit sans équivoque Abbygaelle dans ses bras et l'emporta.

Il gravit les escaliers, puis entrouvrit la porte de la chambre d'un coup d'épaule. Avec précaution, il déposa la jeune femme sur le lit. Au moment où il s'apprêtait à quitter les lieux, elle gémit faiblement dans son sommeil, s'éveillant à demi. Marcus revint sur ses pas et la surplomba de toute sa hauteur. Abbygaelle essaya tant bien que mal de s'extirper de la torpeur qui la submergeait, sauf qu'une force oppressante l'annihilait, neutralisant sa propre volonté.

— Non... murmura-t-elle en secouant mollement la tête.

— Chut, Abby. Tout ira bien, lui souffla Marcus à l'oreille tout en caressant avec tendresse sa chevelure emmêlée.

Ses paupières se refermèrent d'elles-mêmes, voilant son regard apathique, alors que les muscles de son corps se relâchaient. Marcus soupira. Il regrettait presque d'être parvenu à briser sa détermination, l'obligeant à dormir et à oublier les dernières heures ainsi que les évènements s'y rattachant. Combien de temps encore devrait-il se plier à cette pratique douteuse?

D'une démarche lourde, il quitta la pièce et regagna le couvert de la forêt, la mort dans l'âme. Qui sait ce que pourrait tenter Lucurius après son échec de la soirée? Il semblait résolu à passer à l'offensive, ce qui n'augurait rien de bon. Il en était à ces sombres pensées lorsque Florien, Adenora et Hadrien arrivèrent à leur tour. Désireux de demeurer en retrait pour l'instant, il adopta la forme d'un loup, son animal de prédilection, et s'enfonça dans les profondeurs de la nuit. Devinant tout des émotions contradictoires qui le déchiraient, Maximien le laissa entreprendre seul sa ronde et rejoignit le reste du groupe. Daphnée sommeillerait au côté d'Abbygaelle, alors que lui-même veillerait à la porte de sa chambre. Il savait que Marcus surveillerait la fenêtre de l'extérieur. Florien, Hadrien et Adenora monteraient la garde au rez-de-chaussée.

La lune brillait dans le ciel étoilé, éclairant les alentours d'une lumière diffuse. Étendu sur l'herbe haute, Marcus respirait l'arôme puissant qui émanait de la terre ainsi que des conifères environnants. Toujours sous son apparence de loup, il fixait avec attention la forêt avoisinante, à l'affût du moindre mouvement suspect. De sa position, il percevait même les plus infimes bruits qui provenaient de la chambre au-dessus de lui. En fait, Daphnée avait laissé la fenêtre ouverte, espérant que l'air frais de la nuit chasserait la lourdeur de la pièce. Tout comme Abbygaelle, elle était allongée sur le couvre-lit, légèrement vêtue.

Daphnée se redressa sur un coude au son d'un faible gémissement et fronça les sourcils en constatant l'agitation d'Abbygaelle. Elle lui chuchota des paroles apaisantes pour la calmer et dégagea son front des mèches rebelles qui y collaient. À l'extérieur, Marcus s'inquiéta en décelant la détresse de la jeune femme. Les yeux levés vers ses quartiers, il se livra un débat intérieur quant à la meilleure marche à suivre. Son instinct le domina. Se tassant sur lui-même, il bondit avec une force surprenante. Il atterrit silencieusement sur le parquet de bois. À l'évidence, Abbygaelle bataillait contre des songes troubles. Son visage était crispé, son corps, moite. Il approcha sa tête de la sienne, puis effleura sa joue pour lui apporter un peu de réconfort.

Abbygaelle remua lorsqu'un souffle chaud lui chatouilla le cou. Tout en demeurant prisonnière de son cauchemar, elle étendit la main. Ses doigts rencontrèrent un pelage soyeux. En réponse à son geste, Marcus se frôla contre la peau satinée de sa nuque. Un frisson de plaisir le parcourut tout entier, lui arrachant un râlement. Abbygaelle souleva ses paupières. Un cri de terreur resta coincé dans sa gorge en croisant le regard sauvage de l'animal qui lui faisait face. Se dégageant rapidement, Marcus s'élança aussitôt dans la nuit par la fenêtre entrouverte. Consciente qu'une présence se tenait immobile dans son dos, Abbygaelle se retourna. Elle réprima de justesse un hurlement en reconnaissant Daphnée. Réfléchissant à la hâte, celle-ci afficha d'emblée un air innocent, feignant juste de s'éveiller.

— Abby, est-ce que tout va bien? s'informa-t-elle d'une voix atone.

— Je... La bête... Elle était là... Du moins, je crois... tenta-t-elle d'expliquer confusément, le cœur palpitant d'effroi.

— Abby, de quoi parles-tu?

— Le loup...

— Abby, il n'y a aucun loup dans cette pièce, mentit Daphnée avec peine.

— Mais... je l'ai touché! s'écria la jeune femme en s'agitant.

— Enfin Abby, regarde autour de toi. La porte de la chambre est fermée. Nous sommes au deuxième étage. Comment voudrais-tu qu'un loup puisse s'introduire ici?

— Je… J'ai pourtant senti son souffle dans mon cou, persista néanmoins Abbygaelle, malgré sa certitude de plus en plus vacillante.

— Sans doute as-tu fait un cauchemar. Ton imagination t'aura joué un mauvais tour, insista Daphnée tout en maudissant Marcus pour son imprudence.

— Mais cette vision semblait si réelle…

— Écoute Abby, il est 4 h. J'avoue ne pas être au meilleur de ma forme après notre soirée bien arrosée. J'aimerais beaucoup me rendormir.

— Je comprends… murmura Abbygaelle, plus pour elle-même.

— Allez! Bonne nuit!

Daphnée s'apprêtait à se recoucher, heureuse d'avoir évité la débâcle, lorsqu'Abbygaelle se retourna vivement dans sa direction, désormais tout à fait réveillée.

— Daphnée, que fais-tu dans mon lit?

Cette dernière eut un moment d'hésitation avant de répondre. Se reprenant rapidement, elle lança la première excuse qui lui vint à l'esprit.

— Abby, tu t'es évanouie sur la piste de danse. Marcus et ton père étaient très inquiets. C'est pourquoi ils m'ont demandé de rester auprès de toi.

Abbygaelle fronça les sourcils, nullement convaincue, et cherchait visiblement à se rappeler les évènements de la veille, mais sans résultat. Décontenancée, elle dévisagea Daphnée avec une expression mitigée.

— Je ne me souviens plus tout à fait de ce qui s'est passé durant cette soirée.

— Peut-être as-tu trop forcé sur la boisson?

— Ce n'est pourtant pas dans mes habitudes, se défendit Abbygaelle en se mordillant la lèvre inférieure.

— Abby, j'avoue avoir du mal à aligner correctement mes idées à cette heure. Que dirais-tu si nous remettions cette discussion à plus tard ?

La jeune femme acquiesça machinalement et se rallongea sur le lit. Installée sur le côté, elle arrêta son regard sur la fenêtre. Une petite voix au fond d'elle-même lui soufflait néanmoins qu'elle n'avait pas rêvé.

Après une nuit agitée, Abbygaelle aspirait à un peu de quiétude. Étonnamment, elle se sentait légèrement mal à l'aise face à Marcus ce matin-là, sans en comprendre la raison. C'était ce qui avait motivé sa décision d'accepter la suggestion de sortie que Daphnée et Adenora avaient proposé pour la journée. Elle préférait dans l'immédiat aller marcher le long des berges du golfe du Saint-Laurent plutôt que de demeurer coincée au chalet. Le fait que Marcus se soit absenté toute la matinée pour rendre visite à une amie lui facilitait la tâche. De son côté, Maximien se tenait sur le qui-vive. Marcus était parti à la rencontre d'Amélie, une chasseresse qui en connaissait un rayon sur les démons. Pour sa part, il ne l'avait rencontrée qu'à une seule occasion, car Amélie passait une bonne partie de son temps à exterminer les créatures de la nuit. Marcus et elle avaient un ennemi en commun : Lucurius. Pour une raison qu'il ignorait, Amélie avait pris le loup-garou en chasse, ce qui ne le gênait nullement. Plus ils seraient nombreux à vouloir sa perte, plus vite ils viendraient à bout de ce charognard. Les informations qu'elle détenait cependant devaient être de taille pour que Marcus accepte de laisser Abbygaelle sous la seule protection de la meute. Voilà pourquoi Maximien avait hérité du commandement dans l'immédiat. Arpentant le salon, il réfléchissait à la requête de son épouse. Ne voyant aucun mal à permettre aux filles de sortir en plein jour, il avait donné son aval pour leur petite expédition. Elles ne couraient aucun danger, mais par prudence, il préférait tout de même demeurer dans les parages.

À mille lieues du décor enchanteur qui l'entourait, Abbygaelle marchait en compagnie de Daphnée et d'Adenora, sans voir toutefois les goélands qui tournoyaient au-dessus d'elles. Ce fut finalement leurs cris stridents qui attirèrent son attention. Pour une raison qu'elle n'arrivait pas à s'expliquer, elle percevait depuis la veille les sons environnants avec une acuité exceptionnelle ; même son odorat était devenu plus sensible. Plus troublant cependant était le fait qu'elle ne semblait plus avoir besoin de ses verres de contact pour y voir clair. Incapable de se résoudre à en parler à quiconque, elle s'était refermée sur elle-même. Elle avait la sensation de se tenir en équilibre précaire sur le bord d'un gouffre. Un élément vital lui échappait, mais lequel ? Elle essaya à nouveau de se remémorer les évènements de la nuit passée, sans succès. Frustrée, elle donna un coup de pied dans le sable, arrachant un regard interrogateur à ses deux compagnes. Elle se rappelait pourtant avoir dansé avec Marcus. C'était d'ailleurs son dernier souvenir.

Dès qu'elle tentait de percer le voile qui obscurcissait ses pensées, un sentiment de panique la gagnait.

Au loin, des hennissements retentirent, la faisant sursauter. L'esprit confus, elle contempla les quatre chevaux et leurs cavaliers qui se dirigeaient vers eux. À cette vision, une vague impression de déjà-vu la submergea. La sensation de la brise du large sur ses joues, d'un balancement régulier et du jeu de muscles vigoureux sous ses cuisses lui revint en mémoire. Elle avait galopé à bride abattue tout récemment. Elle se souvenait avoir vu le paysage défiler sous ses yeux à une vitesse effarante. De plus, il y avait eu ce saut. À ce moment-là, une terreur sourde l'avait étreinte, mais quelqu'un l'avait maintenue solidement sur le dos d'un animal déchaîné. Elle ne réussissait pas à se rappeler qui, mais c'était sans contredit une personne dotée d'une force surprenante.

Puis, d'autres images affluèrent. Un loup... Il y avait eu un loup dans sa chambre. Elle en était convaincue. Dans ce cas, pourquoi Daphnée l'avait-elle trompée? Qu'est-ce que toute cette histoire signifiait? La peur au ventre, elle se figea. De plus en plus inquiète de son comportement, Daphnée s'éloigna de la jeune femme et d'Adenora, puis s'empara de son cellulaire. Elle devait rapidement faire part de ses craintes à Marcus.

Abbygaelle observait silencieusement la mer qui venait mourir sur la grève en contrebas. Elle et ses deux compagnes étaient arrivées depuis peu au point de rencontre fixé par Marcus. Étant donné qu'il ne les avait pas encore rejointes, elle en profita pour réfléchir à nouveau aux évènements de la veille. De toute façon, Daphnée demeurait légèrement en retrait, alors qu'Adenora l'évitait.

Malgré elle, ses pas la portèrent jusqu'à la falaise. Une sensation étrange de torpeur s'insinua en elle, tel un poison pernicieux. Dès lors, des images se superposèrent, des cris d'agonie retentirent avec puissance, la percutant de plein fouet. Inconsciemment, elle se rapprocha du précipice. Les complaintes provenaient du large. Au loin apparut soudain un navire anglais. Celui-ci semblait sortir tout droit d'une époque depuis longtemps révolue. De toute évidence, il tentait de s'éloigner de l'escarpement. Une énorme vague roula, soulevant l'embarcation comme un simple fétu de paille. Le bateau fut rejeté contre les récifs avec une telle force que la coque se fracassa sous l'impact. Des hommes hurlèrent d'effroi avant d'être expulsés. Ils atterrirent dans les flots déchaînés. Certains coulèrent à pic et d'autres furent broyés. Aucun ne survécut à ce naufrage brutal. Fascinée, Abbygaelle ne parvenait pas à détacher son regard de la carcasse embrochée sur les rochers. Puis, ce fut le silence complet, ce qui se révéla plus lugubre encore. Cet endroit n'était pas le Cap-d'Espoir, comprit-elle, mais bien le «Cap Despair», comme l'avaient nommé les Anglais durant la période de la colonisation. Le mot s'était déformé au fil du temps. Incapable de s'arracher à cette vision morbide, elle crispa les poings. Cela n'avait aucun sens.

Avant même qu'elle ne puisse reprendre ses esprits, une voix sinistre s'infiltra en elle, la faisant sursauter. Un afflux d'adrénaline se déversa dans ses veines alors que tout son être se révulsait. Une peur viscérale la gagna. L'homme qui envahissait tout à coup ses pensées était malsain, elle en avait l'intime conviction.

— Enfin, je te retrouve, susurra l'être maléfique en s'imposant de force à son esprit. Je m'appelle Lucurius, ma jolie, et je suis venu tout spécialement pour toi.

L'image de l'inconnu se forma avec plus de précision dans sa tête. L'étranger avait les traits du visage altérés par un rictus, et ses cheveux étaient retenus sur sa nuque par une lanière. Ses lèvres étaient dures, son regard, glacial. Percevant tout de ses émotions, Lucurius s'en délecta.

— Tes pauvres tentatives pour te soustraire à mon emprise ne serviront à rien. Tu n'es pas de taille à me résister. Dommage que ton protecteur ne soit pas là pour te défendre. Malencontreusement pour toi, il a sous-estimé mes pouvoirs, termina-t-il dans un rire cynique.

Les yeux agrandis d'effroi, Abbygaelle demeura pétrifiée. Son sang battait douloureusement contre ses tempes. Elle était prisonnière de la vision. Elle n'avait aucune échappatoire possible.

— Sais-tu combien de malheureuses j'ai dû éliminer avant d'arriver jusqu'à toi? Combien de fois il m'a fallu me retirer à cause de ce maudit métamorphe qui te sert de chien de garde? C'est terminé maintenant. Nous allons bien nous amuser ensemble, et tu as dorénavant toute mon attention!

Abbygaelle était glacée. Ce monstre la traquait, mais pourquoi? Dégageant de sa ceinture une dague affilée, Lucurius apposa la lame tranchante sur sa joue gauche, puis la fit pénétrer dans sa chair avec ravissement. Une douleur cuisante l'irradia tout entière, lui arrachant un cri muet.

— Chut… Si tu émets le moindre son, je n'hésiterai pas à m'attaquer à la seule personne qui te reste dans ce monde : ton père.

Afin d'apporter plus de poids à sa menace, il déplaça la lame et appuya légèrement la pointe sur sa gorge, près de sa jugulaire. Quelques gouttes de sang perlèrent. Abbygaelle déglutit avec difficulté, tout en tentant désespérément de se maîtriser.

— Qu'est-ce que vous me voulez ? s'enquit-elle d'une voix à peine audible.

— Serait-ce que Marcus aurait omis de t'informer ? Pauvre petite chose sans défense, livrée à elle-même. Quelle horreur cela doit être de ne pas comprendre ce qui t'arrive ! Toutes ces visions qui ne cessent de te hanter, ces questions que tu te poses à son sujet. Hum ! Je pourrais tout te dévoiler, mais je préfère céder ce plaisir à mon cher frère ! Il y a si longtemps qu'il est associé à ta famille… mais il est vrai qu'il déteste en faire mention. Parfois, les gens ne sont pas ce qu'ils semblent être. Demande-lui ce qu'est une clé de voûte, car c'est exactement ce que tu es, mon cœur. La plus puissante et la plus délicieuse d'entre toutes ! J'ai hâte de te retrouver, ma jolie. En attendant, je te laisse un dernier présent.

Sur ces mots prometteurs, il psalmodia une formule étrange. En réponse, la lame de sa dague s'échauffa jusqu'à devenir rougeoyante. Avec cruauté, il entailla profondément sa cuisse gauche avant de disparaître de son esprit. Sous la douleur cuisante, Abbygaelle émergea brutalement de la vision d'horreur et bascula dans le vide.

Aussitôt, un étau de fer la ceintura par-derrière, la faisant reculer. Paniquée, elle se débattit comme une déchaînée.

— Abby ! Calme-toi ! aboya rudement Marcus.

— Non… hurla-t-elle.

Puis, en reconnaissant les traits de Marcus, sa terreur se mua en une colère sourde. Cet homme s'était joué d'elle.

— Lâche-moi ! s'écria-t-elle avec vigueur.

— Tu vas devoir te calmer tout d'abord ! déclara-t-il avec fermeté tout en la faisant pivoter et en enserrant ses poignets.

Devinant qu'elle s'était retrouvée de nouveau sous l'emprise de Lucurius, il crispa la mâchoire. Trop perturbée pour obtempérer, Abbygaelle tenta de s'arracher à son étreinte. Ses idées s'embrouillaient, un sanglot resta coincé dans sa gorge. Au lieu de la relâcher, Marcus l'attira encore plus près de lui en encerclant sa taille, l'obligeant ainsi à trouver refuge entre ses bras.

— Abby ! Ce n'est pas moi l'ennemi.

— Tu ne nies pas connaître ce... cette créature ? demanda-t-elle avec affolement.

— En effet. Le monstre qui vient de t'attaquer est dangereux. Il cherche à s'emparer de toi depuis un bon moment déjà. Pour ma part, j'ai été chargé d'assurer ta protection.

— Pourquoi en a-t-il après moi ? Je ne comprends pas...

Ce cri du cœur ébranla Marcus. Abbygaelle était au bord de la crise de nerfs, avec raison. Il aurait pu se fouetter jusqu'au sang pour sa négligence. Il avait failli à sa tâche, et le résultat était catastrophique. Il avait cru à tort qu'elle était en sécurité durant la journée, mais à l'évidence, ce n'était plus le cas. Lucurius avait considérablement renforcé ses pouvoirs, ce qui ne pouvait signifier qu'une chose : il avait pactisé avec des forces démoniaques et était prêt à entamer le rituel. Il ne lui manquait plus qu'Abbygaelle.

— Abby, nous en reparlerons plus tard à tête reposée. Ce n'est ni le lieu, ni le moment pour le faire, dit-il d'un ton qui n'admettait aucune réplique.

Contre toute attente, elle éclata en sanglots. Adouci, il caressa sa nuque avec des mouvements apaisants, puis prit son visage en coupe entre ses mains. Une lueur empreinte de douceur se reflétait dans son regard. Abbygaelle déglutit avec difficulté.

— Je suis complètement larguée...

— Je sais, Abby. Cependant, tu dois comprendre que ta vie est menacée.

Ces paroles éveillèrent en elle un écho étrange. Elle se rappelait soudain certains évènements de la veille avec une acuité étonnante. Il y avait eu cette chevauchée effrénée sur un étalon après leur soirée au bar, puis l'apparition du loup dans sa chambre.

— C'était toi depuis le début! déclara-t-elle d'une voix blanche.

— Que veux-tu dire, Abby? avança-t-il avec méfiance.

— Le cheval... le loup... Seigneur! Je perds la tête...

Sa confusion évidente faisait peine à voir. Il était conscient qu'elle attendait des éclaircissements. Le problème, c'était qu'elle était toujours sous le choc. Il risquait de la braquer davantage en parlant. En s'introduisant dans son esprit, Lucurius avait détruit certaines barrières qu'il avait érigées tout autour de ses souvenirs, les libérant. C'était beaucoup trop d'informations à la fois.

— Abby, accorde-moi encore un peu de temps. Pour l'heure, je préfère te ramener en lieu sûr.

Ne sachant plus où elle en était, Abbygaelle hésita. Il ne voulait pas la presser outre mesure, mais la journée était déjà fort avancée. Ils devaient quitter les lieux, mais dans un premier temps, il se devait de soigner ses blessures. Sans lui laisser l'occasion de réagir, il influa sur ses sens. Une langueur soudaine envahit la jeune femme. Levant les yeux, elle croisa le regard incandescent de Marcus. Il émanait de sa personne un effluve envoûtant qui inhibait toute volonté chez elle. D'instinct, elle se contracta.

— Qu'est-ce que tu fais ? parvint-elle à murmurer.

— Tu as été blessée par Lucurius. Je sais que tu souffres, même si tu cherches à le dissimuler. Ta coupure à la joue est profonde.

Comme elle demeurait silencieuse, il la prit par les épaules, l'incitant à s'agenouiller sur le sol.

— Qu'est-ce qui se passe ? Ton odeur... gémit-elle.

— Je sais, Abby. Tu es sous mon emprise, et tout ton être y réagit avec virulence.

— Pourquoi ? demanda-t-elle.

— Tu ne m'as guère laissé le choix, je dois te soigner. Je promets toutefois de te libérer dès que j'aurai terminé.

Elle se lova dans ses bras, incapable de lui résister. Marcus ressentit son accablement dans chacune des fibres de son corps. Il l'étreignit avec douceur, puis déposa un baiser sur son front. Abbygaelle geignit tout contre lui, déchirée par les émotions contradictoires qui l'assaillaient.

— Abby, ma salive a des vertus curatives. Si j'en enduis ta plaie, ta blessure sera purgée de toute infection. À l'aube, tu n'auras plus qu'une petite cicatrice à peine visible.

À cette perspective, Abbygaelle s'affola. Elle appréhendait trop l'influence que cela aurait sur ses sens. Déjà qu'elle arrivait tout juste à demeurer lucide.

— Non... par pitié...

— Il le faut, Abby... murmura-t-il.

Le cœur de la jeune femme s'emballa aussitôt. Dans un dernier sursaut de révolte, elle tenta d'échapper aux sentiments émouvants qu'il éveillait en elle. Des larmes d'impuissance roulèrent sur ses joues livides. Avec une infinie douceur, Marcus les recueillit. Du bout des doigts, il tourna légèrement son visage de côté. Il retint sa respiration en la frôlant. Le contact de ses lèvres, puis de sa langue sur sa joue électrisa Abbygaelle. Avec fermeté, Marcus posa son autre main sur sa nuque, l'immobilisant. Cependant, plus il effleurait la peau sensible de sa pommette, plus son odeur l'imprégnait. Son esprit s'embrouillait, tout son être s'enflammait. Il dut ressentir le changement subtil qui s'opérait en elle quand elle commença à se contorsionner, car il affermit sa prise sur son menton, au point de lui faire mal. Au bout de quelques secondes, il la relâcha afin de bloquer ses deux poignets derrière son dos. Au supplice, Marcus tenta de réfréner le désir qui montait en lui. Sauf que son corps réagissait instinctivement à l'appel inconscient de la jeune femme. Furieux contre lui-même, il serra les dents.

— Tiens-toi tranquille, Abby! murmura-t-il d'une voix rauque. Ou bien je ne réponds plus de rien.

L'effet fut saisissant. Abbygaelle se figea. Elle rougit violemment, se remémorant leur incartade dans la forêt, sur le bord de la plage. Marcus aurait pu la prendre ce jour-là; pourtant, il n'en avait rien fait, se contentant de la faire jouir avec ses doigts. Elle pressentait toutefois qu'il en serait autrement aujourd'hui. Il était tendu comme un arc, prêt à exploser. Son pouvoir sur elle était donc une arme à double tranchant. Lorsqu'il la séduisait et la soumettait à son emprise, il devenait vulnérable à son tour.

À des lieues de telles pensées, Marcus déployait une énergie considérable pour ne pas flancher. En apercevant les gouttes de sang sur le cou de la jeune femme, il releva sa tête, puis s'empara de sa gorge avec délectation. Abbygaelle sentait que sous peu, elle n'aurait plus la force de lui résister.

Son étreinte se faisait plus pressante, ses lèvres, plus sensuelles. Il la désirait... c'était évident.

— Marcus... non... gémit-elle.

Fouetté par sa souffrance, Marcus recouvra son sang-froid, la libérant d'un geste prompt en se maudissant. La tension qui l'habitait était presque palpable, ce qui alarma Abbygaelle. Il lui faisait l'effet d'un guerrier redoutable et n'en était que plus époustouflant encore. Tout en frottant ses poignets meurtris, elle ne le lâcha pas des yeux, cherchant à rassembler ses idées.

— Qu'est-ce qu'une clé de voûte? demanda-t-elle d'une voix ténue.

Ne souhaitant pas se lancer dans un nouveau débat avec elle, surtout dans son état d'esprit actuel, il lui tourna le dos. Il se dirigea vers sa voiture, renfermé dans un mutisme complet. Il savait que le reste de la meute n'était pas très loin; il sentait leur présence. Par respect, ils étaient demeurés discrets. Abbygaelle s'élança à sa suite, toute prudence oubliée. Elle était plus que jamais résolue à obtenir des réponses.

— Depuis combien de temps es-tu associé à ma famille? Est-ce que les autres sont comme toi? Marcus... l'appela-t-elle, désespérée.

Elle avait beau insister, elle se heurta à un mur de silence. D'un pas chancelant, elle le rejoignit et se planta devant lui.

— Marcus, tu n'as pas le droit de...

L'arrivée précitée de Maximien l'empêcha de poursuivre. Immédiatement, Marcus fut sur ses gardes.

— Ils seront là sous peu! lâcha Maximien d'un ton lugubre. Daphnée et Florien ont repéré leur présence pendant qu'ils surveillaient les environs.

L'expression de Marcus se durcit à cette nouvelle. Il n'aurait jamais cru que Lucurius tenterait une manœuvre aussi périlleuse. C'était inhabituel de sa part de lancer une attaque alors que la nuit n'était pas encore tombée. Par chance, Hadrien était resté au chalet, ce qui lui éviterait de se retrouver plongé dans la mêlée. Ils en avaient déjà assez sur les bras avec Abbygaelle.

— Ils sont trop près et nous coupent toute retraite. Il faut mettre Abby en lieu sûr dans le phare, suggéra-t-il aussitôt.

La tour était en béton, il n'y avait donc aucune prise pour y grimper, et à cause de sa hauteur, elle était inaccessible par saut. De plus, son entrée unique facilitait sa défense.

— C'est moi qui en garderai l'accès, déclara Marcus sans équivoque.

En devinant tout de l'ampleur de la menace, Abbygaelle prit peur. Marcus la souleva sans lui laisser le temps de réagir, puis l'emmena jusqu'à la porte.

— Abby, je voudrais que tu te caches dans ce phare. Tu devras y rester jusqu'à ce que je vienne te chercher.

— Qu'allez-vous faire ? s'alarma-t-elle.

— Livrer combat… eut-il pour toute réponse.

Elle déglutit avec difficulté, tout en jetant des regards incertains sur les environs. Elle ignorait quels dangers les guettaient, mais c'était suffisamment grave pour inquiéter Marcus. Bousculée par les derniers évènements, elle demeura interdite.

— Tout ira bien, Abby. N'aie crainte, la rassura-t-il avant de l'embrasser furtivement dans le cou.

Son cœur rata un battement. Avant qu'elle n'ait eu le temps de se ressaisir, elle fut propulsée à l'intérieur par

Marcus, et la porte se referma derrière elle dans un bruit sourd. Puis, la poignée fut tordue de l'autre côté. Elle essaya de l'ouvrir, mais peine perdu. Elle était prisonnière de la tour. Anxieuse, elle gravit rapidement l'escalier en colimaçon jusqu'en haut et s'approcha prudemment de la baie vitrée. Elle chercha à percer les ténèbres qui enveloppaient peu à peu le paysage environnant.

Elle discerna difficilement la silhouette de Marcus en contrebas, alors qu'au loin, des hurlements sinistres se rapprochaient. Sous ses yeux, Marcus se transforma en une bête noire colossale, à mi-chemin entre un homme et un être monstrueux. Effrayée, elle recula, le corps parcouru de tremblements impossibles à réprimer, et trouva refuge dans la pénombre de l'habitacle. Une peur sourde fit battre son cœur à un rythme effréné. Incapable de quitter la scène du regard, elle vit plusieurs ombres s'élancer sur la créature surhumaine qu'était devenu Marcus. Un vacarme assourdissant retentit tout à coup dans les entrailles du phare lorsqu'une masse énorme s'écrasa contre la porte. Des rugissements de douleur résonnèrent dans l'obscurité, lui arrachant un cri de terreur.

Même si elle ne distinguait plus rien désormais, l'écho d'une lutte acharnée parvenait jusqu'à elle, augmentant son inquiétude. «Seigneur! Cette attente est insupportable!» songea-t-elle. Puis, le silence se fit, mettant ses nerfs à rude épreuve. C'était plus angoissant encore que le fracas de la bataille. L'estomac noué par l'appréhension, elle se risqua sur la plateforme, tout en essayant de juguler sa peur du vide.

Un vent glacial l'accueillit à sa sortie. Au-dessous d'elle, un faible halètement était à peine perceptible. Quelqu'un souffrait... L'esprit en déroute, elle chercha à percer la noirceur. Elle plaqua une main sur ses lèvres en reconnaissant la silhouette familière de Marcus. Elle s'élança aussitôt vers les marches en colimaçon, les dévalant à toute vitesse. Alors qu'elle tentait d'ouvrir la porte avec l'énergie du désespoir, Abbygaelle comprit que les sentiments qu'elle ressentait à l'égard de Marcus étaient plus puissants qu'elle ne l'avait imaginé.

— Marcus... l'appela-t-elle, le souffle court.

Mais nul bruit ne vint rompre le silence lourd environnant. Elle secoua le battant avec frénésie, sans toutefois parvenir à la faire bouger.

— Non... non... Marcus! hurla-t-elle avec plus de force.

Une lancination vive étreignit son cœur. Ce n'était pas possible, il ne pouvait pas demeurer sourd à ses interpellations. À la seule idée que les monstres qui l'avaient attaqué aient pu venir à bout de sa résistance, une boule se forma dans sa gorge. Elle tambourina contre la porte, s'écorchant les poings au passage.

— Marcus... ouvre par pitié... Marcus...

Sa voix se brisa sur cet appel ultime, et un sanglot l'étouffa. Dans un dernier sursaut de révolte, elle donna de puissants coups de pieds contre le panneau de bois massif en criant sa rage et son impuissance. Désespérée, à bout de force, elle s'effondra sur le sol humide, laissant libre cours à ses larmes.

Ses pleurs parvinrent jusqu'à Marcus, l'extirpant peu à peu de la torpeur qui l'engourdissait. Quelque peu assommé, il secoua la tête pour reprendre ses esprits. Prenant appui sur le mur inégal du phare, il se releva avec peine en jurant. Une grimace de souffrance déforma ses traits. Lucurius n'avait pas lésiné sur les effectifs, car l'assaut avait été brutal.

D'ailleurs, ils s'y étaient mis à plusieurs pour tenter de le neutraliser. Il espérait seulement que le reste du groupe n'avait pas essuyé une agression aussi violente. Il s'avança de quelques pas avec raideur et scruta les environs à la recherche des siens. Un soupir de soulagement s'échappa de ses lèvres en les apercevant qui se dirigeaient vers lui. Personne ne semblait avoir été grièvement blessé; selon toute vraisemblance, ils ne semblaient souffrir que de quelques éraflures et de légères ecchymoses. Rien de comparable avec les blessures qu'il avait infligées à l'ennemi avant que ce dernier ne prenne la fuite. Apparemment, il avait écopé du plus gros de l'attaque. Rasséréné, il retourna à la porte pour délivrer Abbygaelle.

En entendant le grincement sinistre des gonds, cette dernière se releva, et recula avec prudence. La peur au ventre, elle se prépara mentalement à affronter ce qui l'attendait de l'autre côté. Elle eut un hoquet de stupeur en reconnaissant la silhouette familière qui se découpait dans l'encadrement. Sans réfléchir, elle se jeta sur Marcus.

— J'étais morte d'inquiétude! s'écria-t-elle en le martelant de ses poings. J'ai cru… Je croyais… que tu étais…

Incapable de poursuivre, elle enfouit son visage contre son torse. Marcus se contenta de l'étreindre en silence, soulagé de la savoir indemne et d'avoir survécu à cet assaut inattendu. Maximien s'approcha d'eux et déposa une main sur l'épaule de Marcus. D'un bref mouvement de la tête, celui-ci lui fit signe qu'il était préférable de quitter les lieux. Aussitôt, Daphnée ouvrit la marche. Alors que Florien et Maximien s'apprêtaient à passer un bras autour de la taille de Marcus pour l'assister, il refusa sans équivoque. Il n'était pas question qu'il lâche Abbygaelle.

❀ ❀ ❀

Marcus crispa la mâchoire. Monter jusqu'à l'étage se révélait plus ardu qu'il ne l'aurait cru de prime abord. Tout comme dans la voiture, Abbygaelle lança un coup d'œil inquiet dans sa direction. N'était-ce pas à cause d'elle qu'il se retrouvait dans un état aussi lamentable? Après tout, il avait bataillé dans l'unique but de la protéger. À lui seul, il avait maintenu plusieurs acolytes de Lucurius à distance. Elle laissa fuseler une faible plainte entre ses lèvres à la vue de ses nombreuses plaies sous la lumière crue du plafonnier. Marcus se renfrogna sous son regard horrifié.

— Ce n'est rien, Abby, tenta-t-il de la rassurer.

— Comment peux-tu affirmer une chose pareille? Tu as littéralement été charcuté... s'écria-t-elle d'une voix blanche.

— Abby... poursuivit Marcus en s'approchant lentement d'elle, puis en emprisonnant son menton entre ses doigts. Dès demain, il n'y paraîtra presque plus rien. Je n'en garderai que quelques cicatrices. Grâce à ma constitution, je guérirai rapidement.

— Tu dois pourtant souffrir beaucoup... souffla-t-elle, les larmes aux yeux.

— Je survivrai, Abby! Je n'en suis pas à ma première escarmouche, ni à ma dernière d'ailleurs, dit-il avec humour. Serais-tu donc inquiète pour moi?

Refusant de craquer devant lui et d'ajouter davantage à ses préoccupations, elle se détourna prestement. D'une démarche raide, elle se dirigea vers la salle de bain.

Elle y demeura quelques minutes afin de reprendre contenance. Les mains appuyées sur le rebord du lavabo, elle pleura en silence. En relevant la tête, elle croisa son

visage défait dans le miroir. « Ciel ! J'ai une tête de déterrée ! »
Ce constat désolant lui arracha une grimace amère. Ne pouvant se présenter devant les autres dans cet état, elle s'as-
pergea d'eau froide. Après trois bonnes inspirations, elle
imbiba un chiffon et s'empara de la trousse de premiers
soins qui se trouvait dans l'armoire. Durant son absence,
Hadrien avait rejoint Maximien et Florien à l'étage. Ils en
avaient profité pour dévêtir Marcus. En pénétrant dans la
chambre, Abbygaelle se figea à la vue de son corps presque
entièrement nu. Tout ce qu'il portait était un caleçon boxeur
qui dissimulait à peine sa virilité. Elle se racla la gorge, les
joues en feu, et s'efforça de se recomposer une attitude
sereine.

Marcus était allongé, les yeux tournés dans sa direction. Une étincelle sauvage y brillait toujours. L'image d'une
bête noire gigantesque s'imposa de force dans l'esprit
d'Abbygaelle, la faisant sourciller. De son côté, Marcus
n'avait rien perdu des émotions contradictoires qui agitaient
la jeune femme.

— Aurais-tu peur de moi, Abby ? demanda-t-il à
brûle-pourpoint.

Surprise par cette question directe, elle le fixa longuement. Pour son propre équilibre mental, elle devait absolument lui prouver qu'il n'avait pas mainmise sur elle.
Inspirant profondément, elle s'exhorta au calme en le rejoignant. Son père lui étreignit l'épaule avec chaleur. Elle lui
répondit d'un bref signe de la tête avant de faire face à
Marcus. Avec des gestes sûrs et précis, elle entreprit de net-
toyer le contour de ses plaies. Marcus ne cilla pas sous la
douleur. Bouleversée bien malgré elle par l'étendue de ses
blessures, elle ne put retenir quelques larmes traîtresses.

Marcus soupira, puis enfouit l'une de ses mains dans ses boucles cuivrées. Abbygaelle sursauta à son contact, mais ne tenta pas de se soustraire pour autant. Encouragé par sa réaction, il poussa plus loin son exploration, et caressa avec tendresse son cou. Il aurait voulu lui dire quelque chose pour la rassurer, mais aucune parole appropriée ne lui vint à l'esprit.

Le reste du groupe s'éclipsa en silence. Personne ne remarqua cependant le regard assassin qu'Adenora lança en direction d'Abbygaelle.

— Abby, tu devrais te reposer. La soirée a été très éprouvante. Viens près de moi, lui proposa-t-il avec douceur une fois que tout le monde fut sorti.

— Non… répondit-elle avec véhémence. C'est au-dessus de mes forces pour le moment, poursuivit-elle en reculant. Je vais demander à Maximien de te veiller durant mon absence.

— Ce n'est pas nécessaire, Abby. Si je souhaite demeurer à tes côtés, ce n'est pas pour moi, mais uniquement pour m'assurer que Lucurius ne tentera pas une nouvelle agression sur ta personne.

— Tu es blessé, Marcus. Tu dois récupérer. Il y a suffisamment de gens dans ce chalet pour me protéger. De toute façon, j'ai besoin de me retrouver seule afin d'y voir plus clair.

— Soit ! Je consens à te laisser pour cette nuit. Toutefois, à la moindre alerte, je n'hésiterai pas à te rejoindre. Sache qu'à partir de demain, tu devras te résoudre à partager mes quartiers. Maintenant que Lucurius t'a marquée à la cuisse, il ne te lâchera plus. C'est la première ligne d'un pentagramme inversé qu'il a gravé dans ta chair. S'il parvient à le compléter, plus rien ne l'arrêtera. Tu seras perdue !

Abbygaelle déglutit avec peine, puis jeta un dernier regard dans sa direction avant de disparaître dans le couloir. À bout de nerfs, elle entra dans sa chambre et s'appuya à l'un des murs. Elle glissa le long de la cloison, incapable de tenir debout plus longtemps. Elle replia ses jambes sur son ventre et posa son front sur ses genoux. Ce ne fut qu'à ce moment qu'elle s'autorisa à pleurer sans retenue.

CHAPITRE V

Légendes mortelles

Abbygaelle s'agitait dans son lit, prisonnière de ses rêves. Une clameur assourdissante retentissait derrière elle alors que plusieurs personnes la pourchassaient. Elle ignorait tout de l'endroit où elle se trouvait, car la forêt qui l'encerclait lui était étrangère. Elle avait beau courir à perdre haleine, les êtres obscurs se rapprochaient malgré tout. Des branches la fouettaient au passage, entaillant ses bras, ses jambes, son visage. Son cœur battait à coups redoublés, et ses poumons étaient en feu. Plus terrifiante encore était cette voix funèbre qui l'appelait depuis les confins de la nuit.

Brusquement, elle trébucha sur quelque chose et s'affala de tout son long sur le sol humide. Un cri de douleur lui échappa quand sa tête heurta rudement une surface dure. Alors qu'elle cherchait à se redresser, sa main s'emmêla dans une chevelure poisseuse. Elle hurla d'horreur en apercevant le corps mutilé d'une jeune fille. Au même moment, Lucurius se matérialisa à ses côtés.

— Je t'avais promis que nous nous reverrions bientôt, très chère.

— Vous n'êtes pas réel! Ce n'est qu'un cauchemar! Vous ne pouvez rien contre moi! déclara-t-elle, hors d'haleine.

— Au contraire, ma jolie! Tu es ma captive à travers tes rêves! Marcus ne peut rien contre moi!

Avant qu'elle puisse esquisser le moindre geste, elle sentit qu'on la soulevait par les aisselles. Elle tenta d'échapper à ses assaillants, mais les deux créatures difformes la maintenaient solidement, lui coupant toute possibilité de retraite. Puis, comme s'ils répondaient à des ordres silencieux, ils la traînèrent jusqu'à un autel de pierre, sur lequel ils l'étendirent de force. Celui-ci trônait au centre d'un pentagramme inversé, et des courroies pendaient à chacune de ses extrémités. Abbygaelle se débattit avec énergie, criant et frappant à l'aveuglette. Un désespoir sans nom l'envahit lorsque deux autres créatures immobilisèrent ses pieds. Refusant d'abdiquer, elle se contorsionna avec une vigueur renouvelée.

Sur un signe de Lucurius, elle fut attachée aux pieds et aux poignets. Les sangles mordirent sa chair tendre tant elles étaient serrées. Lucurius s'écarta du groupe qui l'encerclait. Horrifiée, Abbygaelle le vit approcher une dague vers sa poitrine. Il déchira le fin tissu de sa chemise de nuit avec lenteur, livrant son corps nu aux regards concupiscents de l'assemblée. Incapable de se libérer, elle s'agita en gémissant.

Satisfait, Lucurius appuya la lame sur sa cuisse déjà meurtrie, l'entaillant de nouveau. La souffrance lui arracha une longue complainte.

❋ ❋ ❋

Marcus scrutait l'obscurité par sa fenêtre quand il ressentit le désarroi d'Abbygaelle. Inquiet, il se précipita dans sa chambre et fut effaré en l'apercevant. Elle se démenait dans son lit comme une possédée. Ses draps gisaient par terre, son souffle était saccadé et ses traits étaient figés dans un masque d'horreur. Tout son être s'arc-boutait comme si elle subissait l'assaut de supplices atroces. Se dirigeant vers la jeune femme, il constata alors qu'elle serrait les jambes, cherchant à bloquer l'accès à sa féminité. Une sueur froide coula dans son dos en comprenant qu'elle était menacée à travers ses rêves. La peur au ventre, il la secoua avec vigueur.

— Réveille-toi, Abby! ordonna-t-il d'une voix puissante. Réveille-toi!

Il l'enjamba en s'assoyant sur ses hanches afin de l'immobiliser. Tout en maintenant ses épaules à plat sur le lit, il prit conscience avec un serrement de cœur qu'un seul moyen de combattre l'emprise que Lucurius s'offrait à lui : il devait de nouveau entrer en symbiose avec elle, prendre possession de son corps et de son esprit.

Inspirant profondément, il se laissa envahir par son odeur et écarta tout doute. Ce fut en connaissance de cause qu'il se risqua à laisser la bête qui sommeillait en lui le dominer. Un feulement primitif jaillit de sa gorge, faisant réagir d'instinct Abbygaelle sous lui. Il s'empara de ses lèvres avec avidité, la cherchant sans douceur. Elle tenta de se soustraire à cet assaut brutal, mais une bouffée de désir l'embrasa tout entière. Au loin, Lucurius hurla sa fureur en la sentant lui échapper, alors que Marcus grognait férocement. Les deux réalités se chevauchèrent un bref moment, manquant faire perdre la raison à Abbygaelle. La scène qui se matérialisa devant les yeux de Marcus déclencha une rage meurtrière en lui. Il savait qu'il lui fallait arracher Abbygaelle à ce rêve rapidement, avant que Lucurius arrive à ses fins et ne la viole.

Tour à tour, les visages de Lucurius et de Marcus se superposèrent sous le regard effrayé d'Abbygaelle. Tout en percevant le froid glacial de la pierre dans son dos, elle ressentait le feu incandescent que Marcus dégageait. Au même moment, des mains parcouraient son corps sans vergogne, brûlant sa peau sur leur passage. Des lèvres chaudes et enivrantes ne cessaient d'explorer chaque recoin de sa gorge, de sa bouche, de ses seins. Le bassin de Marcus pesait lourdement entre ses jambes, écartant ses cuisses avec une frénésie qui la remuait jusqu'au plus profond de son être. Asservie par ses sens, Abbygaelle refit subitement surface dans le monde réel dans un gémissement rauque. Elle huma avec délice l'arôme si particulier de Marcus. Sous la puissance des émotions qui l'envahissaient, elle planta ses ongles dans ses épaules. En réponse, il la mordit avec férocité dans le cou, lui arrachant un cri de douleur. Parcourue de soubresauts violents, elle avait peine à respirer, sa tête menaçant d'exploser.

Quelque part au fond de lui, la conscience humaine de Marcus émergea, lui rappelant la précarité de leur situation. S'il n'arrêtait pas maintenant, il la prendrait sans autre forme de préambule et sans égard pour sa condition.

S'emparant de sa nuque avec fermeté, il l'obligea à le regarder. Puis, il s'imposa une immobilité complète. Il devait se calmer avant d'entreprendre quoi que ce soit. Fermant les paupières, il contraignit la bête à reculer. L'animal en lui tenta de se rebeller en hurlant sa frustration et essaya d'échapper à sa domination. Marcus fut lacéré de l'intérieur et craignit un court moment de ne pouvoir y parvenir. La lutte fut acharnée. Sa respiration se fit plus laborieuse, un voile de sueur le recouvrit quand le côté sombre de sa personnalité fut de nouveau bridé. Seuls ses yeux brillaient encore d'une étrange lueur rouge.

— Abby, murmura-t-il au bout d'un certain temps. Ça va aller ?

Abbygaelle gémit sous lui. Tout son être tremblait d'un désir inassouvi. Plus rien n'existait que cette soif de lui. Marcus rageait d'avoir été forcé de la mettre dans cet état.

— Abby, je n'avais pas le choix. Est-ce que tu comprends ?

De grosses larmes roulèrent sur les joues de la jeune femme en réponse à ses paroles. Elle haïssait cet homme et l'aimait tout à la fois. Comment cela était-il possible ? En percevant la profondeur de sa souffrance, Marcus fut troublé.

— Abby ! Dieu m'est témoin que je n'ai jamais souhaité te faire subir un tel calvaire, déclara-t-il d'une voix enrouée par l'émotion.

— J'ai l'impression que tout mon corps s'embrase ! Qu'est-ce que tu m'as fait ? murmura-t-elle à bout de souffle.

— Je devais te sortir des griffes de Lucurius. Te séduire était le seul moyen dont je disposais pour y arriver. Lorsque l'effet de mes phéromones se sera amoindri sur ton organisme, tu te sentiras beaucoup mieux. D'ici là, tu seras en manque, d'autant plus que je t'ai mordue. Je n'avais pas l'intention d'aller si loin. Je te demande pardon.

Prenant alors conscience d'une brûlure vive à son cou, elle y porta une main hésitante. L'empreinte de dents était profonde, bien définie. Elle n'était pas en mesure de comprendre la portée de son geste, mais Marcus savait pertinemment que la bête en lui l'avait marquée dans un unique but : celui de démontrer à tous, y compris à Lucurius, qu'elle lui appartenait.

Abbygaelle tenta d'y voir plus clair. Elle blêmit au souvenir du monstre qui l'avait agressée dans son cauchemar.

— Lucurius... voulait... Il voulait... me violer, lâcha-t-elle en s'étranglant.

— Je sais, Abby. C'est pourquoi j'ai dû agir aussi radicalement. Je ne pouvais pas lui permettre de te souiller de la sorte, ni de te faire du mal. Si au moins j'avais su qu'il lui était possible de t'atteindre à travers tes rêves, je ne t'aurais jamais laissée seule cette nuit.

— Je suis terrifiée ! Marcus, tout ça me dépasse ! s'écria-t-elle. C'est un vrai cauchemar...

— Aie foi en moi et les miens ! C'est notre rôle de te protéger. Nous sommes là pour affronter Lucurius à ta place.

— Qui êtes-vous exactement ? demanda-t-elle confusément.

Comprenant qu'elle avait atteint un point où il lui fallait des réponses, il baissa la tête dans un soupir avant de fixer à nouveau son attention sur son visage ravagé.

— Nous sommes des métamorphes, Abby. Des êtres capables d'adopter n'importe quelle forme animale. Nous évoluons parmi les humains depuis fort longtemps déjà. Je suis le seul cependant qui peut demeurer à mi-chemin entre les deux entités.

Au souvenir de la créature mi-homme, mi-animale qu'elle avait aperçue lors du combat au phare, elle blêmit, mais au plus grand soulagement de Marcus, elle n'eut aucun mouvement de recul. Encouragé, il caressa sa joue du bout des doigts.

— Je suis un seigneur des ténèbres, souffla-t-il avec douceur. Un guerrier de la nuit. Depuis toujours, mon rôle a été de préserver l'humanité des monstres de la trempe de Lucurius.

La voyant sur le point de répliquer, il déposa un doigt sur ses lèvres en secouant la tête.

— Il y a certaines choses que je ne peux te dévoiler pour l'instant...

— Pourquoi? demanda-t-elle aussitôt, prête à se révolter.

— Abby... Aussi frustrant cela soit-il, tu dois comprendre que je ne peux en révéler plus. De mon silence dépendent beaucoup de choses. Ce qu'il te faut savoir pour le moment, c'est que tu es en danger. Je peux te protéger, mais pour ça, tu dois m'accorder ta confiance et rester à mes côtés, ou du moins en compagnie des miens. En temps et lieu, tu sauras tout, je t'en fais la promesse.

Abbygaelle serra les poings. Ses yeux lançaient des éclairs, mais elle demeura toutefois silencieuse. Il était évident que Marcus se refusait à en dire plus. Elle n'arriverait à rien en le confrontant de la sorte. Plissant les yeux, elle songea alors qu'une autre personne serait à même de lui fournir l'information nécessaire : Daphnée. Perdue dans ses pensées, elle se referma sur elle-même. Suspicieux face à ce changement subit, Marcus la scruta longuement. Elle inspira profondément, résolue à ne rien laisser transparaître de ses émotions.

— Tu es leur chef, n'est-ce pas?

— C'est exact, avança-t-il avec prudence.

— Tu te portes garant de chacun d'eux ? se renseigna-t-elle en se remémorant l'attitude d'Adenora à son encontre.

— Sans aucune hésitation. Les membres d'un même clan ne trahissent jamais les leurs. C'est contre notre nature.

— Je vois… eut-elle pour toute réponse.

Prenant un bref moment de réflexion, elle pesa le pour et le contre. Elle pressentait que Marcus ne lui avait dévoilé qu'une infime partie de la vérité. Cependant, elle ne demandait qu'à le croire. La soirée avait été éprouvante à plus d'un égard, et elle était passablement choquée.

Marcus n'eut pas besoin de lire dans son esprit pour deviner qu'elle s'en remettait à lui dans l'immédiat ; tout son être parlait de lui-même. Il savait néanmoins que cette concession demeurait fragile. Profitant de cette accalmie temporaire, il déposa un léger baiser sur son front avant de se relever. Abbygaelle devait récupérer. Avec tendresse, il remonta la couverture sur son corps meurtri. Son cœur rata un battement en voyant les différentes ecchymoses, ainsi que les égratignures qui marbraient sa peau hâlée. Plus que tout, ce fut le second stigmate sur sa cuisse qui l'inquiéta. Ils avaient tous sous-estimé Lucurius…

Abbygaelle se réveilla au petit matin, percluse de courbatures. Elle eut une grimace désabusée en jetant un bref coup d'œil sur l'étendue des dégâts. Avec des gestes mesurés, elle s'habilla, puis descendit au rez-de-chaussée rejoindre le reste du groupe. Quelle ne fut pas sa surprise en découvrant que Marcus s'était absenté pour la journée. Elle demeura silencieuse durant tout le repas, à picorer dans son assiette, tracassée par cette disparition soudaine. Il avait fallu qu'un évènement très important se produise pour que Marcus l'abandonne en de telles circonstances. Ils devaient pourtant regagner ensemble Le Bic cet après-midi même. Cela ne lui disait rien qui vaille, augmentant d'autant plus son inconfort.

Hadrien l'observait à la dérobé, de son côté de la table. Comme les autres, il avait aperçu la marque qu'Abbygaelle arborait au cou. Il était soulagé dans un sens que Marcus revendique finalement sa fille comme étant sienne. De cette manière, il en faisait la femelle dominante de la meute. À partir de ce jour, tous devraient plier l'échine devant elle et faire preuve de déférence à son égard. C'était tout particulièrement vrai dans le cas d'Adenora, qui se trouvait tout en bas de la hiérarchie. Ce qui était une très bonne chose, selon lui.

❊ ❊ ❊

En bordure du Bic, au cœur de la forêt, Marcus arpentait avec impatience le parquet de bois d'Hyménée. Celle-ci le fixait de ses prunelles d'un bleu délavé, nullement impressionnée, attendant qu'il se décide enfin à aborder la raison de sa présence.

— Apparemment, vous avez omis de m'informer de quelques petits détails concernant Abby, attaqua-t-il d'entrée de jeu. J'ignore quelles sont vos intentions, Hyménée, mais je ne saurais le tolérer davantage. Vous saviez pertinemment que la bête en moi la réclamerait. Sinon, vous n'auriez jamais autant insisté pour que je devienne son gardien attitré. Alors, pourquoi n'avoir rien dit ?

— Parce qu'il le fallait ! Je te connais suffisamment bien, Marcus, pour deviner que tu aurais hésité à te charger de cette mission dans le cas contraire. Depuis la mort d'Agniela, tu avais barricadé ton cœur derrière un mur infranchissable.

— Par tous les démons de l'enfer ! La situation aurait pu dégénérer ! C'était périlleux de libérer cette partie de moi aussi abruptement, surtout après tant d'années.

— Je n'avais aucune crainte à ce sujet.

— Vous l'avez délibérément exposée à mon pouvoir sans vous soucier des conséquences, Hyménée. Cela, je ne peux l'accepter ! À moins que vous sachiez parfaitement ce qu'il en était, lâcha-t-il, suspicieux.

— Que croyais-tu, Marcus ? Tu es l'un des rares qui soient nés de la souche mère à être encore en vie. Beaucoup d'entre vous ont disparu au cours des dernières décennies. Il suffit de peu pour que l'équilibre entre le bien et le mal soit rompu. Nous ne pouvions le permettre ! T'es-tu seulement demandé pourquoi un lien si fort s'était tissé entre vous deux dès le premier regard ? Vous n'êtes plus que deux ou trois à posséder la faculté de l'éveiller. Sa nature sauvage l'a pressenti ! Elle a agi d'instinct !

— Qu'est-ce que vous racontez ?

— Ses gènes sont dormants, Marcus, contrairement à ceux d'Hadrien, qui sont inactifs.

— Quoi ? la coupa-t-il avec vigueur.

Les poings serrés, il lui fit face, tel un ange vengeur. Que signifiait cette folie ? Où voulait-elle en venir ?

— C'est impossible ! Jamais une chose pareille ne s'est produite par le passé !

— Abbygaelle est unique en soi. Elle est l'une des vôtres, mais également une clé de voûte. Son corps avait besoin d'atteindre un certain niveau de maturité avant d'être en mesure d'entamer sa mutation, voilà pourquoi elle réagissait si vivement en votre présence lorsqu'elle était plus jeune. Tu es l'élément déclencheur, Marcus. Plus le lien s'intensifiera entre vous deux, plus le processus s'accélérera.

— Vous devez y mettre un terme ! Bon sang ! Elle ne parvient même pas à comprendre ce qui lui arrive !

— Il n'en sera pas toujours ainsi. De toute façon, intuitivement, Abbygaelle a conscience de ce qui se passe. Un jour ou l'autre, il lui faudra faire face à son destin et accepter l'inévitable.

— Non ! s'écria Marcus avec rage. Je m'y refuse ! Elle doit pouvoir faire son choix en toute liberté !

— Elle n'a pas ce luxe. Les évènements sont déjà en branle, nous n'y pouvons plus rien. Soit elle se transforme, soit elle meurt. Il n'y a pas d'autre option pour elle. Nous ne pourrions permettre qu'elle devienne l'instrument du chaos entre les mains de Lucurius…

Marcus la fixa avec une haine palpable, ses yeux flamboyant d'un éclat rougeâtre qui fit tressaillir Hyménée. Le grognement menaçant qui monta de sa gorge n'augura rien de bon pour leurs relations futures.

— Écoutez-moi bien, Hyménée : ne vous avisez plus d'interférer dans la vie d'Abby… l'avertit-il avec un calme inquiétant.

— Si tu désires qu'elle vive, Marcus, il faudra alors te résoudre à mener sa mutation jusqu'à son terme.

Pour toute réponse, Marcus ressortit en claquant la porte. Il devait quitter cet endroit avant de commettre un sacrilège. Dieu lui était témoin pourtant qu'il aurait volontiers éventré Hyménée de ses griffes. Mieux valait dans ces conditions rejoindre les siens.

❊ ❊ ❊

Sur le bord de la grève, Abbygaelle fixait l'horizon, l'esprit à la dérive. Sa fine chemise de coton ne lui offrait aucune protection contre le froid mordant du large, mais elle n'en avait cure. Elle était fascinée par le rocher Percé qui se détachait au loin sur la mer sombre. Ayant dû faire un détour par Percé avant de gagner Le Bic, elle en avait profité pour se dégourdir un peu les jambes en compagnie de Maximien, de Daphnée et de son père. Quant à Adenora, elle patientait dans la voiture, alors que Florien s'était absenté pour un rendez-vous inattendu avec Amélie, ce contact mystérieux qui avait accepté de le rencontrer en l'absence de Marcus.

Une force étrange l'avait attirée sur la grève, au point de lui faire oublier toute notion de danger. Elle était obnubilée par le besoin de se rendre aux abords du rocher Percé, tant et si bien qu'elle était parvenue à convaincre les autres de l'y accompagner. Maximien n'était pas enchanté par cette petite escapade improvisée, mais Abbygaelle s'était refermée sur elle-même depuis la veille. Il songea alors qu'après tout, cette excursion lui ferait peut-être le plus grand bien. Ne détectant aucune menace dans les environs, il avait donc donné son aval.

Un mouvement sur sa droite tira Abbygaelle de sa rêverie. C'était Maximien qui revenait avec leurs billets pour la croisière. Voulant jouir au maximum de la vue, elle dédaigna la cabine vitrée et s'installa plutôt à l'arrière. Maximien et Daphnée firent de même, alors que son père et Adenora s'assirent à l'intérieur.

Maintenant qu'elle se rapprochait de l'immense masse rocheuse, Abbygaelle se souvenait d'une légende entourant ces lieux, ce qui provoqua une tempête d'émotions inattendue en elle. La légende en question avait pris sa source en 1665. Elle était d'ailleurs étroitement liée à une jeune fille du nom de Blanche de Beaumont. La malheureuse, alors âgée de seize ans, avait embarqué à Dieppe au début de l'été sur un bateau en partance pour la Nouvelle-France afin de rejoindre son fiancé. Au large de Terre-Neuve, le navire avait été abordé par des pirates. Tous ceux à bord n'avaient eu aucun espoir d'en réchapper. Harcelé par des tirs de canon incessants, le capitaine avait dû se rendre. Le tout s'était terminé dans un carnage effroyable, accompagné de hurlements sinistres. Blanche avait été la seule épargnée, assistant même à la fin tragique de son oncle qui était mort d'un coup de sabre. À cause de sa beauté, elle avait été offerte à la perversité de l'équipage. Violée, brutalisée et agressée de toutes les façons inimaginables, elle n'était bientôt devenue plus qu'une pauvre loque. Afin d'échapper aux brutes qui l'assaillaient, elle s'était jetée dans les eaux glaciales du fleuve en maudissant ses tortionnaires, puis avait sombré dans les profondeurs agitées. À ce moment-là, un orage violent aurait éclaté, déchaînant la mer à un point tel que des vagues terrifiantes auraient submergé le navire. Le brouillard se serait aussitôt levé, sans que l'équipage puisse intervenir. La coque se serait alors fracassée contre un immense rocher. Aucun de ceux qui se trouvaient à bord n'aurait survécu. Depuis ce jour, lorsque le temps se couvre de brumes, il est dit que la silhouette de Blanche surgirait au-dessus du rocher Percé, hurlant sa douleur.

Tout comme Blanche l'avait fait trois cent trente-quatre années plus tôt, Abbygaelle se dirigeait vers le rocher Percé. Quand ils arrivèrent sur place, elle se pencha vers les flots. Elle décelait une présence étrange dans les environs, sans savoir de quoi il en retournait réellement. Une chose était certaine cependant : son pouls s'emballait, ses paumes devenaient moites. Ce fut alors que Blanche lui apparut, tel un spectre silencieux sortant de l'onde. Abbygaelle fut bouleversée par la profondeur de son désespoir. Inconsciemment, elle tendit une main vers la forme floue qui flottait vers elle. Un frisson la parcourut lorsque Blanche poussa une complainte déchirante. Elle sentit le froid glacial des doigts diaphanes qui frôlèrent sa joue dans une caresse légère. L'espace d'un instant, leurs âmes se percutèrent. Puis, Blanche lui sourit tendrement en s'emparant de son poignet. Comme une somnambule, Abbygaelle enjamba le bastingage et se laissa tomber dans les flots tumultueux à sa suite.

Adenora, qui l'avait vue, ne fit rien pour la retenir, allant même jusqu'à se détourner de la scène. Hadrien, cependant, aperçut sa fille. Un « Non ! » retentissant franchit ses lèvres au moment où elle basculait dans le vide. Il s'élança comme un fou vers l'arrière du navire. Maximien réagit sur-le-champ. D'une main ferme, il l'empêcha de plonger, le faisant à sa place sans aucune hésitation.

Abbygaelle ne chercha pas à se maintenir à flot. Prisonnière de sa vision, elle sombra aux côtés de Blanche. Celle-ci lui sourit avec douceur. Le froid mordant engourdit rapidement tout son être, et sa volonté vacilla. Puis, ce fut le noir total... il n'y eut plus rien... ni doute, ni peur... uniquement une paix apaisante.

Maximien paniqua en se rendant compte qu'Abbygaelle lui échappait. Quelque chose l'attirait irrémédiablement vers les bas-fonds, si bien qu'elle ne devint bientôt plus qu'une silhouette floue dans les flots sombres. L'air se raréfiait dans les poumons de Maximien, lui rendant la tâche d'autant plus difficile. Dans une ultime poussée, il se propulsa vers les profondeurs. Lorsque sa main rencontra un bras flasque, il l'agrippa avec l'énergie du désespoir, sachant pertinemment que ce serait là sa seule chance de sauver Abbygaelle d'une mort certaine. Avec détermination, il tira le corps inerte derrière lui. Ils refirent surface dans une gerbe d'eau fracassante, bataillant contre la forme invisible qui cherchait à reprendre la jeune femme. Il la projeta avec une force inouïe à l'intérieur du bateau, s'empressant à son tour de grimper. Il demeura sur le qui-vive, à l'affût du moindre danger, pendant que Daphnée entreprenait des manœuvres de réanimation. Dans la cabine, le capitaine du navire contactait les gardes-côtes pour les informer de la situation. Des secours furent aussitôt dépêchés. Le retour se fit rapidement. Dès leur arrivée au quai, les ambulanciers prirent la relève auprès d'Abbygaelle. Leurs gestes étaient sûrs. Hadrien embarqua dans l'ambulance, alors que les autres s'engouffraient dans leur voiture pour les suivre. Au son des sirènes, ils filèrent sur l'autoroute 132, en direction de l'hôpital Hôtel-Dieu de Gaspé. Tout au long du parcours, Maximien ne cessa de se maudire pour sa négligence. Il aurait dû prévoir le coup. Se massant les tempes, il songea qu'il s'en était fallu de peu qu'ils perdent la jeune femme. Consciente de son trouble, Daphnée étreignit sa cuisse avec chaleur. Au même moment, la sonnerie d'un cellulaire retentit dans l'habitacle ; c'était Marcus.

La chambre était plongée dans une douce pénombre quand Abbygaelle ouvrit avec peine les yeux. Désorientée, elle chercha à savoir où elle se trouvait. Des bips résonnaient discrètement tout près. Tournant lentement la tête, elle avisa l'aiguille fichée à l'intérieur de son coude. Ressentant une pression au niveau du nez, elle releva la main gauche avec difficulté et palpa les tubes en plastique qui y étaient insérés. «Que m'est-il arrivé?» se demanda-t-elle avec confusion.

Le son d'un pas léger attira son attention. Prise d'une inquiétude inexplicable, elle tenta de percer la noirceur. Elle éprouva un vif soulagement quand une jeune infirmière se présenta à son chevet. En constatant qu'elle était éveillée, celle-ci fit une injection dans le tube de sérum, puis la recouvrit. L'effet du sédatif ne fut pas long à se faire sentir. Abbygaelle ferma les yeux et s'endormit de nouveau. Au même moment, une voix maléfique résonna dans sa tête, déchirant le voile de brume qui l'enveloppait. Ses vieilles craintes se réveillèrent d'un coup en reconnaissant le rire sarcastique de Lucurius. Incapable de contrecarrer l'efficacité du médicament, elle ne put se défendre et se retrouva à sa merci à travers ses rêves. Avec une joie malsaine, Lucurius profita de sa condition et de l'absence de Marcus pour marquer sa chair d'un troisième stigmate. L'appareil relié au rythme cardiaque d'Abbygaelle s'emballa simultanément, au grand désarroi de l'infirmière, qui n'y comprenait plus rien. Elle appela aussitôt le médecin de garde. À son arrivée, celui-ci administra une deuxième dose de sédatifs afin de calmer l'agitation de sa jeune patiente. Droguée, Abbygaelle perdit connaissance.

❉　❉　❉

Une main puissante pressait ses doigts fins dans une étreinte possessive. Malgré son désir d'ouvrir les yeux, Abbygaelle éprouvait beaucoup de difficulté à émerger des limbes qui l'avaient engloutie si traîtreusement. C'était comme si son corps tardait à lui obéir.

Marcus se détendit en percevant le changement subtil qui s'opéra en elle. Il avait ressenti une telle frayeur ! Abbygaelle avait failli mourir, et cette seule perspective le rendait malade. Elle était sa rédemption, le souffle qui manquait dans son existence pour poursuivre, mais elle était aussi la cause de tous ses tourments. Malheureusement, avec ce troisième stigmate sur sa cuisse, elle était plus vulnérable que jamais. Lucurius approchait de son but. Il ne la lâcherait plus, ce qui corsait d'autant plus leur situation. Après ce qui venait de se produire, il était évident qu'Abbygaelle ne pourrait plus échapper à sa destinée. Hyménée l'avait pressenti.

Marcus dégagea son visage de quelques mèches rebelles avec tendresse. Il était apparent, même pour Hadrien, qu'il éprouvait des émotions vives à l'égard de sa fille. Hadrien souffrait tout autant que lui de la voir dans cet état. Personne ne comprenait ce qui s'était réellement passé : seule Abbygaelle détenait la clé de ce mystère. Des larmes montèrent aux yeux d'Hadrien à la pensée qu'il s'en était fallu de peu pour qu'elle ne soit plus de ce monde.

Marcus tenait la main de la jeune femme entre ses doigts et caressait furtivement sa paume avec son pouce.

— Abby, réveille-toi… murmura-t-il contre sa tempe.

Au son de sa voix, elle frémit, puis souleva ses paupières lourdes. Les idées confuses, elle tenta de sortir des brumes qui l'embrouillaient. Peu à peu, une image se précisa dans son esprit ; de l'eau... il y avait de l'eau qui l'entourait. Elle étouffait, tout son corps était transi de froid. Elle se redressa brusquement, le souffle court.

— Abby, c'est terminé. Calme-toi... Abby, calme-toi ! répéta Marcus avec fermeté en cherchant son regard.

Elle peinait à s'extraire du cauchemar qui avait été le sien quelques heures plus tôt. Des larmes roulèrent sur ses joues. Instinctivement, elle frôla sa cuisse du bout des doigts. Marcus, qui aperçut son geste, s'en désola. Avec douceur, il recouvrit sa main de sa paume, tout en la pressant.

— Je ferai tout ce qui est possible pour que ce soit le dernier stigmate, Abby. Cependant, je me dois d'être honnête avec toi. Lucurius a pactisé avec les ténèbres, ce qui le rend très dangereux. Sa magie est puissante... Tu vas devoir t'en remettre entièrement à moi si tu veux survivre.

À son expression soucieuse, Abbygaelle comprit que l'heure n'était plus aux faux-semblants. Ce que Marcus lui demandait, c'était une reddition complète. Cette seule perspective la terrifia. Il restait tant de zones grises le concernant que cela équivalait à se lancer dans le vide. Plongeant son regard dans le sien, elle chercha à lire au plus profond de son âme. Ce qu'elle y vit la rasséréna. Peu importait ce qu'il était, ce qu'il lui cachait, Marcus ne désirait qu'une chose : la protéger. Tranquillisée, elle relâcha son souffle.

Marcus devina d'emblée qu'elle s'en remettait à lui. Il l'étreignit avec douceur. Telle une digue qui se rompt, elle éclata en sanglots. La bête en lui s'agita, se délectant de sa vulnérabilité, mais l'homme en fut bouleversé. Il attendit qu'elle se soit apaisée avant de s'éloigner d'elle.

— Nous allons retourner à l'Auberge du Mange Grenouille. Une fois là-bas, nous aviserons pour la suite des choses.

— D'accord, murmura-t-elle d'une voix ténue.

Sur cette entrefaite, le docteur entra dans la chambre. Après un examen minutieux, Abbygaelle eut la permission de quitter l'hôpital.

La journée était déjà bien entamée lorsqu'ils arrivèrent en vue de l'auberge. Afin de prévenir d'éventuelles questions auxquelles il ne désirait pas répondre encore, Marcus influa de nouveau sur les souvenirs d'Abbygaelle, l'obligeant à dormir. Par chance, les médicaments qui lui avaient été administrés à l'hôpital jouaient en sa faveur en affaiblissant sa volonté. Il put ainsi la manœuvrer à sa guise. Il effaça de sa mémoire, non sans une pointe de remords, tout ce qui avait trait à son expérience dans le monde des esprits. Lors de son réveil, tout ce dont elle se souviendrait, ce serait d'avoir passé par-dessus bord par accident, puis d'avoir coulé à pic, rien de plus. Il espérait ne plus avoir à agir de la sorte à l'avenir, redoutant plus que tout sa réaction quand elle découvrirait qu'il l'avait manipulée à plus d'une occasion.

Abbygaelle terminait tout juste de défaire ses bagages lorsque Daphnée vint frapper à sa porte. À la vue de la robe élégante qu'elle lui tendait, elle se rappela alors qu'ils devaient tous se rejoindre dans la verrière de l'auberge pour un repas gastronomique. Examinant avec circonspection le tissu d'un jaune éclatant, elle se rembrunit, refusant net. Sa relation avec Marcus était assez explosive comme ça, sans le provoquer de surcroît avec une tenue affriolante. C'était insensé! Marcus était son protecteur. À la lumière des derniers évènements, il était préférable de ne pas tout mélanger. Sauf que Daphnée ne l'entendait pas de cette oreille. Tout comme Marcus, elle se révéla une adversaire redoutable, si bien que, de guerre lasse, Abbygaelle abdiqua.

Enfin seule, Abbygaelle observa son reflet dans le miroir. Elle était sidérée par sa transformation. La robe mettait en valeur sa poitrine, et la coupe de la jupe attirait l'attention sur ses longues jambes. De plus, son dos nu, ainsi que l'échancrure profonde sur le devant lui donnaient l'impression de ne porter presque rien. Afin de dégager sa nuque, Daphnée avait savamment remonté ses cheveux. De cette façon, la marque sur son cou était des plus visibles. Au souvenir du sourire satisfait de Daphnée à sa vue, elle fronça les sourcils. Elle commençait à croire qu'il ne s'agissait pas que d'une simple morsure. Réfrénant un mouvement d'humeur, elle se résigna à rejoindre les autres.

Du haut de l'escalier lui parvenait une douce mélodie, ainsi que le bruit feutré des rires discrets et des conversations. Marcus l'attendait au pied des marches. L'intensité de son regard la brûla, faisant accélérer les battements de son cœur. D'un geste galant, il lui offrit sa main. Abbygaelle hésita une fraction de seconde avant de réagir.

— Tu te méfies encore de moi, Abby? murmura-t-il avec une pointe de tristesse. Pourtant, je suis entièrement sous ton charme, belle dame, poursuivit-il dans un souffle.

Les sens en émoi, elle descendit lentement. Elle haletait faiblement en arrivant à sa hauteur. Elle ne put réprimer un sursaut lorsque ses doigts se refermèrent sur les siens, accentuant le lien invisible qui semblait désormais les unir.

— Abby… chuchota-t-il à son oreille d'une voix rauque, tout en frôlant le coin de sa bouche de ses lèvres chaudes. Tu es délicieuse.

Confuse, elle ferma les yeux un bref moment. «Que vais-je faire de lui?» se demanda-t-elle. Inspirant profondément, elle s'obligea à le regarder. Son corps la trahissait, ainsi que sa volonté, mais son esprit se rebellait. Malgré sa décision de se plier à sa détermination, elle avait peur de laisser aller les dernières bases solides de son existence. Elle n'avait jamais été une adepte de tout ce qui se rattachait de près ou de loin au fantastique, et sa pensée analytique acceptait plutôt mal cette effervescence de créatures étranges. Toutefois, elle ne désirait pas terminer sa vie sacrifiée sur un autel de pierre.

— Marcus, je suis complètement perdue. Les évènements se bousculent à un tel rythme que j'ai peine à m'y retrouver. C'est comme si mon destin était déjà tout tracé d'avance, sans que j'aie le pouvoir de le modifier. Je n'ai pas demandé à être impliquée dans cette folie. Ce qui n'aide pas ta cause, c'est le fait que tu retiennes des informations qui pourraient m'être utile, et je n'arrive pas à comprendre pourquoi. De plus, je redoute l'attrait que tu exerces sur moi.

— Pourquoi, Abby? Tu sais pertinemment que je ne te veux aucun mal.

— Ce n'est pas ça que je remets en cause! Nous sommes différents l'un de l'autre, Marcus. Je ne peux m'empêcher de penser que toute relation entre nous est contre nature.

— Abby, les émotions que tu éprouves à mon égard et que tu condamnes si vigoureusement n'ont rien de répréhensible. Nous sommes plus semblables que tu ne le crois. Ton âme cherche à se libérer des chaînes qui l'entravent, car contrairement à ton esprit, elle sait qui je suis.

— C'est justement ce qui me préoccupe! Je ne désire pas être l'instrument d'un quelconque destin! Merde! Pourquoi tous ces mystères? Ne peux-tu comprendre que j'ai besoin de réponses...

— Abby... J'ai mes raisons. Tu dois te fier à mon jugement.

En percevant le débat intérieur qui la rongeait, Marcus l'attira jusque sur la terrasse arrière, préférant être à l'écart des regards indiscrets.

— Abby! Nous ne sommes pas assujettis aux mêmes lois qui régissent ton monde. Nous sommes au-dessus de tout ça, sans toutefois être une menace pour les humains. En fait, nous sommes les derniers remparts qui vous protègent des forces démoniaques tapies dans l'ombre. Quoique nous soyons des chasseurs, nous ne sommes pas des monstres!

Le regard toujours rivé au sien, il glissa avec lenteur ses doigts le long de son dos nu, jusqu'à la limite du tissu soyeux, lui arrachant des frissons. Son autre main vint emprisonner sa nuque. Malgré que ses prunelles brûlaient d'une flamme ardente, il demeura immobile dans l'attente de son consentement. La respiration haletante, Abbygaelle ferma les yeux, s'alanguissant contre lui.

— Non, Abby. Pas comme ça. Je veux que ce soit toi qui m'embrasses. Je souhaite que tu fasses le premier pas, murmura-t-il près de ses lèvres d'une voix rauque.

Tous ses sens en ébullition, Abbygaelle souffrait de cette tension et de cette attente déchirante. Elle percevait très bien la chaleur de Marcus, ainsi que son désir évident. Leurs deux cœurs battaient à l'unisson, leurs souffles se mêlaient. Elle avait l'impression de se trouver en équilibre précaire sur le bord d'un précipice, ne sachant trop si elle aurait le courage de sauter dans le vide. Alors qu'elle tentait faiblement de reculer, un son guttural s'échappa de la gorge de Marcus, lui faisant oublier la petite parcelle de lucidité qui lui restait encore. Avec une frénésie qui lui était inconnue, elle se moula à lui dans un gémissement et enroula ses bras autour de son cou. Les mains de Marcus se crispèrent sur le corps chaud qui épousait le sien si parfaitement. Son baiser se fit langoureux, promesse de délice… Abbygaelle suffoquait sous l'assaut dévastateur des émotions qui la terrassaient. Plus rien d'autre n'existait que le feu ravageur qui la consumait. Cette fois-ci, elle voulait plus que de simples caresses, beaucoup plus.

Tenaillé par la même faim, Marcus la souleva. Enroulant ses jambes autour de ses hanches, Abbygaelle se laissa porter. Sans aucun effort, il grimpa les marches deux par deux jusqu'au palier qui menait à la porte vitrée de sa chambre. La pénombre de la nuit les enveloppait, alors que la brise légère rafraîchissait la peau brûlante de la jeune femme. Tout en la coinçant contre le mur extérieur, Marcus batailla avec la poignée, arrachant un rire bas à Abbygaelle. Son désir en fut décuplé. Ouvrant grande la porte, il pénétra sans plus tarder dans la pièce et referma la porte d'un coup de pied énergique.

Pour l'heure, il aspirait à goûter le parfum suave de sa compagne. « Au diable le souper ! » Debout devant la fenêtre éclairée par un faible rayon de lune, il la fit glisser lentement le long de son corps, tout en parsemant son cou de baisers langoureux. À son contact, la respiration d'Abbygaelle se précipita. L'expression prédatrice qu'il affichait lui fit tourner la tête, la subjuguant entièrement.

Triomphant, Marcus entreprit de caresser ses seins à travers l'étoffe mince de sa robe, l'émoustillant davantage. Sans la quitter des yeux, il dégagea son épaule du tissu, révélant sa poitrine à sa convoitise. Il embrassa délicatement les pointes érigées, lui faisant perdre peu à peu toute maîtrise d'elle-même. Le vêtement tomba à ses pieds dans un bruissement soyeux. Avec ravissement, Marcus effleura son ventre plat de ses lèvres chaudes, pour descendre ensuite jusqu'à la limite de sa culotte, qu'il déchira d'un coup de dents. Des fourmillements délicieux parcoururent Abbygaelle. Tout en soulevant l'une de ses jambes d'une main ferme, il la déposa sur l'accoudoir d'un fauteuil, la dévoilant sans pudeur à son regard avide. Embarrassée, Abbygaelle chercha à se soustraire à son emprise, mais Marcus la retint d'une poigne ferme.

— Abby... laisse-moi faire... souffla-t-il contre son ventre noué.

— Marcus...

Un cri étranglé jaillit de sa gorge au moment où il entama une exploration sensuelle entre ses cuisses, la réduisant au silence. Plus il se rapprochait du bourgeon sensible, plus les sens d'Abbygaelle s'enflammaient. Mais lorsqu'il commença à se délecter du nectar de sa féminité, elle s'accrocha à ses épaules en vacillant. Une fine pellicule de sueur recouvrit son corps électrisé, son cœur battait à coups redoublés. Incapable de se contenir plus longtemps, elle ondula avec fièvre, désireuse d'atteindre enfin l'assouvissement.

Marcus l'amena vers la jouissance avec un art redoutable qui la fit se consumer entièrement. Sous l'intensité du plaisir qui déferla en elle, Abbygaelle s'affaissa contre lui dans un sanglot de volupté, comblée. Marcus se releva avec une grâce féline en la soutenant. Il la serra amoureusement dans ses bras, une main enfouie dans sa chevelure. La joue appuyée sur son torse, Abbygaelle chercha à reprendre son souffle.

Bien au chaud dans son étreinte réconfortante, elle refit peu à peu surface. Prenant alors conscience de sa virilité tendue contre son bassin, elle entreprit à son tour de le dévêtir avec une lenteur démesurée. Elle désirait le toucher, le savourer, comme il l'avait fait avec elle. En comprenant ses intentions, Marcus fut parcouru d'un frisson d'anticipation. Tout son être appelait l'apaisement avec une force inouïe. Il y avait trop longtemps qu'il n'avait pas senti la douceur des lèvres d'une femme sur cette partie de son anatomie. Prenant appui de chaque côté de la fenêtre, il ferma les yeux, s'offrant sans pudeur.

Abbygaelle commença par effleurer la cicatrice à sa tempe et fut surprise par son aspérité lisse. À son contact, Marcus retint son souffle. Subjuguée par lui, elle poursuivit son exploration sur son torse, puis remonta à ses épaules en dessinant au passage les courbes de son corps. S'enhardissant, elle effleura son dos puissant. Ses muscles jouaient sous ses paumes, signe que Marcus n'était pas indifférent à ses caresses. Fébrile, elle descendit le long de ses hanches, puis sur ses fesses fermes qu'elle palpa sans aucune gêne. La respiration de Marcus s'accéléra d'autant plus qu'elle ramenait l'une de ses mains vers la base même de sa virilité. Elle fit glisser sensuellement ses doigts sur la hampe dans un lent mouvement de va-et-vient. La tête retombant mollement entre ses bras, il concentra toute son attention sur la bouche de la jeune femme, qui avait maintenant pris le relais sur son membre dressé. Ouvrant les yeux, il prononça son nom dans un murmure rauque. Ayant de plus en plus de mal à se contenir, il émit un son guttural. Elle le savoura avec un plaisir évident, se délectant à son tour. Au moment de jouir, il se cambra, le corps parcouru de soubresauts. Abbygaelle se releva en le contemplant avec tendresse, et se moula contre lui en caressant son dos et sa nuque. Marcus l'enlaça avec amour, comblé. Apaisés l'un et l'autre, ils goûtèrent ce moment de plénitude hors du temps.

Ce fut Marcus qui rompit le silence bienheureux qui les enveloppait. Même si ses pulsions avaient été soulagées dans l'immédiat, lui octroyant un répit passager, il savait que rester dans cette position plus longtemps les amènerait indéniablement vers autre chose, et il ne voulait pas s'y risquer vu l'état actuel des choses. Trop d'éléments demeuraient encore inconnus en ce qui avait trait à Abbygaelle. Désignant la salle de bain du menton, il l'invita avec douceur à s'y rendre afin de se rafraîchir. Quittant le couvert de ses bras avec regret, Abbygaelle traversa la chambre en songeant à ce qui s'était produit. Le lien entre eux venait considérablement de se renforcer, et aussi étrange que cela puisse paraître, elle n'en était nullement inquiétée. Un sourire comblé sur les lèvres, elle s'empara d'une lingette qu'elle imbiba d'eau tiède. Jetant un bref coup d'œil en direction de Marcus, elle soupira d'aise. Il l'attirait comme nul autre homme auparavant, mais il y avait plus que le désir : sa seule présence la rassurait. En réponse à ses pensées, Marcus la rejoignit en quelques enjambées. Il croisa son regard dans le miroir lorsqu'il l'entoura d'une étreinte amoureuse. Ce fut à cet instant précis qu'il prit conscience qu'Abbygaelle avait traversé la pièce dans le noir le plus complet sans aucune hésitation.

Ignorant tout de son trouble, la jeune femme l'embrassa dans le cou avant de regagner son lit. Alors qu'elle revêtait sa nuisette, il murmura son nom sur une note inaudible pour le commun des mortels, afin de la tester. Simultanément, il en profita pour se déplacer sans bruit. Abbygaelle se tourna aussitôt vers lui. Stupéfait, il plissa les yeux. De toute évidence, ses sens s'étaient considérablement développés. Ainsi, sa métamorphose était plus avancée qu'il ne l'aurait cru. Cependant, ses prunelles ne luisaient pas encore dans la nuit, signe qu'elle était toujours humaine. Ces éléments ne pouvaient signifier qu'une seule chose dans ces conditions : ce n'était qu'une question de temps avant qu'elle devienne l'une des leurs.

— Pourquoi suis-je si sensible à ta présence ? s'informat-elle soudain.

D'abord surpris par son entrée en matière directe, il renfila son pantalon en réfléchissant, puis s'assit dans un fauteuil. Se penchant vers l'avant, il appuya ses coudes sur ses jambes, la scrutant quelques secondes afin de mieux la jauger.

— C'est ton propre instinct olfactif qui te pousse vers moi.

— Ce qui veut dire…

— Je suis celui qui te complète, Abby. Le partenaire idéal pour procréer avec toi, pour être plus précis.

À ces mots, elle ne sut que répondre. Préférant ne pas lui laisser la possibilité de reprendre ses esprits, Marcus poursuivit :

— C'est mon odeur qui te bouleverse à ce point, non celle d'un autre mâle. C'est pourquoi tu réagis si vivement. À mon contact, ton rythme cardiaque s'accélère, ta température corporelle augmente à une vitesse effarante et tous tes sens s'éveillent. Tout ça parce que ton organisme se prépare à me recevoir. C'est d'ailleurs ce qui se produit chez les humains, mais à plus petite échelle. Étant donné notre constitution particulière, ce phénomène est triplé, ce qui explique pourquoi mes phéromones te font autant d'effet.

Abbygaelle savait au fond d'elle-même que Marcus disait la vérité, même si cela se révélait confondant. Elle était donc tout aussi responsable que lui de cette attirance hors du commun. Se rappelant qu'il avait utilisé la première personne du pluriel en faisant référence à son état physique, toute plénitude la déserta, et un sentiment étrange l'envahit.

— Comment devenez-vous ce que vous êtes? Est-ce que vous avez été mordus par un loup-garou ou quelque chose du genre? demanda-t-elle en frôlant inconsciemment la morsure à son cou.

— Si tu crains pour la marque que je t'ai faite, Abby, sois rassurée. Seuls des loups-garous comme Lucurius contaminent leur victime de cette manière.

En se remémorant le monstre qui la pourchassait, l'humeur d'Abbygaelle s'assombrit. Une multitude de questions se bousculaient dans sa tête au sujet de Lucurius, de la raison qui le poussait à s'attaquer à elle, mais en premier lieu, elle voulait en découvrir davantage à propos de Marcus.

— Qu'est-ce qui vous différencie de lui? Et est-ce que le stigmate que tu arbores sur la tempe gauche a un lien avec ce que tu es?

— Je ne désire pas expliquer la présence de cette cicatrice sur mon visage, Abby. Disons qu'il s'agit d'un souvenir que je préfère oublier.

Abbygaelle le détailla longuement, d'autant plus intriguée. Elle fronça les sourcils, départagée entre son envie d'en savoir plus et celle de se conformer à son souhait. Cependant, elle voyait bien à son expression que ce sujet le perturbait. Par respect, elle n'insista pas. Soulagé, Marcus poursuivit sur un chemin moins risqué.

— Pour répondre à ta question, nous provenons de la même souche que Lucurius. Toutefois, plusieurs éléments essentiels nous diffèrent l'un de l'autre. À l'opposé de lui, nous ne sommes pas assujettis à la bête qui sommeille en nous. Au contraire, nous lui imposons notre propre volonté, la modelons selon notre convenance.

Abbygaelle commença à arpenter la chambre sous le regard attentif de Marcus avec une agitation sans cesse croissante.

— Nous naissons ainsi, Abby, poursuivit-il. Et si ça peut te rassurer, sache que la plupart des miens peuvent aisément s'accoupler avec les humains. Par contre, dès que l'un des deux partenaires a des gènes de métamorphe, l'enfant qui résulte de cette union hérite automatiquement de ce génome particulier. Certains cependant viennent au monde avec des chromosomes inactifs. Ils sont donc incapables de se métamorphoser, demeurant soumis aux contraintes des mortels. Néanmoins, ils peuvent transmettre ce bagage à leur descendant. Ce qui signifie qu'il n'est pas exclu que la génération suivante puisse se transformer. C'est pourquoi nous vivons en clan. Nous devons veiller les uns sur les

autres, surveiller l'arrivée de chaque petit. Il est très rare
que nous fréquentions ceux qui ne font pas partie de notre
espèce. Ce serait beaucoup trop risqué.

— Dans ce cas, pourquoi avoir fait une exception avec
mon père ?

— Qui te dit que c'est le cas ? demanda doucement
Marcus en se relevant.

La réponse de Marcus lui fit l'effet d'un coup de massue.
C'était impossible ! Ce qu'il sous-entendait ne pouvait être
vrai. Redressant le menton, elle le dévisagea avec confusion.
Il l'avait rejointe et se tenait maintenant immobile devant
elle.

— Abby, ton père est l'un des nôtres. Toutefois, en ce
qui le concerne, ses gènes sont inactifs. Ce qui explique
pourquoi tu ne t'es rendu compte de rien. Tu dois savoir par
contre qu'il t'a transmis cet héritage, précisa-t-il avec
prudence.

Trop estomaquée pour réagir, Abbygaelle demeura figée
sur place, la bouche entrouverte dans une question muette.
Des émotions contradictoires se bousculaient dans sa tête,
telle une tempête déchaînée. Plus déroutant encore était le
fait qu'elle se sentait incapable de réfuter cette affirmation.
Quelque part au fond d'elle-même, elle avait toujours su
qu'elle était différente des autres femmes, même si elle
s'était évertuée à le nier de toutes ses forces. Ce face-à-face
avec la vérité lui faisait l'effet d'une gifle en plein visage.
Avec tendresse, Marcus l'attira à lui et la pressa contre son
cœur.

— Abby, tu es quelqu'un de très spécial, commença-t-il,
sans être certain jusqu'où il pouvait aller. Tu es même

unique. En ce qui te concerne, tes gènes ne sont ni fonctionnels, ni inactifs. Ils sont tout simplement endormis.

Confondue, elle s'accrocha à lui, cherchant désespérément à comprendre la portée réelle de ce qu'il tentait de lui expliquer.

— À mon contact, tes gènes métamorphes se sont réveillés. C'est pourquoi tes sens se sont aiguisés. Ton corps se prépare pour la métamorphose finale. J'aurais voulu que tu puisses faire ce choix en toute liberté, mais c'est impossible.

— Je ne peux donc pas échapper à cette calamité? lâcha-t-elle, la mort dans l'âme.

— Il serait cruel de te laisser penser le contraire. Crois-moi, c'est mieux ainsi. Lucurius ne cessera jamais de te poursuivre, jusqu'à ce qu'il trouve un moyen de te capturer. Nous ne sommes pas infaillibles, les trois marques que tu affiches sur la cuisse le prouvent bien. En devenant l'une des nôtres, tu gagnerais en puissance. Il ne pourrait plus t'atteindre si facilement, ni te contaminer.

— Est-ce pour cette raison qu'il me traque?

— En partie, oui, eut-il pour toute réponse en déposant un baiser sur son front. En réalité, c'est beaucoup plus compliqué que ça.

Abbygaelle se laissa mener jusqu'à son lit, mais un sentiment de panique la submergea.

— Reste avec moi… le supplia-t-elle en le retenant par la main.

Ému par sa demande, il s'installa à ses côtés et l'attira à lui. Abbygaelle se blottit contre son flanc avant d'appuyer sa tête dans le creux de son épaule. Marcus caressa ses cheveux avec amour, influant sur son esprit pour l'amener à s'endormir.

Cette nuit-là, lorsque Lucurius tenta de l'atteindre de nouveau à travers ses rêves, il fut violemment repoussé par la présence de Marcus.

Un grattement discret à sa porte la réveilla, apportant simultanément son flot de souvenirs. Encore ébranlée, Abbygaelle s'assit dans son lit en constatant que Marcus n'était plus là. Elle se doutait bien cependant qu'il devait se trouver dans les parages, afin de la surveiller. La donne avait changé. Maintenant qu'elle savait qu'elle demeurerait vulnérable tant et aussi longtemps qu'elle serait humaine, elle ne pouvait faire autrement que d'envisager la seule option qui s'offrait à elle. Le problème, c'était que l'idée de se transformer en une créature inhumaine la révulsait. Mais avait-elle le choix ? Elle en était à ces réflexions lorsqu'un deuxième coup, plus prononcé, retentit, suivi de près par la voix de Daphnée.

— Allez, fainéante ! s'exclama Daphnée en entrant. Une journée de courses entre filles nous attend. Pour une fois que nous avons carte blanche pour dépenser, nous allons en profiter au maximum !

Quelque peu déconcertée par cette intrusion soudaine, Abbygaelle se releva d'un bond. Que faisait Daphnée dans sa chambre ? Devinant ses pensées à son expression, celle-ci la rejoignit et déposa une main amicale sur son bras.

— Marcus a jugé plus sage de se tenir à l'écart après votre petite discussion d'hier soir. Il s'est dit qu'un moment passé en ma compagnie te ferait peut-être du bien. Ça te donnera l'occasion de mieux me connaître, tout en constatant que nous ne sommes pas si différents des humains, en fin de compte. Après tout, les animaux ne fréquentent pas les boutiques de vêtements, lâcha-t-elle en lui faisant un clin d'œil.

Soufflée par son humour pour le moins décapant, Abbygaelle resta sans voix.

— Allez! Va te débarbouiller un peu! Tu as une mine effroyable. Pendant ce temps, je t'attends en bas, poursuivit-elle avant de quitter la chambre, ne lui laissant même pas l'occasion d'émettre la moindre objection.

À peine Daphnée avait-elle franchi sa porte qu'Abbygaelle s'effondra sur son lit, déroutée. Cette sortie entre filles ne rimait à rien. Elle était beaucoup trop chamboulée pour se permettre un tel moment de frivolité… à moins qu'elle profite de cet instant pour en apprendre un peu plus au sujet de Marcus. Daphnée était d'un naturel exubérant, elle serait assurément plus encline à bavarder. Animée d'une nouvelle détermination, Abbygaelle se dirigea vers son garde-robe. Sa relation avec Marcus avait pris une tangente beaucoup plus sérieuse qu'une simple rencontre sans lendemain. Elle ignorait où les mènerait toute cette histoire, mais elle se devait de mettre les choses au clair. Ce ne serait qu'en ayant toutes les cartes en main qu'elle serait à même de faire un choix judicieux.

Abbygaelle retint de justesse une moue de déception à la vue d'Adenora. Daphnée n'avait jamais mentionné que l'adolescente les accompagnerait. D'un air confiant, Daphnée rétracta le toit ouvrable et lui tendit le blouson de cuir noir de Marcus pour se couvrir les épaules. Inconsciemment, elle en huma l'odeur virile avec délice.

Adenora, qui n'avait rien perdu de la scène, arbora une expression colérique. Apparemment, elle ne la portait pas dans son cœur. Déterminée à ne pas entrer dans son jeu, Abbygaelle préféra l'ignorer.

Elles parcoururent la distance qui les séparait de Rimouski en un temps record. Dès leur arrivée aux abords de la ville, Daphnée ralentit et jeta un bref coup d'œil dans le rétroviseur. Marcus, Maximien et Florien roulaient derrière eux. Quant à Hadrien, il était sous la protection d'Hyménée dans les bois. Sans hésitation, Daphnée se dirigea vers le Carrefour Rimouski, en bordure du fleuve.

❊ ❊ ❊

Elles passèrent l'après-midi entière à arpenter le centre commercial. Abbygaelle fut abasourdie devant l'ampleur qu'avait prise leur tournée des magasins. Après un tel marathon, elle s'est retrouvée bien malgré elle avec une garde-robe complète. N'ayant pu résister à la tentation d'enfiler l'un de ses nouveaux bustiers, elle ressortit de la cabine d'essayage, son ancien chandail sous le bras. Daphnée lui lança un clin d'œil complice, puis l'entraîna vers la sortie en souriant. Étant toutes les trois affamées, elles convinrent d'aller manger dans un petit restaurant du coin, situé en plein cœur du centre-ville.

À leur arrivée au Central Café, Abbygaelle détailla la maison de style victorien qui datait des années 1920. Une immense galerie peinte en turquoise courait sur trois côtés de l'établissement, contrastant avec la brique aux couleurs variées de brun et de rouille. Elles prirent place sur la terrasse extérieure sous un soleil radieux. D'humeur un peu plus enjouée, Abbygaelle se risqua pour quelque chose d'unique en commandant un hamburger garni de fromage cheddar, de salsa et de luzerne, le tout accompagné de frites fraîches parsemées de parmesan.

L'ambiance amicale qui prévalut durant le repas favorisa les échanges entre les trois femmes. Abbygaelle fut même étonnée de découvrir qu'Adenora cachait sous ses dehors superficiels un esprit vif. Elles parlèrent de tout et de rien, et cette conversation légère lui fit énormément de bien. Du moins, elle avait l'impression de passer une journée ordinaire, en bonne compagnie. Heureuse de la voir si détendue, Daphnée lui proposa d'aller marcher un peu avant de retourner à l'auberge. Abbygaelle accepta de bon cœur. Le temps était radieux, et ce petit intermède lui permettrait enfin d'interroger Daphnée. Elles gagnèrent donc le chemin aménagé en bordure du fleuve. S'accordant un moment de répit, Abbygaelle s'accouda à la balustrade de métal en fermant les paupières, goûtant le plaisir simple de sentir la brise sur son visage. Daphnée la rejoignit. Préférant être seule, Adenora s'éloigna et s'installa sur l'un des bancs.

Se lançant, Abbygaelle se tourna vers Daphnée et la scruta avec attention. Devinant ses scrupules, la métamorphe prit les devants.

— Abby, qu'y a-t-il? s'inquiéta-t-elle.

— Daphnée, j'aimerais te poser une question, mais j'hésite.

— Demande toujours, nous verrons bien, répondit Daphnée avec chaleur.

— C'est au sujet de Marcus. Je… Enfin… Je me demandais s'il avait déjà eu une femme dans sa vie, lâcha-t-elle rapidement, quelque peu mal à l'aise.

— Oh, Abby! commença Daphnée. Ce n'est un secret pour personne que Marcus a été marié par le passé.

— Pourquoi dans ce cas n'en a-t-il jamais fait mention devant moi? s'exclama Abbygaelle avec stupeur.

« Pourquoi, en effet? » s'interrogea Daphnée, songeuse. Marcus avait connu de rudes épreuves au cours de son existence. Il ne lui incombait pas de dévoiler cette partie sombre de son passé ; néanmoins, peut-être cela serait-il souhaitable en définitive, étant donné la situation. Certaine du bien-fondé de sa décision, Daphnée offrit son bras à Abbygaelle.

— Viens, marchons un peu sur la grève, nous pourrons ainsi bavarder en toute tranquillité.

D'un bref signe de tête, elle indiqua à Adenora de rester là. Ce qu'elle avait à dire ne s'adressait qu'à Abbygaelle. Elles gagnèrent la berge d'un pas serein. S'assoyant sur une pierre, la métamorphe invita sa jeune amie à prendre place à ses côtés.

— Abby, tu dois comprendre que c'est un sujet délicat.

Prenant un moment d'arrêt, Daphnée scruta Abbygaelle avec un sérieux qui ne lui ressemblait pas. Consciente de la gravité de l'instant, Abbygaelle demeura silencieuse. Enserrant alors l'une de ses mains dans les siennes, Daphnée se lança.

— Il y a fort longtemps, Marcus a perdu son épouse et ses enfants dans d'horribles circonstances. Même après tout ce temps, il est incapable d'en parler. C'est comme une plaie à vif qui refuse de cicatriser.

Abbygaelle resta interdite. Voilà donc ce qui expliquait en partie la souffrance qu'il tentait de dissimuler. Elle n'aurait jamais imaginé une telle chose. Dans ces conditions, était-il seulement raisonnable d'envisager une relation sérieuse entre eux? Leur situation était déjà assez précaire comme cela. Devaient-ils en plus considérer une équation aussi explosive?

— Il serait peut-être plus judicieux dans ce cas que je prenne un peu de recul, murmura la jeune femme plus pour elle-même que pour celle qui l'accompagnait.

— Au contraire, Abby! s'insurgea Daphnée. Marcus ne pourra pas éternellement vivre sur la corde raide, ni refouler ses instincts primaires.

Au souvenir de l'apparence mi-humaine, mi-animale qu'avait adoptée Marcus lors de la confrontation au phare, Abbygaelle perdit contenance.

— Il n'est pas un monstre, Abby, mais un être de chair et de sang, pourvu de sentiments, le défendit la métamorphe avec conviction en avisant son expression.

— Merde, Daphnée! C'est comme si tu me demandais d'agiter une cape rouge devant les yeux d'un taureau enragé, en espérant qu'il reste maître de lui.

— Pas du tout! Aie confiance en lui. Marcus parviendra à trouver un équilibre dans toute cette folie. Il connaît ses limites; d'ailleurs c'est le plus expérimenté d'entre nous.

La jeune femme se rappela alors cette fameuse nuit où Marcus lui avait dévoilé être un seigneur des ténèbres, un guerrier de la nuit. Il avait fait mention d'anciens dans son discours.

— Est-il le plus vieux d'entre vous ? interrogea-t-elle avec incrédulité. Je croyais que c'était Florien.

— Notre apparence physique est trompeuse et n'a rien à voir avec notre âge réel. C'est notre première transformation qui la détermine. Tout comme les humains, nous vieillissons. Du moins, jusqu'à ce que nous fassions l'expérience de la métamorphose initiale. À partir de ce moment, nous demeurons tels quels. Il s'agit d'une étape cruciale dans notre existence, dangereuse aussi. C'est pourquoi nous devons l'exécuter sous haute surveillance la première fois. Normalement, nous attendons d'être devenus adultes pour l'entreprendre.

— Et dans le cas d'Adenora ? ne put s'empêcher de demander Abbygaelle.

— Adenora a outrepassé les ordres de Marcus en se transformant à son insu. Elle est disparue dans la forêt pendant deux jours. Lorsqu'elle est revenue, il était trop tard pour faire marche arrière. Si bien qu'elle restera à tout jamais piégée dans ce corps d'adolescente.

Perturbée par de telles révélations, Abbygaelle se mordilla la lèvre inférieure. Il lui fallait davantage d'informations pour assembler les pièces du puzzle.

— Daphnée, il me faut savoir à quel démon intérieur je m'expose si je veux être en mesure de mieux comprendre Marcus. Pour ce faire, tu vas devoir répondre à certaines de mes questions.

— Tout dépend, Abby ! Il y a des choses que je ne suis pas autorisée à te dévoiler.

— Je ne te demande pas de trahir la confiance de Marcus. Tout ce que je souhaite, c'est d'en apprendre un peu plus.

Sur un signe affirmatif de son amie, Abbygaelle se releva et marcha de long en large afin de mieux réfléchir. Il y avait tant d'éléments qu'elle désirait connaître au sujet de Marcus que ses idées se bousculaient dans sa tête. S'arrêtant devant Daphnée, elle inspira profondément.

— J'aimerais que tu me dises ce qui est advenu de son épouse, ainsi que de ses enfants.

— D'accord, mais je dois tout d'abord t'avertir que Marcus est très pointilleux à ce sujet. Il n'appréciera pas cette incursion dans sa vie privée.

— J'en fais mon affaire !

— Bien… En premier lieu, tu dois savoir qu'Agniela, sa compagne, était des nôtres, ainsi que leurs trois jeunes enfants. Cependant, à l'opposé de Marcus, elle ne provenait pas de la souche mère, mais du résultat de l'accouplement entre une métamorphe et un humain. Ce qui signifie qu'elle n'avait pas la force, ni la puissance de Marcus. Ce malheur est arrivé à l'automne 1573…

L'estomac d'Abbygaelle se contracta à l'énoncé de la date avancée par Daphnée. Elle releva vivement la main afin de lui intimer le silence. Elle avait besoin de quelques secondes pour se remettre du choc. À voir son visage pâle, Daphnée en déduisit alors qu'Abbygaelle n'avait aucune idée de l'âge réel de Marcus. Embarrassée, elle observa longuement Abbygaelle.

— Abby, peut-être est-il préférable que tu poursuives cette conversation avec Marcus en fin de compte.

— Non… Ça va ! Continue, s'il te plaît… lâcha la jeune femme d'une voix éteinte.

— Si c'est ce que tu désires… hasarda Daphnée sans grande conviction. Je disais donc que cette tragédie s'est déroulée en 1573. Je n'étais pas née à cette époque, mais Florien, Maximien et Marcus formaient déjà un trio infernal. Ce que j'en sais, c'est Maximien qui me l'a raconté. En fait, à ce moment-là, une horrible famine a frappé les résidents de la Dole, en France. Les villageois étaient affolés, car des enfants avaient été retrouvés un peu partout dans les parages, déchiquetés ou en partie dévorés. Des empreintes de loups étaient visibles sur les lieux des crimes, mais aucune trace humaine. Un dénommé Gilles Garnier avait été appréhendé. C'était un marginal, qui demeurait dans la forêt avec son épouse. Sous la torture, il avait avoué avoir usé de sorcellerie, puis d'avoir mangé de la chair humaine. Selon le tribunal, il aurait tué plusieurs gamins. Cette histoire s'est répandue rapidement, et une frénésie meurtrière s'est alors emparée des colons des bourgs avoisinants.

Abbygaelle se crispa, plus tout à fait certaine de vouloir connaître la suite. Ravalant la boule qui s'était formée dans sa gorge, elle pressa ses paumes l'une contre l'autre. Trop engagée pour s'arrêter en si bon chemin, Daphnée poursuivit.

— Marcus et sa famille habitaient tout près de cet endroit, Abby. Ils suscitaient d'ailleurs déjà des commérages accablants. Les villageois jalousaient sa fortune, son bonheur et son assurance. Un jour qu'il était parti chasser avec Maximien et Florien, sa femme et leurs trois petits ont été capturés et amenés de force sur la place publique. Les gens les ont accusés d'être des suppôts de Satan, des loups-garous sanguinaires. Ils y ont subi les pires supplices, puis ont été écartelés vivants, pour finir brûlés vifs.

Écœurée, Abbygaelle porta une main tremblante à sa bouche en étouffant un sanglot. « Mon Dieu ! Comment est-ce seulement possible ? » se demanda-t-elle avec effroi. Bouleversée également, Daphnée prit un temps d'arrêt avant de continuer son récit.

— Lorsque Marcus est revenu quelques heures plus tard, le bûcher était toujours tiède de leur cendre. Il a fallu toute la force et la détermination de Florien et de Maximien pour l'empêcher de commettre l'irréparable. Plus d'un siècle lui a été nécessaire pour réapprendre à vivre malgré la souffrance qui le rongeait.

— C'est horrible ! souffla Abbygaelle d'une voix blanche.

— Tu dois comprendre qu'au cours de l'histoire, les nôtres ont été traqués, torturés, brûlés. Ce n'est que depuis peu que nous pouvons nous déplacer au grand jour. Par bonheur, la société actuelle ne croit plus en la magie, ni en les démons. Les humains préfèrent se conforter dans la technologie. Ils ont trop en mémoire les horreurs du passé, ainsi que les abominations perpétrées au nom de l'église. Ils ne désirent pas retourner à cette époque de barbarie.

Ne sachant plus que penser, Abbygaelle s'accroupit dans le sable, courbant la nuque sous le poids de l'accablement. Ébranlée jusqu'au plus profond de son être, elle resta immobile, les joues mouillées de larmes. Touchée par son désarroi, Daphnée se pencha et étreignit son épaule avec douceur. Lentement, la jeune femme tourna la tête dans sa direction.

— Mon Dieu ! parvint-elle à chuchoter. Pourquoi ne s'est-elle pas défendue ?

— Elle ne faisait pas le poids devant cette foule enragée, puis il y avait les petits. Elle ne pouvait les abandonner à leur triste sort. Si Marcus avait été présent, il en aurait été autrement. À lui seul, il aurait pu les mettre en déroute.

— Parce qu'il est de la souche mère?

— C'est exact, concéda Daphnée malgré elle. L'unique chose que je puisse te révéler à ce propos, c'est que ces êtres appartiennent à la première génération de notre race. Ils sont très puissants, en plus d'être dotés de facultés exceptionnelles.

— Ce qui signifie que Marcus a plus de cinq cents ans. S'il est de la souche mère, cela suppose qu'il est encore plus vieux. Ciel! Quel âge a-t-il réellement? demanda Abbygaelle en pâlissant.

— Il est en effet plus d'une fois centenaire! En fait, notre espèce est très ancienne…

— Quel… Qu'est-ce… Mon Dieu! Comment… ont-ils été… engendrés?

— Je suis désolée, Abby. Il ne m'incombe pas de te le divulguer, pas plus que l'âge réel de Marcus.

Se redressant, Abbygaelle fit face à l'immensité de la mer. Un tumulte grondait en elle. Croisant ses mains derrière sa nuque, elle inspira profondément l'air pur du large. Le temps était maintenant venu de confronter Marcus.

❊   ❊   ❊

Le retour se fit dans le mutisme le plus complet. Daphnée avait remis le toit ouvrant en place. Elle conduisait plus lentement, une musique tempérée en sourdine. Perdue dans ses songes, Abbygaelle contemplait le paysage derrière la vitre d'un regard absent. Elle essayait tant bien que mal de mettre de l'ordre dans les émotions qui l'agitaient. Il lui fallait impérativement retrouver un semblant de sérénité avant de rejoindre Marcus.

Brisant le silence lourd qui s'était installé, Adenora se pencha vers les deux jeunes femmes assises à l'avant, un sourire crispé sur les lèvres.

— Daphnée, je sais qu'il commence à se faire tard, mais j'aimerais que nous fassions un petit détour par Saint-Valérien. C'est à peine à dix minutes du Bic.

— Que veux-tu faire par là ?

— J'ai vu un tableau magnifique à la Galerie du Bic la semaine dernière. La scène qui y était peinte se trouvait à Saint-Valérien. Le soleil va bientôt se coucher, j'aimerais prendre quelques photos de l'endroit. Ce ne sera pas long ! Enfin, si ça ne dérange pas trop Abbygaelle !

— Ça me va, répondit machinalement la principale intéressée, sans la regarder.

— Bien, dans ce cas, nous passerons par Saint-Valérien avant de rejoindre l'auberge, décida Daphnée. Mais, il me faut avant tout en aviser Marcus.

❄   ❄   ❄

Le soleil avait presque atteint la cime des arbres lorsqu'ils arrivèrent en bordure de la petite route de campagne. Ici, nulle trace d'habitation à des kilomètres à la ronde, seulement un vaste champ, ainsi qu'une forêt dense en arrière-plan. En apercevant la Mazda de Marcus au détour d'une courbe, Abbygaelle s'empressa de vérifier qu'il n'y avait plus aucun vestige de son désarroi sur son visage. Déjà, Marcus sortait de sa voiture, un sourire enchanté illuminant ses traits. Il semblait si heureux de la retrouver que cela lui réchauffa le cœur.

Maintenant qu'elle connaissait une partie de son histoire, elle était plus sensible à son égard. Poussée par une force vitale, elle s'élança vers lui et se jeta dans ses bras sans aucune hésitation. «Seigneur! C'est là qu'est ma place!» pensa-t-elle avec effarement. Elle aurait tant voulu se fondre en lui, ne plus jamais quitter le couvert de son étreinte rassurante. Sans doute Marcus perçut-il son désir profond, car il l'enserra avec plus d'ardeur encore. Puis, il se pencha vers elle et captura ses lèvres. Abbygaelle répondit avec la même fougue, prolongeant leur baiser avec délice. Lorsqu'il la relâcha enfin, elle était à bout de souffle et vacillait légèrement sur ses jambes.

— Bonsoir, Abby, murmura-t-il avec chaleur.

En relevant la tête, elle constata avec un certain plaisir que son regard semblait indéniablement attiré sur sa gorge à peine voilée. Elle redressa les épaules, s'offrant davantage à sa convoitise. Marcus sourcilla.

— Assez invitant comme tenue vestimentaire, lâcha-t-il d'une voix rauque en désignant l'encolure qui s'ouvrait amplement sur le devant. J'imagine que c'est à Daphnée que je dois cette tentation alléchante? poursuivit-il en la fixant de ses yeux obscurcis par le désir.

— Encore, tu n'as rien vu! énonça-t-elle dans un rire sensuel.

Marcus inspira profondément afin de calmer la bête qui s'agitait en lui. Toutefois, avec Abbygaelle qui le provoquait à dessein, cette tentative s'avérait presque une torture en soi.

— Peut-être n'aurais-je pas dû lui laisser carte blanche, parvint-il à dire d'un ton à peu près normal.

— En effet !

— Devrais-je m'en inquiéter ? s'enquit-il, une lueur gaillarde dans le regard.

— Tu paieras très cher cette petite escapade dans les boutiques, répondit-elle avec un sourire en coin des plus aguicheurs.

— Hum ! Je vais donc m'en mordre les doigts !

— Je peux te le garantir ! déclara-t-elle avec satisfaction en constatant qu'il s'enflammait à sa seule vue.

— Je présume que je devrai endurer mon mal.

— Oh, que oui, Messire Marcus ! Tu regretteras de m'avoir embarquée dans cette galère, et surtout d'avoir insisté pour défrayer cette somme. Ce sera bien fait pour toi !

— Est-ce que tu me mettrais au défi par hasard ? Tu sais pourtant que tu n'es pas en position de force, lâcha-t-il en la surplombant de toute sa hauteur.

— C'est ce que tu crois ? Si dans ce cas je susurrais à ton oreille que le bustier de dentelle que tu distingues vaguement par l'encolure de mon corsage voile à peine la blancheur de mes seins, ainsi que les bourgeons foncés de mes mamelons ? Que la culotte qui est assortie avec…

— Bon sang, Abby ! N'en dis pas plus ! s'étrangla-t-il en la plaquant brusquement contre la portière de la voiture.

Le corps qui la pressait avec autant d'insistance était tendu à l'extrême. Marcus tremblait sous l'effort déployé pour maîtriser la bête qui s'était libérée en une fraction de seconde avec une violence inouïe. Incapable de détacher son regard du tissu de dentelle pêche, il déposa une main possessive sur sa hanche, s'imaginant avec volupté le reste de ses dessous. Un grognement sourd monta de sa gorge alors qu'il enserrait la nuque d'Abbygaelle dans une étreinte puissante, ses lèvres uniquement à quelques centimètres des siennes. Il avait encore beaucoup trop en mémoire leur ébat de la veille, ainsi que son odeur suave.

— Surtout, ne bouge pas. Sinon, je ne réponds plus de rien, déclara-t-il dans un souffle.

Maximien, qui avait suivi la scène, réagit immédiatement. Avec prudence, il se glissa derrière Marcus, prêt à intervenir en cas de nécessité.

— Marcus, tu devrais libérer Abby et prendre tes distances...

Marcus, qui avait anticipé les inquiétudes de Maximien avant même qu'il ne parle, raffermit son emprise sur la jeune femme, lui arrachant un faible cri de stupeur.

— Sois sans crainte, Maximien. Je suis en mesure de me dominer pour le moment.

— C'est plutôt difficile à croire vu d'ici.

— Abby ne court aucun danger tant qu'elle demeure immobile, lâcha-t-il dans un râle guttural. J'ai seulement besoin d'un peu de temps pour refouler mes instincts de chasseur.

De son côté, Abbygaelle était à fleur de peau. Tout son être réagissait avec empressement à cette manifestation virile, et le souffle précipité de Marcus dans son cou l'attisait. Le corps en feu, elle entrouvrit les lèvres dans une invite muette. Ses prunelles s'embrasèrent d'une passion à peine voilée, rendant la tâche d'autant plus ardue à Marcus. Elle irradiait d'un désir impératif.

— Abby... Tu vas devoir m'aider un peu...

— Et si je ne le souhaite pas ? osa-t-elle demander.

Marcus resserra l'étau autour de sa hanche. Il était interloqué. Jamais il n'aurait cru qu'elle aurait l'audace de le narguer de la sorte, surtout en de telles circonstances. Ainsi, elle en était finalement venue à l'accepter pour ce qu'il était, sans aucune crainte. L'observant avec plus d'attention, il remarqua alors que derrière sa fièvre se lisait aussi une certaine sérénité. Ce constat eut un effet apaisant sur ses sens. La libérant de son emprise, il recula de quelques pas.

— Ne t'avais-je pas dit que je saurais me dominer en toute occasion, Abby ? murmura-t-il, le souffle court.

Trop chamboulée pour répondre, elle hocha faiblement la tête. Avec un sourire ravageur, il s'approcha de nouveau d'elle et caressa sa joue avec une tendresse désarmante.

— Abby, *omnia vincit amor*. Sache que *nulla tenaci invia est via*[1].

Avisant son expression médusée, il éclata d'un rire joyeux. Dieu qu'elle était délicieuse !

— C'est du latin. Peut-être qu'un jour je t'expliquerai ce que ça signifie. D'ici là, ne cesse jamais de me surprendre...

Quelque chose à l'intérieur d'Abbygaelle s'agita ; elle souhaitait plus que tout le pousser jusque dans ses derniers retranchements, affirmant à son tour son emprise sur lui. Elle était suffoquée par sa propre intrépidité, mais électrisée tout à la fois. En voyant apparaître une lueur provocatrice dans ses yeux brun-vert, Marcus leva un sourcil interrogateur. Il n'arrivait pas à croire qu'elle se préparait à l'aguicher de nouveau. Stimulé par le jeu, il se pencha vers elle, leurs lèvres se frôlant presque. Appuyé sur la voiture, il

---

1. *Omnia vincit amor. Nulla tenaci invia est via* : L'amour triomphe de tout. Nulle route n'est infranchissable.

l'emprisonnait de ses bras. Sa présence toute proche fit bondir le cœur d'Abbygaelle dans sa poitrine. Nul doute qu'il ressemblait à un loup guettant sa proie. Elle effleura sa bouche d'une caresse sensuelle avec audace. Puis, elle susurra d'une voix mielleuse à son oreille qu'il lui tardait de lui faire découvrir la culotte affriolante qui dissimulait à peine sa féminité palpitante. Marcus se recula vivement, la respiration saccadée, les sens en ébullition. Abbygaelle en profita alors pour se sauver et rejoindre les autres, en affichant un sourire satisfait.

— Un point pour moi, Messire Marcus! lança-t-elle joyeusement.

Maximien et Florien observaient la scène, tout en retenant leur souffle, alors que Daphnée réfrénait avec peine son amusement. Avisant l'expression comblée d'Abbygaelle, elle lui adressa un clin d'œil complice. Ravie, celle-ci coula un coup d'œil en biais derrière son épaule. Marcus était demeuré sur place, le regard rivé dans sa direction pendant qu'Adenora s'éloignait du groupe en silence.

Les derniers rayons du soleil étaient désormais masqués entièrement par la cime des arbres, plongeant la forêt dans la pénombre. Une brise fraîche s'éleva, faisant virevolter quelques mèches rebelles échappées de la coiffure d'Abbygaelle. Toute à son bonheur récent, elle se dirigeait vers les voitures, un air satisfait sur le visage. Soudain, son sourire se figea. Un bourdonnement incessant envahit sa tête, la faisant chanceler. Une terreur sans nom lui étreignait le cœur. Ne comprenant pas ce qui lui arrivait, elle s'affola. Alors qu'elle tentait de rejoindre Marcus, tout s'assombrit d'un seul coup autour d'elle. Scrutant les alentours, elle remarqua avec désespoir que tout ce qui l'entourait avait disparu : les voitures, Maximien, Florien, Daphnée, Adenora et même Marcus. À la place, un petit bourg s'était matérialisé, ainsi que quelques villageois habillés d'une façon inhabituelle. En fait, ils paraissaient sortir tout droit d'un film datant de l'époque de la Première Guerre mondiale. Aucune étincelle de vie n'illuminait leur regard, et leur expression lugubre donnait la chair de poule. De plus, une révolte semblait couver au sein de l'attroupement réduit. Étonnamment, dans un premier temps, ils ne portèrent aucun intérêt à Abbygaelle, mis à part peut-être un homme d'une stature colossale, qui arborait sur ses vêtements poisseux un tablier de boucher taché de sang. Il tenait à la main un hachoir affilé, qu'il brandissait au-dessus de sa tête. Le couperet s'abattait sans pitié sur des carcasses de gibiers, tels des chevreuils, des perdrix, ainsi que d'autres petites bêtes de la forêt.

Devinant intuitivement qu'elle était en danger, Abbygaelle recula à pas mesurés. Toutefois, elle ne put contenir son cri d'horreur en apercevant du coin de l'œil les restes d'humains éparpillés à la lisière des bois. Écœurée, elle retint de justesse un haut-le-cœur, puis reporta son attention sur les habitants du village. Plusieurs femmes gémissaient de douleur, alors que leurs époux vociféraient à leur côté. Pour sa part, le boucher ne cessait de faire la navette entre le couvert des arbres et les colons en leur tendant de grands sacs de jute. Certains s'en emparaient avec avidité, d'autres refusaient catégoriquement en l'injuriant, l'œil hagard.

Ce fut à ce moment-là que la lumière se fit dans l'esprit d'Abbygaelle. Ces villageois étaient à demi morts de faim. Si elle se fiait à leur extrême maigreur et leurs yeux cernés, il ne devait plus y avoir de nourriture depuis fort longtemps déjà. Pourtant, il y avait tout lieu de croire que le boucher avait trouvé une autre source d'approvisionnement. Notant alors qu'il n'y avait aucun gamin dans les parages, uniquement des vêtements et des peluches comme seuls vestiges de leur passage, elle blêmit. Des carcasses d'animaux gisaient dans l'herbe haute. S'approchant de l'amoncellement d'os, elle constata avec répulsion qu'il s'agissait de restes d'enfants. « Mon Dieu! Que mangent-ils exactement? » Un hurlement d'effroi franchit ses lèvres en comprenant toute l'étendue de l'horreur, attirant du même coup l'attention du boucher sur elle. Un rictus sinistre s'afficha sur la bouche de l'homme quand il se déplaça dans sa direction, plusieurs colons à sa suite.

Abbygaelle sentit la terreur lui nouer l'estomac. Au moment où ils s'apprêtaient à s'abattre sur elle, un ours énorme surgit entre eux. Son cri d'épouvante demeura coincé dans sa gorge quand il fixa son regard sauvage sur elle. Un grondement sourd sortit de sa gueule béante. Elle crut défaillir à la vue des dents acérées. Puis, l'ours brun se redressa brusquement, se tenant sans difficulté sur ses membres arrière. Il la dépassait, lui donnant l'impression d'être une pauvre petite chose insignifiante en comparaison. Alors qu'elle s'y attendait le moins, la bête se détourna d'elle, sa lourde musculature saillant sous son pelage aux reflets variés. L'une de ses pattes avant fendit l'air sans hésitation, lacérant au passage l'abdomen du boucher. L'homme poussa un hurlement sinistre, la faisant tressaillir violemment. « Seigneur, serai-je la prochaine victime? » se demanda-t-elle, la peur au ventre.

Abbygaelle en était à cette réflexion morbide quand un grognement rauque retentit dans son dos. Ramenée brutalement dans le monde réel, elle pivota sur elle-même. Son sang se glaça dans ses veines en découvrant les trois loups gigantesques qui lui faisaient face. À pas mesurés, elle recula, cherchant à gagner le couvert des arbres. Elle ne pouvait rejoindre les deux voitures, puisque les bêtes sauvages lui coupaient toute retraite dans cette direction. Incapable de discerner le vrai du faux, elle s'élança vers la forêt, se fiant uniquement à son instinct.

En s'enfonçant dans les bois, elle éprouva un énorme soulagement en constatant que les bêtes ne l'avaient pas poursuivie. Se croyant hors de danger, elle fit volte-face en tentant de reprendre son souffle. Sa terreur refluait peu à peu, la laissant interdite. « Qu'ai-je fait ? » s'interrogea-t-elle en s'efforçant de réfléchir plus calmement. Elle savait que Marcus pouvait adopter la forme de n'importe quel animal, pourquoi pas l'apparence d'un ours dans ces conditions ? Le mammifère l'avait observée sans animosité avant de se détourner d'elle. Il avait attaqué ce boucher pour la protéger, comprit-elle trop tard. Ce qui signifiait que les loups qu'elle avait aperçus étaient sans doute Daphnée, Maximien et Florien. Dans ce cas, où se trouvait Adenora ? Assaillie par un mauvais pressentiment, elle essaya de revenir sur ses pas. Ce fut alors qu'un grognement sauvage retentit sur sa droite. Tournant la tête dans sa direction, elle vit une louve de taille moyenne qui la fixait d'un regard féroce. L'animal montra ses dents en s'avançant vers elle. Les poils de son corps se hérissèrent sur sa peau, et une sueur froide coula dans son dos. Elle soupçonna que, pour sa propre sauvegarde, il lui fallait fuir cette créature hostile. Elle s'élança à l'aveuglette, priant pour retrouver les autres rapidement. Son cœur cognait douloureusement contre sa poitrine, ses jambes tremblaient sous l'effort fourni. Elle sentait les crocs de la bête qui cherchaient à se refermer sur ses mollets. Il faisait sombre désormais, la lumière diffuse du croissant de lune éclairant à peine le sous-bois. Perdue, elle s'orienta à l'aveuglette. Lorsqu'elle se retrouva acculée à un arbre, elle y grimpa en désespoir de cause. Au même moment, deux mains puissantes la saisirent rudement par les chevilles, la faisant basculer sur le sol inégal. Un cri fusa entre ses lèvres sous la force de l'impact. Avant même qu'elle ne puisse se relever, elle fut ligotée au tronc rugueux d'un érable. Une peur sinueuse gagna tout son être lorsqu'un bandeau lui scia la bouche.

— Eh bien! Que voilà une jolie petite proie! susurra Lucurius en lui faisant face. Avec quelle facilité désarmante tu t'offres à moi!

Abbygaelle voulut hurler, mais aucun son ne parvint à franchir la barrière du bâillon. Elle tenta de se soustraire à l'emprise des liens qui la retenaient, mais elle n'arriva qu'à entailler la chair délicate de ses poignets. Elle ouvrit grands les yeux en haletant. Un sourire cruel déformait les lèvres de Lucurius. Dégageant la dague de sa ceinture, il glissa la lame tranchante sur son cou luisant de sueur. D'un geste vif, il déchira le fin tissu de son pantalon, livrant ses longues jambes à la fraîcheur de la nuit. Son regard s'attarda un instant sur la culotte en dentelle. Une flamme étrange s'alluma dans ses prunelles. Puis à regret, il reporta toute son attention sur le visage ravagé de la jeune femme.

— Chut, ma jolie! Tu verras, ce ne sera l'affaire que d'une minute ou deux. Malheureusement, le temps nous manque pour pousser plus loin nos retrouvailles, mais tu ne perds rien pour attendre... Décidément, les efforts de mon frangin pour te protéger sont pitoyables. Lui et sa petite bande de misérables ne sont pas de taille à me contrer, ni à travers le monde des esprits, ni même dans tes rêves, et encore moins dans le monde réel. Tu devrais mieux choisir ton camp... Maintenant, tu vas être sage et me laisser graver dans ta chair la quatrième ligne de mon pentagramme. Imagine le plaisir que nous aurons à nous retrouver lors du rituel dans quelques jours...

Sous l'emprise de la terreur, Abbygaelle se démena comme une folle, mais une main implacable lui immobilisa la jambe gauche. Une douleur atroce l'irradia tout entière lorsque Lucurius fit une incision sur sa cuisse. Elle s'arqua avec violence en sanglotant. D'un geste rapide, Lucurius la libéra, puis se releva avec souplesse. Il lui lécha le visage avec délectation, avant de disparaître aussi subitement qu'il était apparu, tout comme la louve. Abbygaelle scruta les profondeurs de la nuit, à l'affût du moindre bruit. Tous ses sens étaient en alerte. Son cœur battait à coups redoublés dans sa poitrine, la laissant nauséeuse. Un bourdonnement sourd résonnait dans ses oreilles alors que des points argentés dansaient devant ses yeux. Se sachant sur le point de défaillir, elle tenta de se secouer. Sa vision s'embrouillait, mais elle perçut néanmoins l'écho d'une course effrénée dans le sous-bois. Un ours déboula à quelques pas d'elle. À sa vue, son rugissement se termina en un cri humain empli de fureur. Abbygaelle releva la tête avec peine, s'étranglant en croisant les prunelles noires de Marcus. Au bord de la crise de nerfs, elle lâcha prise et s'évanouit. Avec fébrilité, Marcus la libéra de ses liens et lui retira le bâillon de la bouche. Il la souleva et retourna rapidement aux voitures demeurées sur le bas-côté du chemin. Il l'allongea avec précaution sur la banquette arrière. Quelques secondes plus tard, la Mazda démarrait dans un vrombissement assourdissant.

CHAPITRE VI

L'inévitable

En revenant à elle, Abbygaelle ressentit un étrange malaise. Aussitôt, un signal d'alarme s'alluma dans sa tête. Ouvrant précipitamment les paupières, elle sursauta en apercevant deux visages penchés sur elle. Les idées encore embrouillées, elle prit quelques secondes avant de se rendre compte que Maximien soignait ses poignets à vif. Son mutisme reflétait très bien son humeur, faisant remonter à la surface une sensation désagréable chez la jeune femme. Cependant, son inquiétude n'était rien en comparaison des émotions violentes qui agitaient Marcus. Le temps se suspendit lorsqu'elle croisa son regard poignant. Seul son souffle saccadé brisait le silence pesant qui planait au-dessus d'eux, tel un spectre.

Peu à peu, la mémoire lui revint. «C'est impossible! Les gens ne sortent pas ainsi du néant, vêtu d'habits d'une autre époque, pour disparaître par la suite comme par enchantement.» Fouillant dans les méandres de son esprit, elle chercha une explication plausible. Ce fut alors qu'elle ressentit une impression de déjà-vu. Elle avait vécu une situation similaire auparavant. Elle en était même certaine, mais des fragments lui échappaient encore. Son expression se fit plus lointaine. Puis, tout à coup, les pièces du casse-tête s'assemblèrent. Elle se rappelait désormais avoir été pourchassée par des Amérindiens sur l'île du Massacre. La peur qu'elle avait éprouvée à ce moment-là était toujours tapie au fond d'elle. Marcus avait surgi de nulle part, s'interposant entre elle et le danger. Elle revoyait avec une clarté effarante la pointe d'une flèche rougie de son sang, qu'il avait retirée de son épaule. Toute cette histoire n'avait aucun sens. Qu'est-ce qui lui arrivait? Au bord du gouffre, elle se redressa dans un cri étouffé. D'autres images irrationnelles se bousculaient dans sa tête; la jeune Blanche qui l'entraînait au fond de la mer, la danse de Rose avec le diable en personne, l'inconnu poignardé dans la vieille maison, et le navire qui se brisait contre les rochers... L'expression hagarde, elle chercha à comprendre.

Percevant tout à coup un murmure dans son esprit, elle leva les yeux. Marcus était penché sur elle, la scrutant avec incertitude. Ce fut à cet instant précis qu'elle prit conscience d'une amère réalité. Cet homme s'évertuait à la mystifier, depuis le début. Blessée, elle se rebiffa.

— Sors de ma tête! s'écria-t-elle aussitôt en pressant ses tempes de ses mains pour se protéger de cette intrusion pernicieuse.

Marcus tressaillit et recula vivement, soufflé par la sécheresse de son ton. Ce qu'il craignait depuis un bon moment s'abattait sur lui, tel un couperet. Ils étaient dorénavant trop proches l'un de l'autre pour qu'il soit en mesure d'influer sur ses pensées sans être découvert. L'expérience traumatisante qu'elle avait vécue dans la forêt venait de faire ressurgir les souvenirs qu'il avait tenté d'effacer de sa mémoire. Rien ne servait de nier, il le voyait à son regard méfiant. Cette ordure de Lucurius avait piégé Abbygaelle sous ses yeux, la marquant pour la quatrième fois. C'était plus qu'il ne pouvait accepter. Il se serait volontiers crucifié lui-même sur place si cela avait pu changer le cours des évènements. Sauf que c'était trop tard ! Abbygaelle avait subi un choc important. Elle était d'ailleurs sur le point de craquer. Plus question de la manipuler.

— Abby, murmura-t-il avec une infinie douceur. Laisse-moi t'approcher…

Affolée, elle se recula davantage sur son lit. Une douleur lancinante lui vrillait les tempes. Elle porta une paume à son front. Tout en le massant, son visage se crispa. Elle était complètement perdue, ne sachant que croire. Un fait troublant s'imposa soudain à elle : Marcus lui avait menti. La souffrance poignante qui lui étreignit le cœur fit monter des larmes à ses yeux.

— J'avais confiance en toi… souffla-t-elle d'une voix méconnaissable.

Marcus encaissa le coup sans broncher, alors que son âme éclatait en mille morceaux. Il devait la convaincre du bien-fondé de ses actions… il le fallait…

— Abby, ce que j'ai fait, c'était uniquement dans le but de te protéger, se défendit-il en déposant une main tremblante sur sa joue. Jamais je n'ai voulu te faire de mal, poursuivit-il en appuyant son front contre le sien. Abby, tu dois me croire…

Abbygaelle ferma les paupières. Elle était tiraillée, n'arrivant plus à départager le vrai du faux. Prise de nausées, elle tenta de se relever, mais tout se mit à tanguer autour d'elle. Marcus la rattrapa de justesse avant qu'elle ne s'écroule. Conscient de la tension palpable entre eux, Maximien jugea préférable de les laisser. Il était temps que ces deux-là s'expliquent et règlent leurs différends. Lorsqu'il sortit, Abbygaelle toisa Marcus avec aigreur. Avec un serrement au cœur, il passa une main lasse dans ses cheveux et secoua la tête.

— Que dois-je faire pour te prouver ma bonne foi? demanda-t-il en soupirant.

— Me dire enfin la vérité, eut-elle pour toute réponse.

Il leva les yeux en percevant la fêlure dans sa voix. Elle avait perdu de sa hargne et semblait tout aussi désemparée que lui.

— Que veux-tu savoir?

— Qu'est-ce que vous attendez tous de moi exactement?

À son expression, Marcus devina qu'elle ne savait plus à qui se fier. Elle le détaillait maintenant avec une certaine appréhension, ses doigts crispés sur la courtepointe.

— Abby, commença-t-il avec prudence. J'ai le pouvoir d'effacer les souvenirs, de contraindre les humains à s'endormir, mais je n'use pas de cette aptitude à la légère, ni à outrance. En ce qui te concerne toutefois, je n'avais pas d'autres options.

— J'étais en droit de faire mes propres choix! lâcha-t-elle d'une voix cassée.

— C'était trop risqué! se défendit-il.

— Tu m'as condamnée à avancer à l'aveuglette, sans savoir de quelle direction viendrait le prochain coup. Tu m'as privée de mon libre arbitre en toute impunité. Pourquoi?

— Abby, je ne puis t'en dire plus dans l'immédiat, mais en temps et lieu, tu comprendras.

— Je suis victime d'illusions cauchemardesques, sans en connaître la raison. Il m'arrive même par moment de ne plus discerner ce qui est vrai de ce qui ne l'est pas ! C'est la folie qui me guette ! s'écria-t-elle. J'ai besoin de réponses !

— Abby, tu possèdes en toi une puissance phénoménale. Tu es une clé de voûte. Ce qui signifie que tu es témoin de choses que personne d'autre n'est en mesure de voir. Ces visions sont des échos d'un passé lointain, l'esprit des morts qui hantent encore cette terre. Ce qui est une simple légende pour le commun des mortels prend vie en ta présence. Normalement, tu ne devrais pas être aussi affectée, mais Lucurius influe sur des forces démoniaques, ce qui crée une distorsion dans le temps.

Elle demeura immobile, son regard braqué sur lui. Marcus en profita pour caresser sa joue avec tendresse du revers de la main. Comme il aurait souhaité pouvoir effacer cette douleur au fond de ses yeux.

— Abby, le lien qui nous unit est réel, tout comme le danger qui te guette.

La jeune femme encaissa ces informations avec peine. Elle avait l'impression de nager à contre-courant, d'être entraînée malgré elle vers des rivages hostiles. Son seul point d'ancrage dans cette tourmente restait Marcus ; pourtant, il s'entêtait à la garder dans l'ignorance.

— Pourquoi Lucurius me persécute-t-il ? Que veut-il ? se rebella-t-elle, refusant d'abdiquer si facilement.

— Je suis désolé, Abby, lâcha-t-il en laissant retomber son bras.

Comprenant que cette discussion ne la mènerait nulle part, elle se releva. Ses pas la conduisirent vers le jardin extérieur. Son père s'y trouvait déjà, un gobelet fumant entre les mains. Abbygaelle vint se poster à ses côtés, mais demeura taciturne, le regard rivé au loin. Conscient du fossé qui s'était creusé entre eux, Hadrien réfléchit longuement. Il savait que sa fille avait perdu tous ses repères. Résolu néanmoins à rompre le silence qui les oppressait, il lui jeta un bref coup d'œil.

— Comment dois-je interpréter ton attitude, Abby ? demanda-t-il avec une pointe de tristesse. Suis-je également condamné à tes yeux ? poursuivit-il devant son refus de parler.

— J'essaie simplement de m'y retrouver, papa, eut-elle pour toute réponse.

Hadrien perçut une note incertaine lorsqu'elle prononça le mot « papa », ce qui lui causa un chagrin immense.

— Rappelle-toi bien une chose, Abby. En dépit de tout, il n'en demeure pas moins que je suis ton père et que je t'aime.

Elle tourna son regard vers cet homme dont elle ignorait tout en définitive. Rien en lui ne laissait présager sa descendance animale. Il était de taille moyenne, avait les cheveux grisonnants. Ses prunelles reflétaient toujours cette même bonté, cette douceur qui avait su charmer sa mère. À la pensée de celle-ci, sa gorge se noua.

— Est-ce que maman savait ? demanda-t-elle en s'étranglant.

— Oui...

— Était-elle... Enfin... Est-ce...

— Non ! Elle n'était pas l'une des nôtres. Néanmoins, elle acceptait ce que nous étions. Elle ne s'inquiétait pas que je transmette cet héritage à nos enfants. Elle avait confiance en ceux de mon clan.

— Elle connaissait Marcus ?

— Évidemment, puisqu'il est notre chef. Elle s'entendait bien avec Daphnée et aimait l'humour de Maximien, ainsi que la sagesse de Florien.

— Et Adenora ?

— Elle ne l'a jamais vue. Au moment de sa naissance, nous avions déjà coupé les liens avec la meute. La présence de ceux dont le chromosome était actif suscitait de trop vives réactions chez toi. Après leur visite, tu faisais des rêves horribles et tu discutais avec des êtres invisibles.

— Je ne me souviens de rien ! s'étonna-t-elle.

— C'est compréhensible ! Le jour de tes cinq ans, Marcus est venu en compagnie d'Hyménée, l'une des plus puissantes du groupe des anciens. Très rapidement, elle en a déduit que ton bagage génétique était différent. Pour ta sauvegarde, elle a donc interdit au reste du clan de t'approcher, du moins jusqu'à tout récemment. Marcus a alors accepté de mauvaise grâce d'effacer de ta mémoire tout souvenir en ce qui les concernait. Tu es demeurée en convalescence pendant deux jours entiers. Après, tout est redevenu normal. Il n'y a plus jamais eu de cauchemars ou de visiteurs de l'Au-delà.

— Pourquoi avoir autant tardé avant de tout m'avouer ? lâcha-t-elle avec une émotion à peine contenue.

Hadrien voûta les épaules. Toute sa vie, Abbygaelle avait été tenue à l'écart de la meute ; elle ne pouvait pas comprendre les lois qui la régissaient. Même s'il était son père, il ne pouvait s'interposer. Il savait pertinemment que Marcus avait toujours agi dans son intérêt. Depuis que Lucurius avait retrouvé sa trace, il vivait un véritable enfer. Il ne se passait pas un instant sans qu'il craigne le pire. Chacune des attaques perpétrées contre elle lui écorchait le cœur un peu plus. S'il n'y avait pas eu Marcus, il n'osait songer à ce qu'il serait advenu d'elle. Son unique espoir de survie résidait en leur chef.

— Nous avions tous des consignes à suivre, Abby. Je sais que tu es effrayée, c'est tout à fait normal! Si ça peut te réconforter un tant soit peu, sache que Marcus l'est tout autant que toi…

Étonnée, elle tourna la tête dans sa direction. Son cœur avait tressauté dans sa poitrine à la seule perspective que Marcus puisse souffrir par sa faute. Devant son silence évident, Hadrien prit sa main entre les siennes.

— Les sentiments qu'il éprouve à ton égard le déstabilisent. Il y a trop longtemps qu'il n'a rien ressenti de tel envers une femme. Tu es sous sa protection, et tu es à mi-chemin entre deux essences. Il a peur de la violence de ses émotions, de ce qui pourrait t'arriver s'il succombait ou même si tu tombais sous l'emprise de Lucurius.

À défaut d'être encourageants, ses propos étaient au moins honnêtes. Jetant un coup d'œil en direction de sa chambre, elle inspira profondément. Elle sentait la présence de Marcus tout près.

— Où que j'aille, Lucurius me retrouvera, n'est-ce pas? demanda-t-elle d'une voix blanche.

— Oui. Tu ne pourras échapper indéfiniment à ton destin. Lucurius est déterminé à s'emparer de toi. Marcus est le seul rempart solide qui se dresse entre toi et ce monstre.

Comprenant à ce moment-là qu'elle serait à jamais prisonnière de ce cauchemar, elle éclata en sanglots. Elle était projetée tout droit en enfer, sans qu'elle ne puisse rien faire pour freiner sa descente infernale. Elle se plia en deux sous le poids du fardeau qui l'accablait. Ce fut alors que deux bras puissants vinrent se refermer sur elle. Marcus était accroupi à ses côtés, roc immuable dans la nuit. Lentement, il l'incita à s'appuyer contre lui. Elle s'accrocha à son chandail. Une telle volonté se dégageait de sa personne qu'elle fut parcourue d'une chaleur bienveillante. La sérénité qu'il affichait était apaisante, lui redonna le courage dont elle avait tant besoin.

En observant le couple entrelacé, Hadrien fut tranquillisé. Sa fille ne pouvait espérer meilleur compagnon pour l'épauler dans l'épreuve qui l'attendait. Il souhaitait de tout cœur que l'amour naissant qui les unissait soit suffisamment fort pour les préserver de toute cette folie.

Préférant regagner la protection des murs de l'auberge, Marcus souleva la jeune femme dans ses bras et coupa court à ses protestations en capturant ses lèvres avec douceur. Lorsqu'il mit fin à leur baiser, ses yeux brillaient d'une lueur emplie de tendresse. Cherchant sa chaleur réconfortante, elle enfouit son visage baigné de larmes dans son cou. Tout en resserrant son emprise autour de son corps frigorifié, Marcus la ramena dans sa chambre, laissant Hadrien derrière eux. Abbygaelle devait récupérer ; demain viendrait bien assez vite avec son lot d'épreuves.

Marcus la déposa sur son lit tout en prenant place à ses côtés, son attention rivée sur elle. S'emparant de l'une de ses mains, il emmêla ses doigts aux siens, attendant patiemment qu'elle fasse le premier pas. Le tumulte qui grondait en elle ne s'était pas apaisé entièrement, si bien qu'il dut se résoudre à en dévoiler un peu plus à son sujet. Il devait regagner sa confiance. Comme si elle avait lu dans ses pensées, Abbygaelle se risqua à l'aborder.

— Est-ce que tu souffres lorsque tu te métamorphoses ? demanda-t-elle à brûle-pourpoint.

Surpris, il ne sut que répondre sur le coup. Il s'était préparé à tout sauf à une telle question.

— Marcus… lâcha-t-elle dans un souffle en s'agitant.

— Non, murmura-t-il avant de continuer avec plus de force dans la voix. Au contraire, ça procure un plaisir presque jouissif.

Elle rougit légèrement, puis baissa les yeux. Cherchait-il à la provoquer, ou bien était-ce la vérité ? Elle croisa son regard inquisiteur en relevant la tête. Il la jaugeait, comprit-elle alors. Déterminée à ne pas se laisser intimider, elle poursuivit :

— Qu'arrive-t-il à vos vêtements quand ça se produit ?

Un sourire moqueur apparut sur ses lèvres alors que l'un de ses sourcils se soulevait. Il demeura de nouveau silencieux, ce qui la rendit nerveuse.

— En quoi ça t'intéresse, Abby ?

— Je suis curieuse…, parvint-elle seulement à dire.

— Et…, insista-t-il lorsqu'elle s'arrêta au milieu de sa phrase.

— Et… j'aimerais savoir ce qui m'attend.

Un muscle tressauta sur la joue de Marcus. Il dut déployer une énergie considérable pour réfréner le monstre en lui qui exultait. Frustré, l'animal s'agita avec force, lui labourant les entrailles en guise de représailles. Sous la douleur, Marcus se raidit, mais s'obligea à rester impassible. Il ne voulait surtout pas effrayer Abbygaelle. Se rappelant alors sa question, il s'y rattacha.

— J'ignore ce qui arrive à nos vêtements lorsque la métamorphose se produit. En fait, personne ne l'a jamais découvert. Certains affirment qu'ils se transforment avec nous, d'autres, qu'ils disparaissent et réapparaissant comme par magie. Pour ma part, ça a peu d'importance, pourvu que je ne me retrouve pas nu au milieu d'une foule.

Amusée malgré elle, Abbygaelle sourit. Elle eut l'impression d'être délestée d'un poids énorme. Marcus fut ravi par le changement qui s'opérait en elle. La tension entre eux s'était relâchée, l'atmosphère se réchauffait peu à peu. Plus sereine, elle poursuivit sur sa lancée.

— Que s'est-il passé lors de notre excursion à la baleine?

Marcus accusa le coup sans rien laisser transparaître de sa surprise. Ainsi, elle n'avait pas été dupe de son subterfuge. Il la scruta avec insistance, hésitant à lui répondre.

— Je n'ai pas seulement une influence sur les humains, mais également sur les animaux. Par la simple pensée, je suis en mesure de les inciter à faire certaines choses.

Abbygaelle se fit songeuse à cet énoncé. Le pouvoir de Marcus était phénoménal à plus d'un égard. Cependant, elle suspectait qu'il soit un être à part parmi les siens.

— Vos émotions demeurent-elles les mêmes sous votre forme animale? demanda-t-elle après une courte pause.

— En douterais-tu, Abby?

Se rappelant sa réaction devant le boucher, elle se détendit complètement. Marcus avait toujours fait preuve de sensibilité envers elle, et cela, en toute occasion.

— Un point pour toi! lui accorda-t-elle de bonne grâce.

Elle le détaillait maintenant sans aucune retenue, notant au passage ses épaules larges, son port altier, ainsi que le stigmate étrange qui recouvrait une partie de son visage. Une noblesse et une certaine arrogance également se dégageaient de sa personne, signes de ses antécédents guerriers. Il avait tout de l'étoffe d'un chef. Il serait sans contredit un compagnon de choix, et un amant remarquable. Surprise par la tournure que prenaient ses pensées, elle rougit légèrement.

— Lorsque vous êtes sous votre forme animale, vous semblez pourvu d'une force considérable, souligna-t-elle en se raclant la gorge.

— En effet, mais cette particularité, nous l'avons aussi sous notre aspect humain. Nos sens sont beaucoup plus aiguisés, et nous sommes plus résistants à la souffrance physique.

— Pouvez-vous mourir?

— C'est possible, mais c'est très rare. Nous avons la capacité de guérir facilement.

— Ce qui est plutôt pratique devant un adversaire de la trempe de Lucurius, lâcha-t-elle avec un soupçon d'optimisme dans la voix.

— C'est exact! Voilà pourquoi nous sommes les mieux placés pour te protéger.

— Selon la croyance populaire, vous seriez sensibles aux balles en argent et aux objets religieux. Est-ce vrai?

— Tout ceci n'est que du folklore, Abby! répondit-il, en riant franchement cette fois-ci. Néanmoins, à cause de notre nature, il nous est interdit de fouler un sol sanctifié.

Voilà donc pourquoi il ne l'avait pas suivie dans le cimetière sur la plage de Sainte-Luce. Se mordillant machinalement la lèvre inférieure, elle s'autorisa un petit moment de réflexion. Marcus en profita pour l'observer à son tour. Il n'y avait plus rien de tendu en elle ; au contraire. La rougeur délicieuse qui avait coloré ses joues quelques minutes auparavant avait fait renaître en lui l'espoir. Il n'était pas indifférent non plus à l'atmosphère plus intime qui régnait désormais dans la chambre. Du bout des doigts, il traça des cercles sur son avant-bras, provoquant une réaction immédiate sur la peau de la jeune femme. Réceptif à sa réponse, Marcus remonta jusqu'à sa gorge. Sa bouche vint d'elle-même à sa rencontre. Tout en s'allongeant sur le couvre-lit, il l'entraîna avec lui. Lorsque leurs lèvres se séparèrent, il se lova dans son dos avec un soupir bienheureux. Abbygaelle se moula contre lui, une chaleur apaisant au creux du ventre.

À la lumière du jour, Abbygaelle considéra les évènements récents sous un angle différent. Toute à ses pensées, elle toucha à peine à ses œufs et son jambon. Elle était installée à une table avec les autres, pourtant, elle était à des kilomètres de là. La nuit qu'elle avait passée entre les bras de Marcus rendait d'autant plus pénible la décision qu'elle avait prise la veille.

— Je souhaiterais avoir un peu de temps pour moi aujourd'hui, requit-elle abruptement en arrêtant son regard sur Marcus. Est-ce possible ?

— Tu sais très bien que c'est trop risqué, Abby! s'insurgea aussitôt Marcus.

— J'en suis consciente! Si ce n'était pas aussi important, je ne ferais pas une telle demande. Tu n'aurais qu'à demeurer à distance raisonnable de moi pour être en mesure d'intervenir rapidement en cas de nécessité si ça peut te rassurer. Marcus, j'ai besoin de me retrouver seule quelques heures. Je dois sortir de ces murs, être en communion avec la nature. Plus que quiconque, tu devrais être à même de le comprendre! Il me faut faire le point sur ma vie, afin d'y voir plus clair. C'est peu exiger en comparaison des sacrifices que l'on attend de moi.

Ce cri du cœur ébranla Marcus jusque dans ses entrailles. Il n'aimait pas ce plan. Chaque fibre de son corps s'y répugnait. D'un autre côté, il voyait bien qu'Abbygaelle subissait une pression énorme et qu'elle en était très affectée.

— Je vais t'accorder ce répit, répondit-il à contrecœur. Toutefois, tu dois me promettre de ne pas discuter mes ordres si la situation venait à dégénérer. Je suis sérieux, Abby! Ce n'est qu'à cette condition que j'obtempérerai.

— Marcus, j'ai choisi de placer toute ma confiance en toi. Je sais que tu ne m'abandonneras pas, quoi qu'il arrive, lança-t-elle avec ferveur.

Nullement rassuré, Marcus plissa les yeux. Abbygaelle semblait lui cacher quelque chose dont il ignorait la teneur, mais surtout la gravité. Il aurait pu rejeter sa demande, personne n'aurait osé s'interposer, mais le regard confiant de la jeune femme l'avait perturbé. Il espérait seulement ne pas regretter cette décision par la suite.

❋ ❋ ❋

La matinée était déjà fort entamée lorsqu'Abbygaelle put enfin gagner la plage. Déambulant au hasard sur le sable fin, elle offrit son visage à la brise du large. L'air marin la ravigotait, mais ses pensées la ramenaient inlassablement vers Marcus. Le problème, c'était qu'il y avait encore beaucoup de questions qui restaient sans réponses. Même si elle comprenait ses réticences, elle ne pouvait se résoudre à demeurer passive. Confronter Marcus plus longtemps ne servirait à rien, sinon qu'à les diviser davantage. Il occupait une place prédominante dans sa vie désormais, et elle se refusait à le perdre. Certes, elle savait d'avance qu'il n'aimerait pas le plan qu'elle se préparait à mettre à exécution ; sa réaction risquait même d'être vive, mais plus rien ne les opposerait par la suite. Devinant aussi que Daphnée n'en dirait pas plus, elle s'était résignée à s'adresser à la seule autre personne qui n'aurait aucun scrupule à le faire : Lucurius. Elle était tout à fait consciente de jouer avec le feu, mais il n'y avait pas d'autres solutions. Plus elle en saurait au sujet des métamorphes, et de son rôle dans toute cette histoire, plus elle serait à même d'épauler Marcus dans sa tâche. Cependant, elle avait besoin pour ce faire de la coopération entière de son compagnon.

Portant son regard vers l'horizon, elle avisa soudain l'heure. Avec une assurance qu'elle était loin d'éprouver, elle regagna sa voiture.

Abbygaelle s'était promenée dans la forêt une bonne partie de l'après-midi. Elle percevait plus qu'elle ne voyait les loups qui la veillaient dans les profondeurs du sous-bois. À deux ou trois reprises, l'un d'eux était apparu brièvement. Elle avait reconnu la fourrure de Marcus. La nuit approchait, et elle ressentait son agitation. Il était sur le point de la ramener à l'auberge, mais elle avait besoin de quelques minutes supplémentaires pour parvenir à ses fins. Pour la énième fois, elle guetta les environs avec nervosité, espérant que Lucurius se montrerait sous peu. Discernant alors un froissement sur sa droite, elle se retourna, certaine qu'il s'agissait de Marcus. En rencontrant le regard démentiel de Lucurius, elle se pétrifia l'espace d'un instant. Ce fut en l'apercevant esquisser un geste prudent dans sa direction qu'elle retrouva la pleine maîtrise de ses émotions. À pas mesurés, elle recula jusqu'au rebord de la falaise qui se trouvait derrière elle. Une chute s'y écoulait avec fracas à travers les rochers abrupts. Lucurius eut un moment d'hésitation en distinguant le bruit des pierres qui roulaient sous les pieds de la jeune femme. Abbygaelle éprouva un soulagement passager en constatant qu'il s'était immobilisé. Il ne manquait plus que Marcus désormais.

Comme en réponse à ses prières, un grognement sourd retentit dans les fourrés, non loin d'elle. En un instant, Marcus se matérialisa et abandonna sa forme de loup. Apparemment, les membres de la meute n'étaient pas avec lui. Sans doute Lucurius s'était-il présenté avec une escorte. Elle espérait seulement qu'ils ne couraient aucun danger. Consciente qu'elle devait se concentrer sur Lucurius, elle le scruta, à la recherche d'une faille. Pour l'instant, celui-ci semblait plutôt à l'affût du moindre mouvement de la part de Marcus.

— Eh bien, frangin! Quelle heureuse réunion de famille, siffla-t-il avec ironie.

— Le plaisir n'est pas réciproque ! répondit Marcus d'une voix tranchante.

Abbygaelle les détailla à tour de rôle avec attention. Une nouvelle idée prenait naissance dans son esprit, mais cette perspective la répugnait plus que toute autre chose. Lucurius ricana sinistrement en avisant son expression.

— Je crois que cette petite est plus maligne que tu ne le penses, mon cher ! J'imagine que c'est d'ailleurs elle qui a ourdi ce rendez-vous à trois !

— Taisez-vous, Lucurius ! s'écria Abbygaelle en comprenant qu'il cherchait délibérément à provoquer Marcus. Ce n'est pas après lui que vous en avez, mais bien après moi. Sa présence n'est qu'en raison de mon désir vif de demeurer en vie. Je ne suis pas idiote !

— Ça reste à prouver, maugréa Marcus avec froideur à l'endroit d'Abbygaelle.

— Plus d'une fois, tu as eu la chance de répondre à mes questions, mais tu as préféré les ignorer, lâcha-t-elle avec véhémence.

Furieux, Marcus laissa monter un grognement menaçant. Ses prunelles flamboyaient, alors que tout son être vibrait d'une colère à peine contenue.

— Marcus… ne m'en veux pas… l'implora-t-elle alors d'une voix incertaine. J'ai besoin de toi…

— Comme c'est touchant, se moqua aussitôt Lucurius. Ainsi, la belle a amadoué la bête. La ravir sous tes yeux sera d'autant plus distrayant.

Piqué à vif, Marcus s'échauffa. Il semblait même prêt à sauter à la gorge de Lucurius, à se déchaîner.

— Marcus, ne l'écoute pas ! s'écria Abbygaelle, le ventre noué. Tu sais qu'il ne cherche qu'à te provoquer. Il ne peut rien contre moi pour le moment. Je suis assez près de la falaise pour le dissuader de tenter quoi que ce soit. Il ne suffirait que d'un faux pas pour que j'y sois précipitée.

— N'en sois pas si certaine, ma jolie, lâcha le loup-garou avec arrogance.

— Vous êtes rapide Lucurius, mais pas à ce point !

— Ne le sous-estime pas, Abby ! l'avertit aussitôt Marcus.

Dardant un regard perçant vers elle, il s'exhorta au calme. Abbygaelle était plus que jamais vulnérable. De sa maîtrise dépendait sa survie.

— Si tu nous expliquais maintenant la raison de notre présence ici, ma jolie, trancha Lucurius d'un ton ironique, tu nous ferais gagner un temps précieux.

— J'ai un marché à vous proposer.

De plus en plus inquiet, Marcus commença à perdre de son flegme. « Où Abbygaelle veut-elle en venir ? » se demanda-t-il au supplice. Tout aussi surpris que lui, Lucurius croisa les bras sur sa poitrine.

— Parle toujours…

La jeune femme déglutit avec peine. Ce qu'elle s'apprêtait à dire risquait de bouleverser Marcus. Elle le connaissait suffisamment bien désormais pour deviner qu'il n'accepterait jamais un tel sacrifice de sa part, pire, qu'il le prendrait comme une trahison. Le fixant alors de son regard empli d'affliction, elle formula un « pardon » silencieux entre ses lèvres. Le cœur de Marcus rata un battement. Comme dans un nuage, il la vit se tourner vers Lucurius et relever son menton tremblant avec courage.

— J'ai besoin de réponses, et je suis disposée à en payer le prix. Je vous offre un cinquième stigmate en échange d'explications.

— Non! rugit aussitôt Marcus. Abby, tu n'as pas le droit de commettre une telle aberration! Ne fais pas ça…

«Enfer et damnation!» Il ne pouvait le croire. Son sang se glaça dans ses veines alors qu'une peur sourde l'étreignait.

— Éloigne-toi de cette foutue falaise, Abby! Maintenant… tonna-t-il avec une rudesse qui la fit sursauter.

— Non! s'écria-t-elle, déchirée. Je dois savoir…

La bête en lui bataillait pour émerger. Marcus usa d'un effort surhumain pour conserver le peu de sang-froid qui lui restait.

— Dans ce cas, prépare-toi à être dégoûtée, Abby, car il n'y a rien de glorieux dans mon passé…

— J'en prends le risque!

Marcus garda les yeux fixés sur elle, conscient qu'elle jouait dangereusement avec des forces qui la dépassaient, mais aussi avec son cœur.

— Eh bien, ma jolie! Que voilà un marché intéressant, mais qu'est-ce qui me garantit que ce clébard ne profitera pas de l'occasion pour m'attaquer sournoisement? ajouta Lucurius d'une voix suave.

— Moi! S'il ne demeure pas à l'écart, je ferai de sa vie un véritable enfer.

Lucurius éclata d'un rire narquois, tout en se réjouissant de voir Marcus réduit à l'impuissance. Il n'avait pas eu l'intention d'en dévoiler plus qu'il ne le fallait de prime abord, mais il détenait peut-être là un moyen d'atteindre la jeune femme à travers son demi-frère. S'il parvenait à affaiblir le lien qui les unissait, elle serait à sa merci. Il reporta toute son attention sur sa proie en se passant une langue gourmande sur les lèvres.

— Cet arrangement me convient parfaitement. Dis-moi alors comment je peux éclairer ta lanterne, ma chère !

— Abby… grogna Marcus entre ses dents serrées.

Elle ignora son avertissement et demeura concentrée sur Lucurius. Il semblait satisfait de la tournure des évènements. Elle pouvait affirmer sans se tromper qu'il s'en délectait même, ce qui la fit hésiter une fraction de seconde. Toutefois, son désir était plus fort que tout.

— Je veux savoir exactement ce que vous êtes, tous les deux.

— Aussi invraisemblable que cela puisse paraître, mon frangin et moi sommes des métamorphes, mais de deux sous-espèces distinctes.

Abbygaelle tressaillit au mot « frangin » et fronça les sourcils. Sa moue dubitative n'échappa pas à l'œil avisé de Lucurius.

— En effet, ma chère ! lâcha-t-il en réponse à son interrogation muette. Nous sommes frères de sang. En réalité, nous avons la même mère, enfin la même louve génitrice, quoique nous soyons de pères différents, à mon plus grand soulagement.

Une expression de répulsion se peignit sur le visage d'Abbygaelle. De son côté, Marcus avait contracté la mâchoire et serré les poings.

— Assez inusité, n'est-ce pas ? Imagine, un homme s'accouplant avec une louve pendant un rituel présidé par des druides. Une fornication bestiale, contre nature, qui serait sacrée afin d'honorer la déesse-mère…

— Oh ! Mon Dieu… souffla Abbygaelle.

— Ça suffit, Lucurius ! cracha Marcus.

— Oh non, mon cher frère! La fille m'a questionné et a passé un marché avec moi. J'ai l'intention de l'honorer.

Abbygaelle doutait de pouvoir en supporter davantage. Elle avait suspecté certaines choses, mais pas une telle aberration. Un haut-le-cœur la secoua devant les images perverses qui prenaient forme dans son esprit. Ne lui laissant aucun répit, Lucurius reprit de plus belle.

— Il te faut savoir que cet avènement a eu lieu il y a fort longtemps déjà. Pour être plus précis, au début de la naissance de l'Empire romain, au cœur de la civilisation celte. Marcus et moi avons été conçus lors du premier rite, poursuivit-il impitoyablement. Lui sous la direction des druides, moi, clandestinement. Vois-tu, ma chère, les hommes choisis pour cette cérémonie étaient sélectionnés avec soin. Uniquement les plus valeureux guerriers, les plus nobles ont eu droit à cet honneur. Mon géniteur a été refusé à cause de la noirceur de son âme. Frustré, il a donc assisté en cachette à cette orgie bestiale, puis a attendu que la louve se retrouve seule. Ce moment est arrivé peu avant l'aube. Encore sous les effets du charme, la pauvre bête n'a offert aucune résistance. Mon père l'a montée avec une fureur démentielle, la contaminant de sa semence.

La jeune femme devint d'une blancheur mortelle. Une main plaquée sur la bouche, elle retint de justesse un cri d'horreur. Submergée par une panique irraisonnée, elle les regarda tour à tour. Son expression atteignit Marcus en plein cœur. Elle semblait sur le point de perdre toute contenance. Il devait mettre un terme à tout ceci avant que les choses ne dégénèrent davantage.

— Abby, ne va pas plus loin.

Des yeux inondés de larmes se posèrent sur lui. Le sang reflua peu à peu dans le visage d'Abbygaelle. Un instant, il crut qu'elle allait obtempérer, mais contre toute attente, elle se détourna de lui en secouant faiblement la tête. Lucurius éclata d'un rire sardonique et poursuivit.

— Lorsque la louve a mis bas, elle a accouché de deux garçons humains. Heureux du résultat, les druides ont renouvelé l'expérience afin de former une lignée d'êtres exceptionnels. Nous avons tous grandi ensemble, reçu un enseignement similaire. Toutefois, il est devenu évident aux yeux des prêtres que certains d'entre nous étaient plus sauvages, faisant même preuve d'une cruauté malfaisante envers leurs semblables. Après un consensus, ils ont décidé d'éliminer tous ceux qu'ils considéraient comme impurs. Ayant eu vent de ce complot, je me suis enfui avec quelques-uns de mes congénères.

Incapable de demeurer plus longtemps debout, Abbygaelle tomba à genoux, le corps plié en deux. En appui sur ses deux bras, elle tenta de retrouver son sang-froid. Profitant de cette ouverture, Marcus fit un pas dans sa direction. Abbygaelle releva aussitôt la tête. Son dégoût apparent le figea sur place. Il était prêt à supporter beaucoup de choses, mais pas ça. Le fiel que répandait Lucurius dans son esprit envahissait tout son être, tel un poison vicieux. Contractant la mâchoire, il s'enveloppa d'une fureur glaciale. Alertée par le changement qui se produisait chez Marcus, Abbygaelle prit soudainement conscience d'avoir fait émerger quelque chose de sombre en lui. Nullement rassurée, elle sentit son poil se hérisser. Était-elle donc la seule à percevoir la menace sous-jacente? De toute évidence oui, car Lucurius n'avait même pas bronché.

— Quels sont… vos pouvoirs ? parvint-elle à demander au prix d'un effort considérable, sans toutefois quitter Marcus des yeux.

— Je dois avouer que la nature n'a pas été aussi généreuse à mon égard qu'à celui de mon cher demi-frère. Je ne peux prendre que la forme d'un loup-garou, ce qui me comble amplement. Je n'ai que faire des autres animaux. De plus, j'ai une prédilection pour la chair tendre et délicieuse des jeunes femmes. J'adore d'ailleurs les chevaucher avec vigueur avant de m'en délecter. En ce qui te concerne, ma jolie, j'ignore encore si je me ferai un festin avec ton corps exquis ou si je ferai de toi ma compagne attitrée.

— N'y pense même pas, Lucurius, rugit alors Marcus. Tu devras d'abord m'affronter avant de pouvoir t'en emparer, l'avertit-il froidement.

— Tu m'en diras tant, frangin ! Cette petite est imprévisible, tu ne peux pas la dominer, s'exclama Lucurius avec un rire mauvais.

— J'en fais mon affaire !

Abbygaelle ne put s'empêcher d'éprouver un frisson d'appréhension sous cette menace à peine voilée.

— Dans ce cas, la partie n'en sera que plus intéressante, lâcha Lucurius. J'adore les défis, et tu es un adversaire de taille. Je prendrai plaisir à te briser sous ses yeux.

Sachant pertinemment que Lucurius ne le provoquait que dans le but de lui faire perdre sa maîtrise, Marcus s'astreignit au calme. Il était tout à fait conscient qu'Abbygaelle l'entrevoyait désormais sous son vrai jour. Il parvenait toujours à mystifier Lucurius, mais pas elle. Ses pupilles dilatées par la peur et rivées à lui en étaient un bon indicateur.

— Abby ! aboya-t-il avec force. Est-ce terminé ?

La jeune femme réagit d'instinct, se tassant sur elle-même. Son attitude étrange intrigua le loup-garou. Comprenant alors qu'elle était sur le point de lui échapper, il s'empressa de l'appâter de nouveau.

— Sais-tu pourquoi il est si prudent avec toi, ma jolie ? Il y a une raison viscérale à son hésitation. Il ne veut pas souffrir à nouveau…

— Agniela… lâcha Abbygaelle bien malgré elle.

— Tiens donc… s'exclama Lucurius avec stupeur en dardant un regard torve en direction de Marcus.

Le plus surprenant, c'était que son frère semblait tout aussi stupéfait que lui. Il était même au bord de l'explosion.

— Ainsi, tu connais l'existence d'Agniela. Étonnant… Savais-tu en revanche que ç'a été un point marquant dans la vie de ton protecteur, ma chère ? En réalité, il a presque failli basculer dans les ténèbres à une certaine époque, car après la mise à mort de son épouse, il a été habité d'une rage démentielle. Le pauvre s'était perdu dans sa douleur. Il ne parvenait plus à refaire surface. Il était enfin à ma portée, mais il a fallu que ses deux chiens de garde interviennent. Maximien et Florien l'ont veillé sans relâche, jour et nuit, afin de le ramener sur le droit chemin. Depuis, il évite toute implication étroite avec les femelles, toutes espèces confondues.

— Abby ! cria Marcus. C'est assez…

Prisonnière d'une torpeur morbide, elle demeurait figée sur place, beaucoup trop près du précipice pour la tranquillité d'esprit de Marcus. De son côté, Lucurius exultait. Les évènements glissaient de nouveau entre les mains de Marcus ; c'était parfait ainsi. Si cette jeune écervelée avait cru pouvoir mener la danse, elle s'était lourdement trompée.

Déterminé à donner le coup de grâce, il continua de plus belle.

— Vois-tu, ma chère, durant cette période sombre de sa vie, Marcus a non seulement adopté l'apparence d'un loup, mais aussi sa nature véritable. T'es-tu jamais demandé pourquoi il arborait cette cicatrice sur le visage ?

Abbygaelle se sentait incapable de répondre. Elle savait que ce stigmate sur la tempe gauche de Marcus revêtait une importance capitale, mais jamais elle n'aurait pu s'imaginer en revanche qu'il ait un lien avec les ténèbres. Ne désirant pas en rester là, Lucurius poursuivit :

— J'en déduis par ton silence que mon cher demi-frère s'est bien abstenu de t'en expliquer la provenance. En fait, il abhorre cette marque imprimée au fer rouge sur sa peau. C'est un rappel constant du châtiment qui lui a été infligé… Tout ça parce qu'il s'est repu de chair humaine, lâcha-t-il d'un ton sardonique. Dommage qu'il ait perdu l'éclat rougeoyant de ses yeux en chemin, ça lui allait si bien… railla-t-il dans un rictus sinistre.

Incapable d'en supporter davantage, Abbygaelle ploya la tête sous l'accablement. Ses cheveux formaient un écran protecteur autour de son visage, la soustrayant à la vue de Marcus. Le lien qui les reliait se rompit d'un coup. La rage au cœur, celui-ci s'emporta.

— Abby ! Regarde-moi ! Regarde-moi, nom de Dieu ! l'enjoignit-il avec rudesse. Il est vrai que mon âme a été corrompue, mais pas au point de ne pouvoir faire marche arrière. Abby…

Un frisson la parcourut tout entière en entendant son appel vibrant. Si elle avait pu verser des larmes de sang, elle l'aurait fait. Ses épaules secouées par des sanglots exaspérèrent davantage Marcus. Il était plus que conscient qu'il garderait à tout jamais des séquelles ; voilà pourquoi la bête luttait si férocement en lui, pourquoi il était en mesure d'adopter l'apparence d'une créature sanguinaire à mi-chemin entre l'homme et l'animal. On ne frôlait pas les ténèbres aussi impunément sans en rester marqué pour l'éternité. Son existence était un combat de tous les jours, la présence de la jeune femme, une tentation infernale. C'était une bataille acharnée, mais il n'en avait cure. Seul l'amour d'Abbygaelle importait, et il était prêt à souffrir mille morts pour elle.

— Abby ! Je sais que rien ne pourra jamais absoudre les atrocités que j'ai commises, mais je me suis amendé. Cette histoire s'est déroulée il y a plusieurs siècles de ça. J'ai changé depuis...

Abbygaelle releva les yeux dans sa direction. Une telle confusion se peignait sur son visage que cela faisait peine à voir. S'adoucissant, il desserra les poings. La dureté qui avait fusé de tout son être s'estompa. Tout en secouant la tête, Abbygaelle s'efforça de retrouver le fil de ses pensées. Elle ignorait si elle aurait la force d'en encaisser davantage. Il lui restait toutefois un point à éclaircir, et elle se devait d'aller jusqu'au bout de cet interrogatoire des plus éprouvants.

— Abby, ne va pas plus loin ! s'exclama Marcus d'une voix tendue en comprenant avec effroi ses intentions.

— Je dois savoir !

— Bon sang, Abby ! s'écria-t-il. Pas comme ça ! Donne-moi au moins la possibilité de tout t'expliquer au moment opportun.

Résolue, elle se tourna vers Lucurius. Elle ne devait pas se laisser détourner de son objectif. Le cri de désespoir de Marcus la fit tressaillir. Une boule se forma dans sa gorge.

— Pourquoi vous acharnez-vous sur moi ? Qu'ai-je donc de si spécial ? demanda-t-elle dans un croassement rauque.

— Non… hurla Marcus en s'élançant vers elle.

Instinctivement, Abbygaelle recula. Son équilibre maintenant précaire freina abruptement Marcus dans son élan.

— Si tu fais un pas de plus, je saute, le menaça-t-elle, à bout de nerfs. Lucurius, s'écria-t-elle. Pourquoi ?

— Tu es la clé qui ouvrira le passage entre notre dimension et celle des démons, répondit-il avec exaltation. L'une des rares à voir le jour depuis mille ans. À travers toi, tout ce qu'il y a de plus vil dans l'Autre monde rejoindra nos rangs. Avec ces anges déchus, je pourrai enfin soumettre l'humanité. Nous reprendrons ce qui nous revient de droit. Nous entrerons dans une ère nouvelle.

Abbygaelle demeura interdite. Les derniers évènements se bousculaient dans sa tête. Les visions, les esprits, toutes ces abjections étaient interreliées. Comprenant alors que toute cette horreur n'était en fait qu'un prélude à ce qui allait advenir, elle se sentit poussée dans un vide sans fond. Le regard douloureux qu'elle tourna vers Marcus le poignarda aussi sûrement qu'une dague en plein cœur.

— Abby, reste avec moi ! la supplia-t-il en remarquant qu'elle lorgnait du côté de la chute. Abby, il y a une autre issue !

Ne sachant que penser, elle hésita. Craignant que son âme ne soit corrompue par les ténèbres, elle eut l'impression que tout son sang se retirait de ses veines.

— Marcus... murmura-t-elle d'une voix étouffée. Suis-je un être déchu ?

— Non, Abby ! Je ne l'ai jamais pensé !

— Pardonne-moi... s'étrangla-t-elle en se relevant et en faisant un pas en direction de Lucurius.

L'heure de payer sa dette avait sonné. D'une main tremblante, elle défit le cordon de son pantalon, puis le laissa glisser le long de ses jambes. À contrecœur, elle enjamba le tissu, ses yeux brillants de larmes.

Lucurius savourait sa frayeur. Dommage qu'il n'ait pas la possibilité de s'amuser un peu avec elle. De toute façon, ce n'était que partie remise. En remarquant la lueur lubrique qui irradiait dans les prunelles de son demi-frère, Marcus sortit de ses gonds.

— Je te conseille, Lucurius, d'accomplir promptement ce pour quoi tu es venu, siffla-t-il rageusement entre ses dents.

— Tout le plaisir sera pour moi, frangin !

Abbygaelle le vit s'approcher d'elle d'une démarche assurée. Tout comme les autres fois, il dégaina une dague affûtée. Elle tourna son regard apeuré vers Marcus. Il avait sous-estimé sa volonté, mais il ne commettrait plus la même erreur. Par sa faute, elle s'était mise délibérément en danger.

— Abby, je suis là ! Courage... tout sera terminé sous peu, souffla-t-il avec ferveur.

Le cri déchirant de douleur d'Abbygaelle perça les profondeurs de la nuit. Puis, la suite des évènements se déroula rapidement. Pour échapper à la fureur de Marcus, Lucurius se devait de créer une diversion. À peine venait-il de marquer Abbygaelle que déjà il la faisait basculer dans le vide d'une poussée énergique. Il savait que Marcus s'était suffisamment rapproché de la jeune femme pour lui venir en aide. Tel qu'il l'avait prévu, Marcus s'élança vers la falaise, la rattrapant de justesse par un poignet.

L'affolement de Marcus fut à son comble en voyant Abbygaelle disparaître. Maintenant qu'il la retenait par un bras, il tremblait de toute part. Alors qu'elle contemplait le gouffre sous ses pieds, la panique la gagna. Elle chercha à prendre appui sur les rochers escarpés, ne parvenant qu'à meurtrir sa peau sur le roc tranchant.

— Abby ! cria Marcus avec force. Je te tiens ! Je n'ai pas l'intention de te lâcher, alors, calme-toi. Surtout, ne me quitte pas des yeux.

Elle riva son regard au sien dans une supplique muette. Il afficha une assurance tranquille qui l'apaisa d'emblée.

Il l'extirpa de sa position précaire avec douceur. D'instinct, elle se blottit contre lui, le corps secoué par de profonds sanglots. Soulagé, il l'étreignit avec énergie, ne cachant rien de la peur qu'il avait ressentie à l'idée de la perdre. Il devait rapidement la ramener en lieu sûr, l'éloigner de cet endroit maudit.

À son réveil, Abbygaelle éprouva un grand vide en découvrant qu'elle était seule. La présence rassurante de Marcus lui manquait. Elle était demeurée agrippée à lui toute la nuit, emmurée dans un mutisme complet. Marcus s'était contenté de la tenir dans ses bras, sans émettre le moindre commentaire. Elle craignait toutefois qu'il en soit tout autrement ce matin. Plus que tout, c'était sa colère, voir sa condamnation, qu'elle redoutait. Il ne servait à rien cependant de différer plus longtemps cette rencontre. S'armant de courage, elle descendit. Le restaurant était désert étant donné l'heure tardive. Elle ressentit un étrange malaise, ne sachant quelle attitude adopter, surtout que la tenancière de l'endroit la scrutait avec compassion. Sans nul doute le groupe la désavouait-il désormais pour sa conduite. Ce constat la blessa plus qu'elle ne l'aurait imaginé. Pour un peu, elle en aurait même pleuré de désespoir.

— Rien ne sert de forcer les évènements ! Les différends se résorbent souvent d'eux-mêmes, lui dit la propriétaire des lieux avec gentillesse en la desservant.

Surprise, Abbygaelle releva la tête, le regard empli de tristesse. Que n'aurait-elle pas donné pour y croire ?

Ce fut dans un état d'esprit des plus confus qu'elle se dirigea vers la sortie. Elle sursauta en apercevant Marcus. Elle se rendit compte alors qu'elle n'était pas prête à l'affronter, surtout qu'il semblait furieux. Le dos appuyé contre la portière de sa Mazda, il la fixait d'une expression inquisitrice, les bras et les jambes croisées dans une attitude fermée. Bouleversée par cet accueil glacial, elle flancha. Ses nerfs avaient été mis à trop rude épreuve ces derniers jours. C'était plus qu'elle ne pouvait en supporter. Quelque chose en elle céda, et son avenir lui apparut soudain invivable. Elle n'avait que faire de la vie en définitive, si c'était pour terminer entre les griffes de Lucurius. Après tout, sa disparition aurait au moins l'avantage de préserver l'humanité de l'enfer. Entraînée par une impulsion dévastatrice, elle s'engouffra dans la voiture de son père et démarra en trombe, faisant riper les pneus sur le gravier.

Marcus lâcha un juron et s'empressa de la prendre en chasse avec sa Mazda. Abbygaelle s'engagea dans les courbes à une vitesse telle que la Volkswagen dérapa plus d'une fois sur l'accotement, manquant de peu d'être projetée dans le vide. Elle mena ce train d'enfer jusqu'à la grève, risquant à tout instant d'être emboutie par les camions qui circulaient en sens inverse.

Marcus se perdait en conjectures. «Qu'est-ce qui se passe?» se demanda-t-il, la peur au ventre. Lorsqu'elle freina brusquement, il évita de justesse de la percuter de plein fouet. Il ne dut leur sauvegarde qu'à la rapidité de ses réflexes. Quand il se gara à la hauteur de la Volkswagen, Abbygaelle avait déjà disparu, laissant la portière grande ouverte et le moteur en marche.

Elle courait à perdre haleine vers le large, glissant sur les pierres humides. Marcus la rattrapa alors qu'elle atteignait la mer houleuse. Il l'arrêta net dans son élan en l'empoignant par le coude, et la retourna d'un mouvement raide. Sa colère retomba d'un coup en avisant son visage ravagé par le chagrin. Son regard si limpide en temps normal était noyé de larmes, reflétant un désespoir infini. Submergé par des émotions contradictoires, il l'attira dans ses bras, l'étreignant avec rudesse. Elle était si inerte qu'il craignit le pire un bref instant. Avec fermeté, il releva son menton. Son teint était livide.

— Nom de Dieu! Qu'est-ce qui t'arrive? s'alarma-t-il.

Elle semblait s'être retranchée dans un recoin secret de son esprit, là où la douleur n'avait plus d'emprise. Elle lui faisait penser à une poupée cassée.

— Abby, je t'en prie, ressaisis-toi! Tu ne dois pas flancher maintenant… Bats-toi! dit-il avec force en enserrant son visage entre ses mains.

— C'est inutile, murmura-t-elle avec fatalité. Il n'y a aucune issue possible!

— C'est faux! Je te protégerai de Lucurius…

— Et qui me préservera des sentiments violents que j'éprouve envers toi ? Comment envisager l'avenir…

Incapable de poursuivre, sa voix se fêla. Marcus darda un regard accablé sur elle. Il se perdait en conjectures.

— Qu'attends-tu de moi exactement ? Je suis ce que je suis… Pour ce qui est de mes origines, elles sont tout autant les tiennes, que tu le veuilles ou non. Est-ce que ça fait de nous des créatures diaboliques ? Je ne le crois pas. C'est nous-mêmes qui déterminons ce que nous faisons de nos vies. Personne d'autre…

L'empoignant par la nuque, il l'obligea à relever la tête. Il la détailla longuement, cherchant à lire au plus profond de son être. Elle était terrorisée, mais ce n'était pas de lui qu'elle se défiait : c'était d'elle-même.

— Je t'aime, Abby ! Je suis prêt à tout risquer pour toi ! Toutefois, ça ne servira à rien si tu persistes à nier ton ascendance. Tu n'es pas plus humaine que je ne le suis, mais tu n'es pas un monstre…

Abbygaelle vacilla sous ce flot de paroles. Était-ce aussi simple qu'il le prétendait ? Il semblait si sûr de lui. Il avait dit l'aimer, ce qui l'emplissait d'un bonheur inespéré. Elle était également certaine de son amour pour lui. Depuis plusieurs jours déjà, il ne cessait de lui fournir des preuves de sa noblesse d'âme. Que pouvait-elle demander de plus en définitive ? Rien… C'était à elle dorénavant d'accepter les faits pour ce qu'ils étaient. Elle ne devait plus se voiler le visage. Déterminée à tirer définitivement un trait sur ses craintes, elle se hissa sur la pointe des pieds, puis l'embrassa avec fougue. En se pressant contre lui, elle enfouit ses doigts dans sa crinière épaisse. Marcus goûta avec plaisir à ce tourbillon d'émotions qu'il croyait ne plus jamais connaître.

Avec une lenteur démesurée, il descendit ses mains le long de son dos. Animé par une faim impétueuse, il approfondit leur baiser. Fébrile, Abbygaelle chercha le contact de sa peau sous son chandail, ce qui échauffa son sang dans ses veines. Inconsciemment, elle le griffa aux épaules. Marcus haletait, bataillant avec la bête qui se déchaînait dans ses entrailles. Il la voulait. Il la désirait à un point tel que c'en était douloureux. Il devait lâcher la bride. En l'allongeant sur le sol rocailleux, il releva son chemisier afin d'avoir accès à chaque parcelle de sa peau soyeuse. Pour sa part, Abbygaelle souhaitait le toucher, le sentir vibrer en elle. Puisant dans ses dernières volontés, Marcus emprisonna ses mains. Le regard fiévreux qu'il leva vers elle laissait tout transparaître du combat qu'il se livrait.

— Abby… dit-il d'une voix enrouée. Il faut arrêter… Je ne pourrai plus me contenir encore longtemps.

Le souffle court, elle l'embrassa avec audace avant de quitter ses lèvres à regret.

— Alors, ne te retiens pas…

Marcus demeura interdit, puis un cri de victoire résonna dans tout son être.

— Es-tu certaine, Abby ? demanda-t-il au prix d'un immense effort.

— Oui, murmura-t-elle contre son oreille avant de le mordre dans le cou.

Une décharge électrique le secoua. Au même moment, ses prunelles s'embrasèrent. D'un bond vif, il se releva et se départit de son chandail. Il perçut le changement qui se produisit dans l'air à l'instant même où une première balle transperçait son épaule. L'esprit trop enflammé par le désir, il avait abaissé sa garde. Il chancela sous la force de l'impact. Abbygaelle poussa un hurlement d'effroi à la vue du sang qui s'écoulait de sa blessure. Une deuxième détonation retentit, atteignant une nouvelle fois Marcus. Une douleur déchirante lui fit fléchir les genoux. Émergeant de sa torpeur, Abbygaelle se redressa et se plaça entre lui et les sbires que Lucurius avait envoyés à ses trousses.

— Non! cria-t-elle, les larmes aux yeux.

Un troisième coup de feu percuta contre les rochers. Un sifflement aigu résonna à ses oreilles. Au moment où une nouvelle balle touchait Marcus, une fléchette se ficha dans le cou de la jeune femme. L'instant suivant, elle s'écroula, la vision embrouillée. La dernière image qu'elle vit avant de s'évanouir fut celle de Marcus qui gisait sur le flanc, immobile dans une mare de sang.

Lorsqu'elle retrouva ses esprits, Abbygaelle fut prise de panique en constatant que ses poignets étaient ligotés. Elle était coincée entre deux brutes de stature imposante sur la banquette arrière d'une voiture, pendant qu'un troisième individu conduisait. Malgré leur apparence humaine, Abbygaelle ne fut pas rassurée pour autant. Avec un rire gras, l'un d'eux entoura ses épaules, se permettant même de pincer un de ses seins avec méchanceté. Elle cria de douleur. Alors qu'elle tentait de s'esquiver, le scélérat se pencha vers elle pour l'embrasser goulûment. Elle se débattit avec énergie, mais le deuxième malotru la contra aisément. Incapable de se soustraire à son emprise, elle le mordit sauvagement à la lèvre. L'homme réagit en la giflant avec violence. Croyant à tort qu'elle lui serait désormais soumise, il glissa une main crasseuse dans son pantalon, à la recherche de sa féminité. Abbygaelle lui cracha au visage. Le second coup qu'elle reçut la sonna.

Soudain, une voix puissante s'insinua dans sa tête, l'obligeant à refaire surface. *Abby!* mugit de nouveau la voix en elle. *Tu dois combattre!* Elle tressaillit en reconnaissant l'intonation chaude de Marcus. Son sang ne fit qu'un tour dans ses veines. Il était vivant!

La voiture s'enfonça dans un chemin privé à l'écart de l'autoroute. Le cœur d'Abbygaelle s'emballa lorsqu'ils s'arrêtèrent. Avec rudesse, les sbires la sortirent du véhicule. Perdant l'équilibre, elle s'affala de tout son long sur le sol. L'un des hommes en profita pour fondre sur elle et déchira son chemisier. Au même moment, un cri de fureur l'ébranla au plus profond de son être. *Bon sang, Abby, réagis! Ne les laisse pas s'en prendre à toi!* rugit Marcus. *Puise à même le lien qui nous unit pour réveiller ton instinct primitif. Tu dois te libérer de leurs griffes! Tu peux le faire! Abby...* Sans réfléchir, elle se laissa guider par lui, s'ouvrant entièrement à la puissance dévastatrice qui l'envahissait. Elle sentait une force brute tapie tout au fond d'elle, quelque chose de redoutable. Marcus venait irrémédiablement d'éveiller la partie animale qui l'habitait.

Une rage sourde prit possession d'elle, en écho à celle de Marcus. D'une poussée brutale, elle se dégagea, brisa les liens qui enserraient ses poignets, puis bondit sur le premier homme à sa portée avec une violence surnaturelle. Elle lui sectionna la nuque d'une simple torsion du cou. Galvanisée, elle sauta sur le second. Des hurlements d'épouvantes retentirent dans le sous-bois... le silence se fit, puis ce fut le noir total dans son esprit.

Lorsqu'Abbygaelle reprit contact avec la réalité, la conscience de Marcus l'avait désertée. La bouche sèche, elle tenta de déglutir, mais une odeur âcre envahit sa gorge. Elle chercha à éclaircir ses idées tout en jetant un bref coup d'œil sur les alentours. Elle était endolorie, comme si elle avait été rouée de coups. Une vérité amère fit son chemin à travers la brume qui l'engourdissait. Elle n'était pas seule dans la forêt. Des corps ensanglantés gisaient à ses côtés dans des postures grotesques. Prise de nausée, elle se plia en deux. Relevant ses mains à la hauteur de ses yeux, elle constata avec effarement que ses ongles étaient cassés et souillés de sang. Elle eut alors l'impression de sombrer dans un gouffre. Le cœur en déroute, elle s'enfuit en courant à l'aveuglette.

Ses pas la menèrent sur une plage. Le vent fouettait son visage brûlant, mais elle n'en avait cure. Elle était déboussolée et tremblante. La sauvagerie avec laquelle elle avait massacré ces hommes l'horrifiait. Elle n'aurait jamais cru qu'une telle folie meurtrière couvait en elle. Elle comprenait mieux maintenant le combat que devait se livrer constamment Marcus. Une chose était certaine : il n'y avait plus de retour possible pour elle dorénavant.

Les hommes de Lucurius l'avaient retrouvée, puis capturée. Marcus avait été touché, et elle ignorait la gravité de ses blessures. Que devait-elle faire dans ces conditions ? Elle était à des kilomètres de la meute, sans argent, aux abords de Trois-Pistoles. Elle ne pouvait compter que sur elle-même en attendant les autres.

Soudain, un brouillard anormal l'enveloppa. Une musique apaisante s'en échappait. Piégée par l'envoûtement de la mélodie, Abbygaelle se laissa transporter, abandonnant toute réserve.

Une créature mystérieuse, aux yeux aussi verts que l'herbe fraîche après une ondée, s'avança vers elle. Sa peau brunie par le soleil et ses cheveux noirs comme l'ébène avaient une apparence presque irréelle. Elle virevoltait avec légèreté, répandant un parfum entêtant sur son passage. Son expression était emplie de douceur. Elle était comme une lumière bienfaitrice au milieu des ténèbres qui l'entouraient. Sa robe d'un blanc pur gonflait sous la brise du large, alors que ses mains délicates enserraient un bouquet de fleurs sauvages aux teintes multicolores. Elle lui offrit sa gerbe, un sourire enjôleur sur les lèvres. Quand elle tendit le bras, Abbygaelle ne fut pas en mesure de le bouger, car celui-ci refusait de lui obéir.

À près de cinquante kilomètres de là, Marcus tressauta en décelant le danger qui menaçait sa compagne. Une présence maléfique se préparait à l'attaquer.

— Non... hurla-t-il en appuyant sur l'accélérateur de la Mazda.

En percevant l'affolement de Marcus, une peur sourde envahit Abbygaelle à son tour. Au prix d'un effort considérable, elle parvint à reculer de quelques pas. La dame aux glaïeuls s'assombrit, révélant alors son véritable visage de harpie. Un rictus grossier déformait maintenant ses traits malveillants, dévoilant au grand jour sa vraie nature, ainsi que ses intentions réelles. La créature bondit sur Abbygaelle avec une rapidité effarante, cherchant à l'étrangler. Libérée soudainement de son emprise grâce aux pouvoirs de Marcus, elle s'élança vers la route. Parvenue en bordure du chemin, elle reprit son souffle et jeta un regard terrorisé en direction de la grève. Son cœur cognait douloureusement contre sa poitrine, et ses jambes menaçaient de se dérober sous elle. Lentement, elle secoua la tête. Elle pressentait que Marcus n'était plus très loin, mais son instinct lui disait cependant qu'il arriverait trop tard. Elle était perdue. Elle le ressentait dans chacune des fibres de son être, comme une fatalité. Le soleil avait disparu. Plus rien n'empêchait Lucurius de l'atteindre désormais.

Percevant une présence malsaine dans son dos, elle fit volte-face. Elle n'éprouva aucune surprise en reconnaissant son bourreau. Celui-ci s'approcha d'elle, plus arrogant que jamais.

— L'heure est maintenant venue, ma jolie.

Avant même qu'elle ne puisse riposter, l'un des sbires de Lucurius l'assomma traîtreusement par-derrière. Une douleur fulgurante se propagea dans sa tête, puis les ténèbres l'engloutirent.

Marcus devina bien avant d'avoir gagné la grève qu'Abbygaelle ne s'y trouvait plus. Pire encore, l'odeur de son demi-frère flottait dans l'air, le narguant, comme un rappel cuisant de son échec. Sous la fureur, il lacéra le tronc d'un arbre avec ses griffes en rugissant comme un damné.

CHAPITRE VII

Quand le destin reprend ses droits

Des liens solides maintenaient Abbygaelle prisonnière sur un autel de pierre. Paniquée, elle se débattit avec l'énergie du désespoir, sans égard pour les blessures qu'elle s'infligeait. À chaque mouvement brusque, la corde de chanvre mordait davantage ses poignets et ses chevilles. Elle s'épuisait inutilement, mais tout son être refusait d'abdiquer. Sa poitrine se soulevait précipitamment sous l'effort fourni, son corps s'arquait à l'extrême limite du supportable. Un gémissement d'impuissance franchit ses lèvres lorsqu'elle retomba sur la roche froide et rugueuse. Crispée, elle ballotta la tête de gauche à droite, dans une vaine tentative pour percer la nuit. Rien ne lui était familier dans ce décor cauchemardesque. Une forêt dense l'entourait, accentuant la sensation d'étouffement qui la gagnait. En avisant le pentagramme inversé dessiné sur le sol brûlé à la lueur des chandelles, elle cria sa terreur. Une forme floue se mouvait dans l'ombre, spectre hideux sorti tout droit de l'enfer. La créature disposa avec révérence différents éléments sur une table recouverte d'un drap noir. Le cœur en déroute, Abbygaelle chercha à distinguer les objets en question.

Lorsque son regard capta le reflet sinistre d'une lame, elle tira de nouveau sur ses lanières.

Ce fut à ce moment précis qu'apparut Lucurius, une expression vicieuse sur le visage. D'une main ferme, il saisit une coupe d'or incrustée de pierre. Il obligea la jeune femme à avaler le liquide visqueux qu'elle contenait. Un froid glacial l'envahit, transperçant son âme de mille morceaux de verre.

— Tu es à ma merci dorénavant. Que croyais-tu donc ? Tu n'avais aucune chance de m'échapper.

Lucurius ramena la coupe au-dessus d'Abbygaelle, une étincelle mauvaise dans les yeux.

— Tu viens d'ingurgiter une décoction de mandragore de mon cru. Grâce à ses propriétés, le lien qui t'unit à ton protecteur sera rompu. Tu seras propulsée dans le monde des esprits afin d'y créer une brèche. Nous compléterons le rituel à ton retour pour que les démons puissent enfin être libérés dans notre univers. J'en profiterai alors pour te faire mienne.

Les muscles d'Abbygaelle se raidirent, sa raison bascula, puis elle fut aspirée dans un gouffre sans fond.

Elle tenta de percer les ténèbres qui l'enveloppaient, sans y parvenir. Terrorisée, elle murmura le nom de Marcus dans une supplique, mais seul un silence lugubre lui répondit. Plus aucune chaleur ne l'habitait. Resserrant ses bras autour de son corps frigorifié, elle tourna sur elle-même en grelottant. Venue de nulle part, une femme décharnée s'avança vers elle. Sans un mot, celle-ci la força à saisir le chandelier qu'elle lui tendait, puis disparut. La lumière diffuse de la bougie arrivait à peine à déchirer le voile obscur de la nuit. Des visions cauchemardesques cherchaient à s'imposer dans son esprit. Incapable de les refouler, Abbygaelle chancela. Ce fut alors qu'apparut la dépouille d'un homme. Celui-ci se balançait au bout d'une corde, au croisement de deux chemins. Elle détourna la tête avec répulsion. Simultanément, une forme floue entourée d'une aura sombre émergea d'un banc de brume. Abbygaelle sut d'instinct qu'il s'agissait d'une sorcière, d'un être maléfique. De sa démarche surnaturelle, la femme s'approcha du pendu et coupa la main droite du pauvre malheureux sans aucune hésitation. Elle l'inséra ensuite dans un bocal empli d'une solution verdâtre à l'odeur répugnante. Abbygaelle recula en vacillant.

Sans lui accorder le moindre répit, des scènes diaboliques envahirent de nouveau son esprit. Elle vit la sorcière faire sécher cette même main au soleil, puis la modeler une fois momifiée pour s'en servir plus tard comme support. Elle confectionna en second lieu une bougie à partir du sang et de la graisse du supplicié. Le tout fut mélangé à de la cire, ainsi qu'à du crottin de cheval. Quant à la tige, elle la tressa avec les cheveux du criminel. En se rendant compte que c'était la réplique exacte de ce qu'elle tenait entre ses doigts, l'estomac d'Abbygaelle se souleva. Elle projeta le chandelier au loin dans un cri d'effroi, la plongeant derechef dans les ténèbres.

Ce fut à cet instant qu'un hurlement retentit à quelques pas d'elle, lui arrachant un frisson glacé. Elle sentait de nouveau une présence, mais elle n'arrivait pas à la distinguer. Soudain, une faible lueur jaillit devant elle. Par réflexe, elle se dirigea vers elle. En trois foulées, elle se retrouva sur une lande de plage, lors d'une nuit de pleine lune. Que faisait-elle en ces lieux ? En réponse à sa question, un Amérindien se matérialisa tout à coup sur la grève. Il courut vers elle en agitant les mains avec frénésie et ne cessait de vociférer le mot «Outikou». À l'évidence, il cherchait à l'avertir d'un danger imminent. Paralysée par la peur, elle darda un regard incertain derrière lui. Ce fut alors qu'apparut une créature effroyable, un ogre hideux qui se déplaçait avec rapidité malgré qu'il prenait appui sur un tronc d'arbre démesuré. Arrivée près de l'Amérindien, il lâcha un cri assourdissant. En réponse, le sauvage s'effondra sur le sable, inconscient. L'ogre en profita pour s'emparer de l'homme et l'avala d'une seule bouchée. Sur le point de tourner de l'œil, Abbygaelle inspira par à-coups, attirant par le fait même l'attention du monstre sur elle. Terrorisée, elle prit la fuite à son tour.

Ce fut à bout de souffle qu'elle déboucha dans une caverne où trônait une immense pierre opaque. Contre toute attente, des hurlements d'outre-tombe s'en échappaient. Cette chose était imprégnée d'une telle force maléfique qu'elle avait peine à demeurer à ses côtés sans défaillir. Probablement la roche servait-elle de lien entre les deux mondes, car la voix de Lucurius lui parvint de l'Au-delà, lui enjoignant d'entrer en contact avec la surface lisse. Sa vision se troubla et un frisson glacial remonta le long de sa colonne vertébrale. Au prix d'un effort considérable, elle s'éloigna de l'objet du diable. Lucurius perçut sa rebuffade comme un défi. Il la ramena aussitôt auprès de lui.

Lorsqu'elle émergea des profondeurs de la nuit, une douleur lancinante à sa jambe gauche lui arracha un gémissement rauque. Elle constata avec désespoir que le pentagramme était désormais complété sur sa cuisse. L'étoile inversée à cinq branches apparaissait clairement à la lueur de la lune. Perdant toute maîtrise d'elle-même, elle cria le nom de Marcus à plusieurs reprises en sanglotant.

Lucurius s'approcha d'elle, nu, et le visage dissimulé sous un masque à l'effigie d'un démon. Une fois arrivé à sa hauteur, il se redressa, exposant fièrement sa virilité érigée aux regards avides des suppôts qui les entouraient. Ils étaient tous habillés d'une longue tunique noire, les yeux voilés par un loup aussi sombre que le tissu de leur aube. Abbygaelle ne sentait plus rien. Son corps rigide et impuissant était à la merci de ce monstre.

En silence, l'un des adeptes tendit une coupe à Lucurius. Ce dernier s'en empara d'une main sûre, puis souleva légèrement son masque afin de la porter à ses lèvres. Il se pencha ensuite vers Abbygaelle pour l'obliger à boire le reste du contenu, ce qu'elle fit, les entrailles nouées par l'appréhension. Un des acolytes alluma les deux bougies sur la table, alors que tous ceux qui formaient le cercle entamaient une litanie lugubre. Leurs supplications l'envoûtèrent, l'entraînant vers des ténèbres qu'elle avait tenté de fuir, mais en vain.

Lucurius grimpa sur l'autel, satisfait. Posant lourdement un genou de chaque côté de ses hanches, il pointa son membre gorgé vers sa féminité. Une invocation satanique monta de sa poitrine pendant qu'il dégageait son visage du masque.

Le regard triomphant de son tortionnaire la transperça aussi sûrement qu'une lame affûtée. Il s'empara de sa bouche avec brutalité, la fouilla avec une ferveur vicieuse qui lui souleva le cœur. Ses larmes amères augmentèrent la jouissance perverse de Lucurius alors qu'il maintenait sa nuque immobile entre ses doigts noueux. Quand il la libéra enfin, elle chercha à reprendre son souffle.

— En cet endroit retiré de tout et consacré au mal, nul ne te sauvera. Tu es à ma merci, et tu vas devoir te soumettre aux anges déchus, ma jolie ! À travers toi, je vais enfin pouvoir délivrer Abaddon et sa horde de démons de leur captivité.

— Vous êtes fou ! s'écria-t-elle, horrifiée à la seule perspective d'affronter ces forces obscures. Vous n'avez aucune idée de ce que vous relâcherez dans notre monde. Ne faites pas ça ! Par pitié, ne faites pas ça !

— Tu me sous-estimes ! Il y a fort longtemps déjà que leur puissance n'a plus de secret pour moi. J'attendais ta venue. Tu seras le pont entre nos deux univers. Ces êtres invisibles deviendront tangibles à ton contact. C'est du moins ce que m'a affirmé Abaddon, l'ange de l'Apocalypse…

— Non… cria Abbygaelle. Vous allez tous nous envoyer en enfer…

— Qu'importe tes réticences, ma jolie. Sous peu, tu seras l'une des nôtres, et tu t'en délecteras tout autant que moi.

— Non… Non… hurla-t-elle. Marcus…

— Mon demi-frère ne peut plus rien pour toi. Tu seras ma reine noire ! Ensemble nous régnerons sur un monde de ténèbres.

— Jamais…

— Comment crois-tu pouvoir t'opposer ? demanda-t-il avec froideur.

Là-dessus, l'un des serviteurs de Lucurius alluma l'encensoir, puis commença à répandre un parfum acre tout autour du cercle. Alors que la cassolette se balançait librement au bout de la chaîne, les litanies s'amplifièrent. Revenu à son point de départ, le disciple s'empara de la dague, qu'il tendit à Lucurius par le manche. Lucurius éleva le couteau dans les airs en marmonnant une incantation dans un dialecte ancien. Il traça des signes magiques au-dessus de la tête et du thorax d'Abbygaelle. Puis, il affermit sa prise en déposant la pointe de la lame affûtée entre ses seins. La poitrine d'Abbygaelle se souleva précipitamment sous la panique. Sans aucune hésitation, il entailla sa peau délicate, lui arrachant un cri mêlé de rage et de désespoir. Avec délectation, il lécha le sang qui suintait de sa plaie. Il se releva en éclatant de rire et trempa la lame rougie dans un bol d'eau. Le liquide se brouilla. Dans un silence révérencieux, le disciple fit circuler le récipient en terre cuite parmi les congénères qui entouraient l'autel. Tous y burent avec ravissement, désireux de s'approprier à leur tour sa force vitale.

Ce fut alors que les traits de Lucurius se transformèrent sous les yeux exorbités d'Abbygaelle. Elle se débattit comme une folle. Ses poignets étaient en sang, ainsi que ses chevilles. Elle voulut hurler, mais sa gorge se noua. Des craquements sinistres retentirent.

Lucurius n'avait plus rien d'humain à présent. Son corps était entièrement recouvert de poils, ses doigts s'étaient allongés et, à leurs extrémités, apparurent des griffes acérées. Ses oreilles étaient maintenant pointues, ses dents, affûtées, son visage, couvert d'une barbe fournie et épaisse.

Ce fut d'une voix devenue gutturale par le processus de métamorphose qu'il entama une invocation aux ténèbres, afin de pouvoir ouvrir le passage entre leurs deux mondes.

À peine commença-t-il à réciter sa liturgie qu'un cri funèbre s'éleva au cœur de la nuit. Sans prévenir, une masse sombre jaillit précipitamment des fourrés, suivie de près par quatre autres bêtes impressionnantes. Dans un hurlement effroyable, Lucurius se pencha sur la poitrine d'Abbygaelle et la mordit avec sauvagerie sur le sein gauche. Puis, il fut percuté violemment par une créature gigantesque, mi-homme, mi-animale. Les adeptes tentèrent de s'organiser pour contrecarrer la meute enragée qui venait de surgir. Puisque la lune n'était pas pleine, il leur était impossible de se transformer à leur tour. Seul Lucurius possédait ce pouvoir. Profitant de la confusion qui régnait sur les lieux, Lucurius fonça sur Marcus.

Toujours ligotée à l'autel, Abbygaelle s'arquait sous la douleur cuisante qui la ravageait. Sa vision se brouilla, alors que tout son être se tétanisait. Égarée dans les affres de l'enfer, elle n'opposa aucune résistance quand des mains difformes tranchèrent ses liens pour la libérer. La femme âgée qui la secourait la souleva sans aucune difficulté, puis la transporta à l'écart de l'affrontement. Au loin, les échos sanglants de la bataille faisaient rage. Une complainte poignante s'échappa des lèvres d'Abbygaelle lorsqu'un cataplasme à l'odeur rance fut déposé sur sa morsure.

— Du calme, Abbygaelle, chuchota avec douceur l'étrangère à son oreille. Je suis là pour t'aider. Bois le contenu de cette fiole, ça te soulagera momentanément, poursuivit la voix ensorcelante alors que deux bras frêles la redressaient avec délicatesse.

— J'ai... mal... réussit-elle à murmurer au prix d'un immense effort.

— Je sais, ma petite... Nous avons fait aussi vite que nous le pouvions, mais Lucurius avait adroitement brouillé les pistes. C'est sa morsure qui te fait souffrir autant. Pour l'instant, j'essaie de freiner l'avancée du poison, mais je ne pourrai contenir sa progression indéfiniment. Nous allons devoir regagner ma cambuse rapidement si nous voulons être en mesure de contrecarrer son effet. Pour ce faire, tu dois m'aider. Marcus est inquiet. Il a tenté de rétablir le lien entre vous deux, mais il y parvient difficilement. Tu dois me laisser interférer pour l'empêcher d'y arriver.

Oscillant entre deux mondes, Abbygaelle n'opposa aucune résistance.

— Accroche-toi, petite... Il reste peut-être une chance de te sauver, mais pour ce faire, je dois avoir les coudées franches et dissimuler à Marcus ton état réel.

— Marcus... murmura Abbygaelle en se tordant de douleur.

— Non, Abbygaelle ! Tu ne dois pas l'appeler à toi ! lâcha l'inconnue en la recouvrant de son châle.

Percevant son agitation sans cesse croissante, la vieille femme déposa une main fraîche sur son front brûlant. Abbygaelle serra les dents, s'obligeant à soulever ses paupières. Elle distinguait à peine la forme floue qui la surplombait tant la fièvre la gagnait. Elle roula la tête de gauche à droite, prisonnière de son délire.

— Marcus... souffla-t-elle d'une voix éteinte, au plus grand désarroi d'Hyménée.

Avant même que s'établisse un lien entre eux, elle sut que Marcus avait réussi à l'atteindre. Tout en réprimant son mécontentement, elle créa un leurre pour mieux le mystifier.

La force avec laquelle Marcus entra en contact avec Abbygaelle la fouetta. Ce fut comme s'il lui avait insufflé une partie de sa propre énergie vitale. *Abby !* s'écria-t-il dans son esprit avec angoisse. *Hyménée va te sortir de là. Tu seras en sécurité avec elle.*

Sur ces paroles, il se retira prestement, non sans un certain malaise. Abbygaelle lui avait paru relativement normale, mais quelque chose sonnait faux dans cette image ; cependant, il n'arrivait pas à s'expliquer quoi exactement. Alors qu'il tentait un nouveau contact, Lucurius fonça sur lui, le ramenant brusquement à la réalité.

Le chemin jusqu'au logis d'Hyménée se révéla extrêmement pénible pour Abbygaelle. Chaque soubresaut ravivait la douleur qui la rongeait. Les ténèbres l'appelaient de leur chant trompeur, alors que la parcelle d'humanité qui subsistait encore en elle cherchait à résister.

En atteignant la maisonnette d'Hyménée, son calvaire se calma momentanément. Dès qu'elle fut installée dans un lit douillet près de l'âtre, Abbygaelle perçut les effluves particuliers des plantes médicinales qui séchaient, suspendues aux poutres du toit. Le seul fait de respirer était une torture en soi, mais au moins elle avait les idées plus claires. Constatant que son état s'était stabilisé, Hyménée approcha une chaise. La femme qui lui faisait maintenant face était très vieille et frêle. Ses cheveux d'un blond cendré remontés en chignon se détachaient de la peau fripée de son visage, et ses yeux bridés semblaient d'un bleu délavé.

— Abbygaelle, je sais que tu souffres énormément, mais il me faut malgré tout t'interroger sur certains points. T'en sens-tu capable?

— Je vais essayer... souffla Abbygaelle tout en grimaçant.

— Bien! Tu es une brave petite.

En déposant une serviette humide sur son front moite, elle la fixa gravement, cherchant à percer les secrets de son âme.

— Abbygaelle, est-ce qu'un membre du clan éprouverait de l'animosité envers toi?

D'abord surprise par sa question, Abbygaelle demeura silencieuse, puis dans un soupir, elle s'efforça de répondre.

— Adenora me déteste... avança-t-elle avec prudence.

— Abbygaelle, ce que je vais te dire doit rester entre nous pour l'instant. C'est important! Depuis que tu es là, je soupçonne Adenora de s'être laissée corrompre par les ténèbres. Crois-tu qu'elle aurait pu informer Lucurius de tes déplacements?

— Oui... déclara Abbygaelle sans aucune hésitation.

— Pourquoi la suspectes-tu, elle, plutôt que quelqu'un d'autre?

— Il y avait... un loup plus petit... avec Lucurius... à Saint-Valérien...

Elle se sentit mal devant le mutisme soutenu d'Hyménée. Marcus lui avait pourtant affirmé que les membres d'un même clan ne trahissaient jamais les leurs. Néanmoins, elle était certaine qu'Adenora s'était joué des siens.

— Je suis désolée… commença-t-elle.

— Il ne faut pas, Abbygaelle. Tout au contraire, c'est nous qui devons l'être, moi plus que quiconque. J'aurais dû prévoir que cette gamine nous causerait de graves problèmes. C'était mon rôle et j'ai été aveugle.

La gorge nouée par l'émotion, Abbygaelle se réfugia derrière le calme de ses paupières closes. Elle avait été si près de suivre Marcus. Que serait sa vie désormais ? À l'idée de ne plus le revoir, son cœur se serra.

— En dépit… de mes craintes… j'avais accepté… de m'unir à… Marcus, expliqua-t-elle au prix d'un pénible effort.

— Je suis soulagée d'apprendre que tu aies su voir Marcus au-delà des apparences. Peu importe ce qu'il a pu faire par le passé, il n'en demeure pas moins qu'il s'agit d'un être altruiste, qui fait preuve de beaucoup plus d'humanité que la plupart des mortels en ce bas monde. Il nous est précieux, Abbygaelle ! Sais-tu seulement à quel point ? Quel gâchis que toute cette histoire, murmura Hyménée en secouant la tête.

— Pourquoi Adenora ? Elle est pourtant un membre du clan…

— Ma pauvre enfant ! Qui peut se targuer de connaître les motivations profondes d'une personne ? J'imagine que son désir de devenir la compagne de Marcus a prévalu sur tout. Elle est jeune et influençable, elle était donc une proie facile pour Lucurius. Il a profané son âme, fragilisant son intégrité. Malheureusement, à travers elle, cette créature abjecte est arrivée jusqu'à toi. Il t'a marquée à tout jamais.

— Je suis condamnée… n'est-ce pas ? demanda Abbygaelle, la mort dans l'âme.

— Pas tout à fait. Il te reste une possibilité d'échapper à cette malédiction.

Le cœur d'Abbygaelle s'emballa alors que ses pensées se bousculaient dans sa tête. Prise d'une soudaine frénésie, elle chercha à se relever, mais retomba lourdement sur son oreiller, le corps en sueur.

— Doucement, petite! Tu dois préserver tes forces afin d'être en mesure de surmonter l'épreuve qui t'attend.

Devant l'expression déconcertée de la jeune femme, Hyménée sourit avec tristesse. Ce qu'elle s'apprêtait à lui proposer n'aurait rien d'une sinécure. Sans oublier que l'issue était incertaine. Voilà pourquoi elle avait préféré tenir Marcus à l'écart. Si l'intervention se révélait un triomphe, elle aurait l'éternité pour affronter son courroux, dans le cas contraire… mieux valait ne pas y songer pour l'instant. Redressant la tête, elle capta l'attention d'Abbygaelle.

— En fait, je t'offre une solution, mais sans garantie de succès. Néanmoins, je juge que ce risque, aussi énorme soit-il, reste préférable au sort qui t'est réservé. Si rien n'est entrepris d'ici peu, ton corps subira des changements irréversibles. Tu te transformeras alors en loup-garou à la prochaine pleine lune. Par contre, nous pouvons essayer d'endiguer ce processus en t'exposant à l'ADN de Marcus.

Ne comprenant pas où elle voulait en venir, Abbygaelle la fixa, attendant la suite. Hyménée déposa une main apaisante sur son bras.

— Ce que je m'apprête à te proposer n'a jamais été tenté par le passé. J'ignore donc tout du résultat. Cependant, je suis confiante.

Devant le regard troublé de la jeune femme, elle poursuivit sans ambages. Nul besoin d'étirer inutilement son supplice.

— Abbygaelle, il n'y a qu'une seule façon de t'assujettir. C'est en portant en ton sein un enfant de Marcus.

— Quoi? s'écria faiblement Abbygaelle.

— Écoute-moi bien! Nous conservons dans un laboratoire secret des échantillons de sperme d'êtres spéciaux tels que Marcus. Même si tu n'es pas encore fertile, je peux mener à terme l'un de tes ovules. Il nous suffirait par la suite de procéder à une insémination artificielle.

Trop stupéfaite pour répondre, Abbygaelle demeura muette. Voyant les incertitudes qui surgissaient dans son esprit, Hyménée se fit plus insistante.

— C'est malencontreusement l'unique solution. Il n'y a aucun moyen de purger ton système de ce poison. Marcus et Lucurius sont demi-frères, leurs gènes sont donc apparentés.

— Vous escomptez… que le bagage génétique de Marcus… soit le plus vigoureux… qu'il surpasse celui de Lucurius…

— C'est exact!

— Quelles sont les… probabilités?

— Honnêtement, j'estime tes chances à environ cinquante pour cent.

Devant le silence soutenu de la jeune femme, Hyménée secoua la tête. Il n'y avait plus lieu de tergiverser.

— C'est déjà davantage que tu ne pourrais l'espérer dans ta condition actuelle, Abbygaelle. À ce jour, tous ceux qui ont été mordus par un loup-garou sont morts ou se sont transformés en l'un des leurs.

— Je refuse de devenir un monstre! lâcha-t-elle, paniquée.

— Je te promets de mettre rapidement un terme à ta vie à la moindre indication dans ce sens. Je suis cependant certaine que, tout comme Marcus, tu sauras mater la bête sombre qui sommeille désormais en toi. À mon avis, vous êtes faits l'un pour l'autre. Tu seras la compagne idéale pour lui.

À la pensée de ce qui l'attendait, Abbygaelle ferma les yeux. Terrassée à nouveau par la douleur qui ressurgissait, elle serra les dents.

— Calme-toi, chuchota Hyménée d'un ton apaisant.

— Hyménée, qu'arrivera-t-il... au bébé? demanda-t-elle. Je ne peux me résoudre... à le condamner...

— Si tu remportes cette victoire, le petit héritera du bagage génétique dominant. Par contre, si tu échoues, il mourra avec toi. Abbygaelle, tout dépend de toi!

Affolée à l'idée de l'enjeu du combat, celle-ci étouffa un sanglot. Quelques larmes roulèrent sur ses joues. Hyménée prit ses doigts entre les siens. Ils étaient glacés.

— J'accepte votre proposition... lâcha-t-elle d'une voix blanche. Promettez-moi... de ne rien dire à Marcus... pour l'enfant... si l'intervention avortait. Je refuse qu'il souffre... davantage.

— Tu n'as pas à t'inquiéter à ce sujet.

Soulagée, Abbygaelle se prépara mentalement à l'épreuve qui l'attendait. Il était évident toutefois qu'elle avait atteint les limites de sa résistance. Elle était affaiblie, si bien qu'elle n'arriverait pas à gagner le laboratoire par ses propres moyens, même s'il se situait au sous-sol. Ne voulant prendre aucun risque, Hyménée fit monter un infirmier du complexe souterrain.

Dès l'arrivée de celui-ci, Hyménée se dirigea d'un pas vif vers l'escalier dissimulé derrière une tapisserie qui menait tout droit dans les entrailles de la terre. Elle tapa un code sur les touches d'un cadran électronique, puis pressa sa paume sur l'écran lumineux. Lorsque la porte coulissa en silence, elle s'écarta pour permettre au soignant de passer en premier.

Quand ils entrèrent dans le bloc opératoire qui se trouvait derrière, trois hommes et deux femmes en blouse blanche les attendaient au centre de la salle. Un à un, Abbygaelle les observa. Tous lui souriaient avec bienveillance. Ils n'étaient pas humains, sans contredit. Peut-être étaient-ils des métamorphes. Elle n'aurait su le dire. De toute façon, elle souffrait trop pour se questionner plus longuement à ce sujet.

Avec des gestes empreints de douceur, l'infirmier l'allongea sur la table tandis qu'une aide-soignante la recouvrait d'une couverture chauffante. Abbygaelle s'apaisa sous l'effet de la chaleur.

— Abbygaelle, peu d'initiés connaissent l'existence de ce laboratoire souterrain. Même Marcus l'ignore. Dès que l'insémination sera complétée, les cinq personnes ici présentes quitteront les lieux. Seules mon assistante Vesta et moi demeurerons à tes côtés. Par précaution, il nous faudra te ligoter.

— Je comprends... souffla Abbygaelle d'une voix ténue. Mais... je suis... terrifiée...

— Aie confiance ; tout sera terminé sous peu.

Sur un signe de tête discret d'Hyménée, les trois hommes immobilisèrent ses bras et ses jambes avec des entraves. Toutefois, celles-ci furent repliées, puis écartées avant d'être attachées. Ce fut alors qu'une force obscure monta du plus profond de son être, pareille à un raz-de-marée. Abbygaelle s'arc-bouta violemment en hurlant de rage.

Chacun s'activa à sa tâche avec des gestes précis. Toutes les lumières furent tamisées, à l'exception de celle qui éclairait le bassin de la jeune femme. Abbygaelle se déchaînait, telle une furie. Cependant, au fond d'elle-même, quelque chose remua quand Hyménée agita devant son visage la veste de cuir qui appartenait à Marcus. L'odeur enivrante de ce dernier la happa aussitôt. Un désir brut prit naissance au cœur de sa féminité. Le souvenir de leurs étreintes enfiévrées déferla en elle.

À ses côtés, Hyménée souriait, satisfaite du résultat. Elle avait été bien avisée de demander à Daphnée de lui remettre ce blouson. Ainsi, elle était en mesure d'asservir les sens d'Abbygaelle, de les retourner contre elle afin de pouvoir contrecarrer la bête qui l'habitait. Malgré tout, la lutte se révélait acharnée. La jeune femme peinait à demeurer lucide.

— Abbygaelle, murmura Hyménée d'une voix doucereuse. Plonge au fond de toi. Concentre toute ton attention sur Marcus. Rejoins-le…

En entendant ces paroles, tout son être se tendit vers Marcus. Lâchant prise, Abbygaelle l'appela avec ferveur.

Plus loin, dans la forêt, Marcus se figea dans sa course, puis retrouva brusquement sa forme humaine. Le reste de la meute s'immobilisa à son tour. Déconcerté, il prit appui au tronc d'un arbre, ses perceptions subitement en éveil. Quelqu'un tentait de franchir les barrières qui protégeaient son esprit. Ce fut tout d'abord un effleurement léger, suivi d'une intrusion brutale. Il reconnut d'emblée l'empreinte d'Abbygaelle. Elle était là, quelque part, tapie au fond de ses pensées. Sa présence inattendue déclenchait des émotions diverses en lui. Le souffle court, il chercha à réfréner les battements précipités de son cœur. Un feu vif embrasa ses veines.

Quant à Abbygaelle, elle était subjuguée par Marcus, si bien que le lien qui les unissait s'intensifia. Hyménée ordonna en silence de procéder à l'insémination dès qu'elle décela le changement qui s'était opéré chez la jeune femme. L'assistante tendit au médecin en chef une large seringue, au bout de laquelle se trouvait un long tube flexible. L'homme entreprit d'introduire la sonde avec précaution. Pas une fois Abbygaelle ne cilla, trop absorbée par le magnétisme que Marcus exerçait sur elle. Ce ne fut qu'une fois le contenu de la seringue injecté à l'intérieur de son corps que le tube fut retiré. Profitant de sa soudaine docilité, les deux infirmiers libérèrent ses jambes, les déplièrent, puis les étendirent. Ils les entravèrent à nouveau avec des gestes sûrs. D'une démarche gracieuse, Hyménée s'approcha d'Abbygaelle. Elle promena avec minutie sa paume ouverte au-dessus de son bassin et ferma les yeux en percevant le faible écho d'un ovule rendu à maturation. Elle propulsa le gamète hors de l'ovaire d'une simple rotation du poignet, puis le projeta dans la trompe de Fallope. Elle recula, un sourire satisfait sur les lèvres.

L'intervention s'était déroulée sans complication. Néanmoins, c'était la suite des évènements qui l'inquiétait.

Sur son ordre, le personnel médical sortit, la laissant seule avec Abbygaelle. Quelques secondes s'écoulèrent, puis Vesta, son assistante, vint la rejoindre dans la salle. Celle-ci s'avança en silence vers la table d'opération, prête à agir au besoin. Elle vérifia avec rigueur la solidité de chacune des attaches.

Abbygaelle planait dans un bien-être rassurant, ainsi blottie au cœur même de Marcus. Elle discernait clairement ses intentions. Apparemment, il cherchait à lire en elle afin de comprendre ce qui se passait. Avec une facilité déconcertante, elle parvint à maintenir une barrière autour d'elle, pour qu'il ne devine rien de ce qui se tramait à son insu. Toutefois, Marcus s'inquiétait, se confondant en conjectures. Ne voulant pas le perturber outre mesure, elle se retira tout en douceur dans un murmure.

Marcus demeura perplexe après le passage de la jeune femme. Que signifiait cette brève incursion ? Elle lui avait semblé si troublée. Il avait pourtant essayé de déterminer la cause de son état, mais elle avait réussi contre toute attente à le contrecarrer. Qu'est-ce qu'une telle attitude cachait ? Incertain de la marche à suivre, il hésita avant de se décider. Puis, se rappelant le danger qu'elle courait tant que Lucurius vivrait, il retourna à sa traque. Son demi-frère avait pris la fuite peu après leur confrontation. Il devait le retrouver et l'éliminer…

❊ ❊ ❊

Abbygaelle ne ressentit d'abord qu'une légère crampe à l'abdomen, puis la douleur s'intensifia davantage, lui coupant le souffle. Tout bascula en un instant. Sous la première vague de souffrance, ses doigts fins se crispèrent sur le drap blanc alors que son corps s'arquait. Un cri déchirant sortit de sa gorge.

— Hyménée... clama-t-elle avec angoisse. Qu'est-ce qui m'arrive? J'ai l'impression... que mon ventre se consume... J'ai si mal... croassa-t-elle avec peine.

— Je sais, Abbygaelle, se désola la vieille femme. C'est parce que nous avons procédé à l'insémination...

— Enlevez-moi cette chose... par pitié Hyménée... implora-t-elle en se tordant.

— C'est trop tard! Le processus est déjà entamé.

Prise de convulsions, elle fut incapable de prononcer un mot de plus. Vesta introduisit de force un bâton de caoutchouc entre ses dents. Abbygaelle se débattit dès lors comme une possédée. Sa tête roulait dans tous les sens, des grognements déchirants montaient du plus profond de son être. Tout son corps tressautait violemment alors qu'une couche de sueur recouvrait sa peau brûlante.

Même si elle avait une vague idée de ce qui allait se produire, Hyménée n'aurait jamais envisagé que l'expérience puisse se révéler si foudroyante. Par chance, Marcus ignorait tout du combat que livrait Abbygaelle. Affligée à la vue de cette scène misérable, elle regretta presque l'espace d'un instant d'en être l'instigatrice.

Le calvaire de la jeune femme dura près d'une heure. Au bout de cet enfer, elle fut complètement brisée. Ses cheveux étaient plaqués sur son front, et son regard était hagard. Un faible souffle franchissait tout juste le rempart de ses lèvres pâles. Ses traits tirés, ainsi que les cernes profonds sous ses yeux ne laissaient rien présager de bon. Hyménée tenta de la faire boire un peu, mais sans succès. Vesta prit Abbygaelle dans ses bras et la transporta vers sa chambre de repos. Épuisée, celle-ci sombra dans l'inconscience.

❅ ❅ ❅

Abbygaelle ne put retenir un gémissement. Elle s'étrangla en voulant parler tant sa gorge était sèche, ce qui attira l'attention de la femme qui sommeillait dans un fauteuil, non loin d'elle.

Sous la surprise, Hyménée faillit pousser un cri de joie. Toutefois, en avisant le regard égaré d'Abbygaelle, elle se contenta de l'observer en silence quelques secondes. « Elle en a mis du temps, cette petite, avant de reprendre connaissance. Près de deux semaines en fait. Douze jours épouvantables à craindre le pire », songea Hyménée. Néanmoins, Abbygaelle s'était accrochée. Malgré son calvaire, elle semblait enfin avoir recouvré la santé.

— Abbygaelle, comment te sens-tu ? demanda doucement Hyménée en s'approchant.

Tout d'abord étonnée, Abbygaelle resta muette. Elle cherchait visiblement à retrouver le fil de ses pensées. Afin de la rassurer, Hyménée déposa une main sur son épaule, puis lui sourit avec chaleur.

— Tu reviens de loin, et tu nous as fait une belle frayeur ! J'ai bien cru que tu ne te réveillerais jamais ! Je suis heureuse de constater que tu as survécu à l'intervention.

Au mot « intervention », Abbygaelle tressaillit. Des fragments lui revinrent en mémoire, se faisant de plus en plus précis. Sous le coup de l'émotion, elle demeura silencieuse.

Hyménée se contenta de remplir un verre d'eau fraîche, qu'elle porta à ses lèvres. Elle but une petite gorgée, soulagée d'éteindre en partie le feu qui enflammait sa gorge.

— J'imagine que l'opération a réussi, lâcha-t-elle avec difficulté. Sinon, je ne serais pas là à vous parler.

— Pour l'instant, tout semble en effet sous contrôle. Cependant, il nous faut attendre encore quatorze jours, soit jusqu'à la prochaine pleine lune, pour nous assurer que le mal ne domine plus en toi.

— Je vois... Alors pourquoi suis-je libre de tout mouvement ?

— L'intervention a été très éprouvante ; à dire vrai, plus que nous l'avions prévu. Ce processus t'a épuisée considérablement, nous faisant redouter le pire. Tu ne représentais aucune menace dans ces conditions. Nous t'immobiliserons à nouveau dans une semaine, avant la pleine lune. Pour le moment, tu dois reprendre des forces si tu veux que ton bébé survive.

Instinctivement, Abbygaelle frôla son ventre du revers de la main. Subjuguée par une émotion vive, elle ferma les yeux et inspira profondément. Quelques larmes s'échappèrent, traçant un sillon humide sur ses joues d'une extrême pâleur.

— Tout ira bien, Abbygaelle, la rassura Hyménée. Le plus difficile est derrière toi.

Ne désirant pas se pencher sur cette question dans l'immédiat, Abbygaelle laissa son esprit divaguer librement. Consciente que la jeune femme s'était retranchée derrière ses remparts, Hyménée se retira.

❄ ❄ ❄

Marcus se reposait, le dos appuyé contre le tronc rugueux d'un arbre. La nuit avait enveloppé la forêt de son manteau sombre depuis longtemps déjà, mais il ne parvenait pas à trouver le sommeil. Le regard perdu au loin, il songeait à tous les acolytes de Lucurius qu'ils avaient abattus depuis deux semaines. Toutefois, sa frustration restait entière, car ils n'avaient toujours pas débusqué leur maître, ce qui n'était pas normal. Son demi-frère jouait au chat et à la souris avec lui, et cette traque incessante commençait sérieusement à le rendre dingue. D'autant plus qu'il s'inquiétait pour Abbygaelle. Mis à part le bref contact entre leurs deux esprits quatorze jours auparavant, il n'arrivait plus à la contacter. Il ne comprenait pas ce qui avait pu la motiver à agir de la sorte. Même Hyménée demeurait évasive lorsqu'il l'appelait pour s'enquérir de sa santé. Plus troublant encore, elle refusait de lui passer Abbygaelle au téléphone. Quelque chose lui échappait, un élément vital. Il était tout près d'ailleurs de faire fi du statut d'ancienne d'Hyménée et de la confronter à nouveau.

Perdu dans ses pensées moroses, il ne vit pas de prime abord qu'Adenora s'était rapprochée de lui. Levant la tête dans sa direction, il croisa son expression craintive. Aussitôt, il fut sur ses gardes. De son côté, décidée à soulager sa conscience, Adenora se racla la gorge. Elle avala péniblement, ne sachant comment entamer la discussion. Les sens en alertes, Marcus se redressa et la toisa de haut, le regard sombre.

— Depuis plusieurs jours, tu me fuis, Adenora. Tes tentatives ne sont pas passées inaperçues. Ton père est très inquiet, et je commence à avoir de sérieux doutes en ce qui te concerne. Ne crois-tu pas qu'il serait temps pour toi de livrer ce que tu as sur le cœur ?

Sous son regard perçant, Adenora se recroquevilla. Elle n'était pas disposée à tout confesser dans l'immédiat, mais elle se devait de l'informer d'un élément vital concernant Abbygaelle. Légèrement en retrait cette nuit-là, lors du sauvetage de la jeune femme, elle avait assisté à toute la scène.

— J'ai commis beaucoup d'erreurs au cours des dernières semaines. Je n'en suis pas très fière d'ailleurs.

— Je crains que tu aies trahi la meute, Adenora, ce qui n'est pas sans conséquence grave.

— J'en suis tout à fait consciente. Si je me tiens devant toi ce soir, c'est parce que j'ai quelque chose de très important à te communiquer.

— Parle, Adenora, ordonna Marcus d'une voix tranchante.

— En fait, je ne sais trop comment te faire part de mon secret, car j'appréhende ta réaction.

— Dis-le sans ambages, ou bien je t'extorquerai cette confession de force ! la menaça-t-il, plus agressif que jamais.

Ses imprécations réveillèrent Daphnée, Maximien et Florien. Sur un pied d'alerte, ceux-ci vinrent se poster derrière l'adolescente. Adenora recula d'un pas face à la fureur de son chef, mais se retrouva immédiatement coupée de toute retraite. Comprenant qu'elle ne pouvait plus faire marche arrière, elle courba l'échine, adoptant une attitude de soumission avant de répondre.

— Il y a une très bonne raison au silence soutenu d'Hyménée…

Incapable de poursuivre, elle s'étrangla.

— Parle ! s'écria Marcus avec férocité.

— Abbygaelle a été mordue par Lucurius. Je l'ai vu lorsque nous lui avons porté secours dans la forêt, lâcha-t-elle d'un seul trait avant de se jeter dans les bras de son père.

Contre toute attente, Marcus resta de marbre, les poings crispés, la mâchoire contractée. Une colère sourde transpirait de chacun des pores de sa peau. Préférant prendre du recul, il s'élança à travers les bois, la rage au cœur. Un cri de fureur sortit de sa poitrine alors que son désespoir atteignait son paroxysme. Il se déchaîna, poussé par une folie meurtrière. Il fallut la force combinée de Maximien et de Florien pour le contenir. Apeurée, Adenora demeura en retrait du groupe, pendant que Daphnée s'avançait à pas mesurés en direction de Marcus. Elle ne l'avait jamais vu dans un tel état. C'était effrayant…

— Marcus… se risqua-t-elle néanmoins d'une voix incertaine.

Constatant qu'il ne réagissait toujours pas, elle lui fit face et l'enveloppa d'un regard empli de sollicitude.

— Marcus… Arrête! Pour l'amour d'Abby… Calme-toi! poursuivit-elle avec plus d'aplomb. Tout n'est peut-être pas perdu…

À ces mots, Marcus se figea, le corps tendu à l'extrême. Agité par des démons intérieurs, il dut faire preuve d'un effort surhumain pour se ressaisir.

— Que sais-tu exactement, Daphnée? l'intima-t-il avec froideur.

— Je ne t'ai pas trahi, Marcus, si c'est ce que tu crois. Tout comme toi, j'ignorais ce qui était arrivé à Abby. Cependant, il y a deux semaines, Hyménée m'a demandé de lui remettre ta veste en cuir. Je me suis exécutée sans poser de questions. Et puis, les évènements se sont succédé à un rythme infernal, si bien que je n'y ai plus songé. Marcus, Hyménée n'agit jamais sans une bonne raison, tu le sais pertinemment.

Furieux tout autant contre lui-même qu'envers Hyménée, Marcus se dégagea brusquement de l'emprise de Maximien et de Florien. À quoi rimait tout ceci ? Il enrageait, frustré de ne pouvoir assembler les pièces du puzzle.

Le prenant en pitié, Daphnée déposa une main incertaine sur son avant-bras, le forçant à la regarder.

— Je suis persuadée qu'elle va bien. Hyménée semblait si sûre d'elle au moment où je lui ai remis ton blouson. Elle jubilait littéralement. Elle a dit alors détenir enfin tous les éléments essentiels te concernant pour intervenir auprès d'Abby en cas de besoin.

— Quoi ? s'exclama Marcus avec force.

— Marcus, j'ignore ce qu'elle voulait dire, mais elle paraissait vraiment très satisfaite d'elle-même.

Gagné par un mauvais pressentiment, Marcus leur tourna le dos. À sa connaissance, les seuls composants de lui qu'Hyménée avait en sa possession étaient des échantillons de son sang, ainsi que de son sperme...

Le voyant se décomposer tout à coup, Daphnée fut submergée à son tour par l'inquiétude.

— Marcus, tu sais à quoi faisait référence Hyménée, n'est-ce pas ?

Constatant qu'il ne réagissait toujours pas, elle lança un regard suppliant en direction de son époux, mais Maximien semblait tout aussi perdu qu'elle.

— Marcus... se risqua-t-elle à nouveau. De quoi s'agit-il ?

— De mon sang et de mon sperme... lâcha-t-il d'une voix blanche en faisant volte-face.

Sidérée par cette information, et tout ce qu'elle impliquait, Daphnée ouvrit grands les yeux. Ce fut Maximien qui rompit le premier le silence lourd qui les enveloppait.

— Comprends-tu qu'à partir de ces échantillons, il lui est possible de tenter différentes actions ? demanda-t-il après une seconde d'hésitation.

— Justement ! C'est ça qui m'inquiète... répondit Marcus. Je dois savoir de quoi il en retourne exactement.

— Nous pouvons très bien traquer Lucurius sans toi, poursuivit Maximien, la mine sinistre.

— Si vous suspectez le moindre danger, j'exige que vous vous repliiez immédiatement et attendiez mes instructions avant de continuer, ordonna Marcus d'un ton tranchant. Gardez un œil sur Adenora, je ne lui fais plus confiance.

Maximien acquiesça. Florien en fit tout autant, le visage grave. Il ignorait jusqu'à quel point sa fille s'était compromise avec l'ennemi, mais il comptait bien ne pas en demeurer là.

Sur un bref signe de tête, Marcus se transforma en loup et fonça vers le sous-bois.

CHAPITRE VIII

Sur les traces de l'inconnu

Abbygaelle avait de nouveau dix-huit ans. Elle se trouvait dans la cuisine de leur maison de banlieue. Le temps était radieux à l'extérieur en ce début d'été. Elle était occupée à trancher des fruits pendant que sa mère préparait une omelette de son cru. Les deux femmes riaient à la suite d'une plaisanterie qu'elle venait de faire. Elle se souvenait avoir été si heureuse de pouvoir enfin passer un moment agréable avec sa mère.

Puis, d'un seul coup, l'horreur s'était déchaînée avec l'arrivée de cinq créatures sorties tout droit de l'enfer. Elles avaient déboulé dans la salle à manger, fonçant droit sur elle. L'une d'elles avait projeté sa mère d'une poussée phénoménale alors qu'elle tentait de s'interposer. Le mur derrière elle avait été défoncé sous la force de l'impact. Abbygaelle se rappelait avoir hurlé comme une possédée au moment où l'un de ces êtres abjects l'avait empoignée pour la basculer sans douceur sur son épaule. Elle avait été complètement larguée. Ensuite, son instinct de survie avait repris le dessus. Elle s'était débattue avec une violence qu'elle ne se connaissait pas. Déstabilisée par cette soudaine rébellion, la créature avait relâché son emprise, lui permettant ainsi de lui échapper. Elle avait couru jusqu'à l'extrémité de la pièce, les éloignant de sa mère par la même occasion.

Ils l'avaient encerclée et acculée dans un coin. Prise de panique, elle s'était mise à crier. Du coin de l'œil, elle avait vu sa mère se relever avec peine, puis se saisir au passage du couteau qu'elle avait abandonné sur la planche à découper. En silence, celle-ci s'était approchée de l'un des monstres et l'avait poignardé dans le dos. Sous la colère, deux d'entre eux s'étaient retournés et l'avaient éventrée de leurs griffes acérées, sans aucune pitié. Au moment où elle avait tenté de lui porter secours, les deux autres s'étaient emparés d'elle, la maintenant captive par les bras. Malgré ses blessures profondes, sa mère s'était défendue avec la fureur d'une lionne, parvenant même à tuer un deuxième assaillant. Galvanisée par son courage, Abbygaelle avait mordu l'un d'entre eux jusqu'au sang et avait rué le second de coups de pieds. Libérée de leur emprise, elle s'était précipitée vers le comptoir, se saisissant à son tour d'un couteau. Avec l'énergie du désespoir, elle avait poignardé un troisième monstre en plein cœur. Horrifiée par son geste, elle avait relâché la lame couverte de sang. Respirant par à-coups, elle avait dévisagé tour à tour sa main, puis l'être infect qui gisait à ses pieds.

À cet instant, un hurlement sinistre avait retenti dans la forêt avoisinante. Quatre bêtes énormes avaient atterri à leur tour dans la cuisine. En un rien de temps, les deux dernières créatures maléfiques avaient été déchiquetées. Son père était arrivé sur l'entrefaite. En avisant la scène, il s'était effondré aux côtés de sa mère, puis l'avait soulevée dans ses bras avec d'infinies précautions. Des larmes silencieuses avaient coulé sur ses joues pendant qu'il la berçait avec amour. Sa mère avait eu alors des paroles qui lui avaient paru bien mystérieuses à l'époque, mais qui prenaient tout leur sens aujourd'hui. Elle avait murmuré :

— Je ne suis peut-être qu'une simple humaine, mais j'ai la force d'une louve.

Elle lui avait souri avec tendresse avant de s'éteindre. Abbygaelle se rappelait très bien être demeurée pétrifiée d'effroi. Ce n'avait été que lorsque les quatre bêtes s'étaient métamorphosées en trois hommes et une femme qu'elle était sortie de sa léthargie. Abbygaelle savait désormais qu'il s'agissait de Marcus, de Maximien, de Florien et de Daphnée. Ces derniers l'avaient immédiatement entourée. Marcus s'était approché d'elle à ce moment-là pour la serrer dans ses bras. Il avait à peine frôlé ses tempes du bout des doigts, mais tout avait disparu comme par enchantement ; le chagrin, la terreur, la douleur. Il avait effacé tous ses souvenirs.

Abbygaelle se réveilla en sursaut, le corps en sueur. Assise dans son lit, elle scruta la noirceur d'un regard affolé. Elle se rappelait maintenant avec une clarté effarante tout ce qui s'était passé ce jour-là. Dans un gémissement de désespoir, elle replia ses jambes sur son ventre. Voilà pourquoi le cercueil de sa mère était resté fermé lors de ses funérailles, pourquoi elle était morte si jeune. Elle avait sacrifié sa vie pour la protéger des sbires de Lucurius. Tout en se balançant d'avant en arrière, elle songea à son père. Que n'aurait-elle pas donné pour se blottir dans ses bras rassurants, comme elle le faisait toute petite lorsqu'elle était tirée du sommeil à la suite d'un affreux cauchemar.

❅ ❅ ❅

Ce jour-là, les effets de son désarroi se firent d'autant plus sentir sur son moral. Vesta avait été chargée par Hyménée de lui enseigner les règles de base pour exécuter une transformation complète, mais le cœur n'y était pas. Abbygaelle n'était pas à l'aise avec la métamorphe. Vesta était froide, intransigeante. Elle la poussait dans ses derniers retranchements sans égard pour les épreuves qu'elle venait de traverser, avec un dédain évident. Abbygaelle réagissait très mal à ce stress. Les changements survenus si subitement dans son existence la déroutaient, lui faisant perdre tous ses moyens par la même occasion. Tout au plus parvenait-elle à modifier l'aspect de l'un de ses bras ou de l'une de ses jambes, mais sans plus. Elle dépérissait à vue d'œil, si bien qu'Hyménée commença à douter du bien-fondé de sa ligne de conduite.

Elle voyait bien que la jeune femme était prisonnière de son propre corps. De surcroît, en plus du petit être qui se développait en son sein, la bête qui sommeillait en elle devenait de plus en plus impatiente. Craignant qu'elle ne se consume de l'intérieur, Hyménée avait longuement réfléchi à la question. Abbygaelle n'avait pas grandi au milieu d'une meute et avait peu fréquenté le règne animal, si bien qu'elle n'avait aucun point de repère. Au vu des circonstances, elle l'autorisa alors à quitter les murs du laboratoire, accompagnée toutefois de Vesta.

Cette décision fut judicieuse, puisqu'en se familiarisant avec la faune environnante, Abbygaelle s'apaisa peu à peu, retrouvant même un certain équilibre. L'air pur de la forêt la revigora, lui redonnant par la même occasion des couleurs. À force de travail et d'acharnement, elle arriva un jour à effectuer sa première transformation complète, ce qui la libéra enfin de la tension sous-jacente qui l'habitait. Ce fut un moment jouissif, tel que l'avait décrit Marcus. À son souvenir, elle s'assombrit. Elle se languissait de lui et souffrait d'en être ainsi séparée. Elle aurait voulu qu'il soit celui qui l'initie, mais Hyménée s'y refusait. Cette dernière jugeait plus sage d'interdire tout contact entre eux, allant même jusqu'à interférer dans le lien qui les unissait. Pourtant, sa présence l'aurait réconfortée, tout en lui apportant cette confiance qui lui faisait défaut. Elle aspirait à retrouver de nouveau sa chaleur, se rendant compte qu'elle était incomplète sans lui. En définitive, elle n'était qu'une étrangère ici, alors qu'il en était tout autrement au sein de la meute.

En raison de sa nature paisible, elle développa une affinité plus prononcée avec les chevreuils, les lièvres, les oiseaux. Son seul problème demeurait la chasse. Elle était incapable de s'attaquer aux animaux, encore moins de s'en repaître. L'unique fois où Vesta avait insisté, elle avait restitué le peu qu'elle était parvenue à avaler dans la journée. Devant ce constat désolant, Vesta avait mis cet apprentissage de côté, préférant concentrer son énergie sur d'autres facettes de leur existence.

En ce merveilleux après-midi, Abbygaelle avait opté pour l'apparence d'une biche, sa forme de prédilection. Vesta, quant à elle, avait pris l'aspect d'un faucon et planait au-dessus de sa tête, ce qui lui donnait l'impression d'être enfin libre. Elle profitait de cet instant avec ravissement. Son corps mince et élancé, à la robe brun-roux, chatoyait sous le soleil flamboyant. Assoiffée après avoir longuement gambadé à travers bois, elle se désaltéra au ruisseau, l'eau étant la seule chose qu'elle parvenait à garder dans son estomac sous la forme d'un animal. Obnubilée par les sensations nouvelles qu'elle éprouvait, elle ne porta pas attention de prime abord au prédateur qui s'était approché d'elle d'un pas furtif et qui demeurait camouflé derrière les fourrés.

S'étant lancé dans une course effrénée depuis qu'il avait quitté les siens, Marcus était affamé. En fait, il avait peu dormi depuis les derniers jours. Il s'était même abstenu de chasser, de crainte de perdre un temps précieux. Sauf que maintenant qu'il était tout près du but, la bête réclamait son dû. Quelle satisfaction il avait ressentie en repérant l'odeur alléchante d'une biche. Se tassant sur lui-même, il s'apprêtait à attaquer sa proie lorsque celle-ci releva précipitamment la tête, ses oreilles dressées vers l'arrière. Marcus bondit sans plus attendre.

N'étant pas encore habituée à déchiffrer les signaux que lui envoyait son corps, Abbygaelle ne réagit pas assez rapidement. Ce ne fut que lorsque les crocs d'une créature énorme s'enfoncèrent cruellement dans la chair tendre de son flanc qu'elle prit conscience du danger. Elle réa pitoyablement alors que le loup l'attirait vers les profondeurs de la forêt. Sachant qu'elle serait condamnée si elle ne lui échappait pas, elle opposa une vive résistance malgré la douleur lancinante qui la tenaillait. Au même moment, Vesta se porta à son secours et laboura le prédateur de ses serres. Surpris par cette attaque et alerté par le comportement inusité des deux animaux, Marcus relâcha sa proie. Il huma l'air avec attention, à l'affût du moindre indice. En comprenant qu'il s'était attaqué à un métamorphe, il se figea. Maintenant que sa raison avait repris le dessus sur son instinct, il constatait que l'odeur de la biche avait même quelque chose de familier. Abasourdi par ce qu'il venait de découvrir, il ne vit pas arriver les deux sabots qui le percutèrent avec violence. La ruade le propulsa vers l'arrière. Étourdi, il resta immobile quelques minutes, ce qui fut suffisant à Abbygaelle pour s'enfuir. Elle se dirigea vers la cambuse d'Hyménée sans un seul regard derrière elle, laissant le faucon faire diversion.

Malgré son flanc douloureux, elle courut aussi vite qu'elle le put. Elle dut cependant s'arrêter un bref instant à mi-chemin pour reprendre son souffle. Incapable de maintenir sa forme animale plus longtemps, elle retrouva son apparence humaine en haletant. Elle porta une main tremblante à la plaie ensanglantée en grimaçant. Elle se secoua afin de s'éclaircir les esprits, réprimant de justesse une plainte de douleur, et serra les dents en prenant appui sur un rocher. Elle souffrait énormément, mais elle ne pouvait demeurer sur place plus longtemps. Elle savait pertinemment qu'elle ne ferait pas le poids si la bête qui l'avait attaquée revenait à la charge. Elle n'avait aucune idée du type de prédateur qui la pourchassait, mais elle n'avait pas l'intention de s'éterniser pour le découvrir. Se relevant avec difficulté, elle s'obligea à poursuivre sa route.

Hyménée cueillait des fleurs dans son jardin lorsque son attention fut attirée par un appel désespéré. Alertée, elle leva les yeux. En reconnaissant Abbygaelle qui peinait à marcher, elle devina que quelque chose de grave s'était produit. Elle eut tout juste le temps de la rejoindre que déjà sa jeune protégée s'effondrait dans ses bras, le corps tremblant.

Elle la souleva doucement pour la transporter à l'intérieur. Sur le point de s'évanouir, Abbygaelle ne prit pas conscience de la force surprenante dont faisait preuve la vieille femme.

Marcus se débattait toujours contre le faucon. Il ne comprenait pas pourquoi le rapace continuait de s'en prendre à lui. Il ne voulait pas le blesser inutilement, mais d'un autre côté, il ne pouvait demeurer passif. Il en était d'ailleurs à cette réflexion lorsque l'oiseau s'envola sans demander son reste. Le cœur étreint par une incertitude affligeante, il huma l'air afin de pister le cervidé. L'ayant enfin repéré, il s'élança à sa suite. À l'embouchure du ruisseau, il s'arrêta en apercevant l'empreinte d'une main ensanglantée sur une pierre. L'effluve sucré qui s'en échappa ne laissait place à aucun doute. En reconnaissant la marque de la jeune femme, une amère réalité prit forme dans son esprit. La biche et Abbygaelle ne formaient qu'un seul être. Appréhendant le pire, il retrouva son apparence humaine. Comme un fou, il tourna sur lui-même à la recherche d'une silhouette familière parmi le feuillage. Ne la trouvant pas, il reprit sa course effrénée en direction du logis d'Hyménée.

Marcus arriva quelques minutes après Abbygaelle. Malade d'inquiétude, il débula dans la cabane sans se faire annoncer. À sa plus grande stupéfaction toutefois, l'endroit était désert. Désemparé, il inspecta la pièce à la recherche du moindre indice. Il était pourtant certain qu'Abbygaelle était dans les parages, puisqu'il percevait très bien l'odeur qui la caractérisait désormais. Exécutant à nouveau une fouille minutieuse, il remarqua soudain le tapis qui recouvrait un mur. Derrière, il y découvrit un passage qui descendait directement au sous-sol. Sans plus attendre, il dévala les marches, pour s'arrêter face à une porte close. Abbygaelle était derrière cette cloison.

— Hyménée! Ouvrez-moi cette foutue porte! vociféra-t-il en frappant brutalement de ses poings le métal lisse. Hyménée...

Derrière la porte, l'ancienne réprima son amusement. De toute évidence, Marcus était fou de rage.

— Tu vas devoir te maîtriser auparavant, Marcus, lâcha-t-elle d'une voix calme. Rien ne sert de perturber cette pauvre petite plus qu'elle ne l'est déjà. Il semble qu'Abbygaelle a eu son lot d'émotions pour aujourd'hui!

Prenant alors conscience de la justesse de ses propos, Marcus inspira profondément et ferma les yeux. Sa fureur retomba d'un coup.

— Hyménée... laissez-moi entrer, demanda-t-il plus posément. Je dois la voir. Elle est gravement blessée...

— Je sais, Marcus. Sauf qu'il n'y a rien là qui ne puisse être soigné par notre personnel. Toutefois, elle en gardera de vilaines cicatrices, en plus d'un traumatisme. Je ne pense pas qu'il soit judicieux dans les circonstances de te donner accès à nos installations.

— Je vous promets de l'approcher avec douceur. J'ignorais qu'il s'agissait d'elle! s'exclama-t-il avec accablement. Si j'avais su...

Hyménée prit un temps de réflexion avant de répondre. L'arrivée de Marcus était inattendue. Cependant, sa présence serait peut-être bénéfique pour le moral d'Abbygaelle.

Même si cela ne l'enchantait guère de l'avoir dans les parages en ces instants critiques, elle devrait tenter d'en tirer le meilleur parti possible.

— Très bien, Marcus. Toutefois, tu dois prendre conscience qu'elle n'a plus rien de commun avec la jeune femme que tu as connue. Elle est l'une des vôtres désormais, et les épreuves qui ont été les siennes l'ont passablement marquée.

— À qui la faute… s'emporta-t-il. Sachez que je n'en ai pas terminé avec vous, Hyménée. Vous devrez répondre de vos actes devant moi !

— Mon cher Marcus, aussi redoutable sois-tu, je n'ai pas peur de toi. J'ai fait ce qui devait être fait. Tu devrais me remercier au lieu de m'abreuver de ta hargne. Grâce à moi, Abbygaelle est en mesure de se défendre contre le mal qui la ronge.

— Peut-être, mais il n'en demeure pas moins que vous auriez dû m'avertir de ce que vous vous apprêtiez à faire. Vous avez risqué gros en agissant de la sorte.

— Certes, mais seul le résultat importait en fin de compte.

— Est-elle hors de danger ?

— Pas tout à fait. Il lui faudra combattre cette malédiction lors de la prochaine pleine lune. Ça ne sera pas aisé. Si elle sort vainqueur de cette épreuve, je pourrai t'affirmer sans l'ombre d'un doute qu'elle survivra…

— Vous n'auriez pas hésité à la supprimer, n'est-ce pas ? cracha Marcus avec agressivité.

— Non, en effet ! Et sache que cette possibilité n'est pas encore écartée…

— Ne vous avisez pas de lui faire du mal, Hyménée, la coupa-t-il. Sinon, c'est de ma main que vous périrez !

— Je n'en espérais pas moins de ta part, Marcus, répondit-elle avec calme. À toi dans ce cas de la maintenir du bon côté.

— Je n'y manquerai pas...

Hyménée afficha un sourire satisfait. En définitive, le retour imprévu de Marcus pourrait jouer en leur faveur. Percevant son impatience derrière la porte close, elle enclencha le système de déverrouillage, faisant coulisser le battant. Marcus s'engouffra précipitamment dans l'ouverture. Il lui jeta un regard mauvais au passage, mais ne s'arrêta pas. Sa priorité demeurait Abbygaelle.

Même en étant conscient de ce qui l'attendait, Marcus ne put s'empêcher d'éprouver un choc. Abbygaelle rayonnait d'un feu sauvage qui la rendait plus désirable encore. Stupéfait par sa métamorphose, il dut réfréner l'envie violente qui prit soudainement naissance au creux de ses reins. Elle l'embrasait littéralement, et l'éclat qui flamboyait dans ses yeux alors qu'elle le dévisageait n'arrangeait rien. Elle se tenait sur ses gardes, mais n'arrivait pas à dissimuler complètement ce qu'elle ressentait en sa présence. Elle était sienne dorénavant, et le savait pertinemment. Elle avait très bien senti son agitation pendant son échange avec Hyménée, comprenant du même coup qu'il était responsable de sa blessure. D'une certaine façon, elle lui en voulait. C'était tout cela qu'il déchiffrait dans son regard assombri. La confrontation qui les attendait serait des plus stimulantes, mais il ne doutait pas un seul instant de l'issue de ce combat. Abbygaelle était une adversaire extrêmement appétissante, et ils avaient l'éternité devant eux pour s'accorder. Réfrénant de justesse un sourire prédateur, il s'avança dans la pièce, les prunelles brillantes.

Abbygaelle perdit de sa hargne devant son assurance démesurée. Marcus était le mâle dominant de la meute, et il lui faudrait se soumettre à son autorité. Étrangement, elle éprouvait un plaisir primitif d'avoir été désignée comme sa compagne attitrée. Pourtant, elle se devait de garder ses distances avec lui jusqu'à la pleine lune. Sauf qu'elle pressentait déjà que la présence de Marcus rendrait les jours à venir plus difficiles à vivre. Elle comprenait mieux pourquoi Hyménée avait préféré les éloigner l'un de l'autre. Maintenant qu'elle était l'une des leurs, l'attrait qu'il exerçait sur ses sens était décuplé. Tout son être le réclamait avec une vigueur déconcertante. Déglutissant avec peine, elle ferma les paupières en inspirant profondément. Ce qui se révéla une erreur, car elle fut aussitôt submergée par son odeur enivrante. Cherchant à se protéger, elle replia ses jambes sur son ventre en guise de rempart. Marcus s'inclina, la frôlant presque.

— Abby, murmura-t-il.

Elle ouvrit les yeux au son de sa voix, électrisée. Ils demeurèrent immobiles, le regard rivé au sien, dans le silence le plus complet. Tel un conquérant, Marcus captura ses lèvres dans un baiser possessif. Abbygaelle se cambra et se soumit à sa volonté. Dans un grognement rauque, il l'attrapa par la taille et l'attira à lui.

Son geste précipité provoqua une douleur vive à la hanche d'Abbygaelle, lui arrachant un cri lancinant. Remarquant alors que sa blessure saignait à nouveau, il se pencha lentement vers elle dans le but de lécher sa plaie. Il s'évertua à la soigner avec d'infinies précautions. Pour sa part, Abbygaelle n'osait bouger, de crainte de succomber à la tentation qu'il représentait. Contre toute attente, Marcus ne profita pas de la situation. Lorsqu'il leva la tête, il l'observa longuement, à l'affût de ses pensées les plus secrètes. En la voyant tendue comme un arc, il la libéra. La mine grave, il massa sa nuque raide afin de l'apaiser. Touchée par sa délicatesse, elle s'abandonna dans un sanglot. Marcus comprit que les derniers évènements étaient venus à bout de sa résistance. Plus que jamais, Abbygaelle avait besoin de sa force.

— Abby, je suis navré, murmura-t-il contre sa tempe.

À l'intonation de sa voix, elle devina qu'il ne faisait pas uniquement référence à l'accident survenu dans la forêt. Il faisait également allusion au rôle indirect qu'il avait joué dans sa transformation. Cependant, la faute ne lui incombait pas : elle revenait essentiellement à Lucurius. C'était lui qui, en la mordant, l'avait acculée au pied du mur. Elle ne pouvait tenir rigueur à Marcus de ce qui lui arrivait. Depuis le début, il n'avait cherché qu'à la protéger. L'attirance qu'ils éprouvaient l'un envers l'autre était réciproque, et jamais il n'en avait tiré profit. À présent, elle saisissait mieux toute l'ampleur de la maîtrise qu'il avait dû déployer pour ne pas céder aux impulsions qui l'animaient. Pour sa part, elle avait soif de son corps, de son odeur, de sa chaleur. La bête en elle le réclamait avec insistance. Pourtant, il lui fallait attendre cinq jours encore avant d'abdiquer... avant d'être certaine qu'elle ne représentait plus aucun danger pour la meute. D'ici là, elle devrait lui résister, brider ses instincts. Après seulement, elle se donnerait à lui, sans restriction. Afin de ne pas succomber, elle devrait lui demander de se tenir à l'écart, et surtout, lui cacher l'existence de l'enfant qui grandissait en son sein.

Plus rudement qu'elle ne l'aurait souhaité, elle se dégagea de son étreinte rassurante. Marcus tenta de la retenir et serra la mâchoire en la voyant esquisser un geste de fuite. Sans lui laisser la possibilité d'émettre le moindre commentaire, elle déposa un doigt léger sur ses lèvres en secouant la tête, le regard triste.

— Marcus, tu ne dois pas entretenir de faux espoirs. J'ignore ce qu'il adviendra de moi à la pleine lune. Même Hyménée ne peut le prédire. Je ne veux prendre aucun risque en ce qui te concerne.

— Est-ce uniquement pour cette raison que tu me repousses, Abby?

— Oui, et c'est suffisant pour moi. Il serait préférable que tu quittes cet endroit. Le sang perfide de Lucurius coule dans mes veines, et je dois le combattre sans répit. Son appel se fait de plus en plus pressant. En toute honnêteté, je ne sais pas si j'arriverai à lui résister le moment venu, déclara-t-elle d'une voix éteinte.

— Raison de plus pour que je demeure à tes côtés.

La voyant prête à protester, il s'empara une seconde fois de ses lèvres, la réduisant au silence. Le souffle court, il la relâcha enfin et riva son regard sombre au sien.

— Tu ne te débarrasseras pas de moi aussi facilement. Pour avoir vécu quelque chose de similaire, je comprends ce que tu traverses, Abby. Il est hors de question que je t'abandonne. Je reste. Il te faudra composer avec ma présence, que tu le veuilles ou non, lâcha-t-il avec conviction.

— C'est trop dangereux, Marcus! s'écria-t-elle avec désespoir.

— Dois-je en conclure que tu t'inquiètes pour moi, que tu éprouves des émotions tendres à mon endroit? demanda-t-il avec douceur.

— Tu le sais pertinemment, rétorqua-t-elle dans un soupir en secouant la tête.

«Oh oui! Je l'aime!» Ce qui la rendait malade d'angoisse. S'il devait lui arriver malheur par sa faute, elle ne se le pardonnerait jamais. Déterminé à la pousser dans ses derniers retranchements, Marcus s'empara de son menton, l'obligeant à lui faire face.

— Abby... Que ressens-tu exactement pour moi?

Incapable de résister au magnétisme de ses prunelles, elle déglutit avec peine, le cœur étreint dans un étau. Elle aurait voulu lui mentir, pour l'éloigner d'elle, mais c'était au-dessus de ses forces. Malgré tout, elle risquait par sa réponse de sceller leur destinée, de les engager sur une pente périlleuse.

— Marcus... N'exige pas ça de moi... Ne fais pas ça...

— Abby... dis-le-moi!

— Pourquoi crois-tu que je sois encore de ce monde, Marcus? Si je n'avais pas éprouvé quelque chose à ton égard, j'aurais déjà perdu cette bataille...

— Abby, j'ai besoin de te l'entendre dire!

Impuissante à soutenir son regard, elle baissa la tête. Elle était si lasse de combattre, si affligée par le lourd secret qui grandissait en elle, qu'elle arrivait difficilement à respirer. Marcus effleura ses paupières, puis son front d'un baiser léger.

— Abby...

— Je t'aime... souffla-t-elle d'une voix à peine audible.

Soulagé, il l'embrassa avec fougue. Malgré le bonheur qui l'envahissait, il modéra ses ardeurs. Abbygaelle était effondrée, elle devait se reposer. Doucement, il l'obligea à s'allonger et remonta la couverture sous son menton. Avec des gestes apaisants, il caressa son abondante chevelure, puis déposa une main possessive sur son abdomen afin de garder contact avec elle.

Quel ne fut pas son étonnement alors en percevant les battements discrets d'un second cœur ! Il promena lentement sa paume sur son ventre plat, à la recherche d'une confirmation. Un sourire béat étira ses lèvres en comprenant qu'elle était enceinte.

À l'opposé de lui, Abbygaelle ne partageait pas cette euphorie et se renfrogna à la perspective de l'avenir qui les attendait, elle et le petit, en cas d'échec. Elle se redressa sur ses coudes.

— Par pitié, ne te réjouis pas immédiatement de cet évènement, Marcus. Si j'échoue dans cinq jours, ce bébé subira le même sort que moi.

— Tu vivras, Abby, ainsi que notre enfant ! déclara-t-il avec force. Je t'en fais le serment ! Nous combattrons ensemble... et nous vaincrons ! Est-ce que tu m'entends ? Je refuse que ma compagne et un autre de mes enfants soient assassinés... Plus jamais... se rebella-t-il avec une pointe douloureuse dans la voix.

Abbygaelle éprouva un coup au cœur devant sa souffrance évidente. Marcus avait perdu tout ce qui lui était cher par le passé, si bien qu'il avait failli se perdre par la même occasion. Il lui avait fallu des siècles pour se remettre de son chagrin. Il ne survivrait pas à une nouvelle tragédie. Elle le sentait jusque dans ses entrailles. Pour leur sauvegarde à tous les trois, elle devait à tout prix triompher de ce fléau. Aspirant plus que tout à une existence meilleure, elle acquiesça faiblement avant de se laisser retomber mollement sur l'oreiller. Malgré la cicatrisation en cours, sa blessure élançait.

Marcus déposa un baiser rassurant sur son front, puis ressortit de la chambre en prenant soin d'éteindre la lumière derrière lui. Il demeura immobile quelques secondes, l'esprit en alerte, avant de s'éloigner. Il se dirigea vers la pièce principale de la maison, les poings serrés, la rage au cœur. Il n'avait pas été en mesure de sauver Agniela, ainsi que leurs trois enfants par le passé, mais c'était différent aujourd'hui. Hyménée allait devoir lui rendre des comptes. Même son statut d'ancienne ne l'empêcherait pas de la détruire si elle s'avisait d'attenter à la vie d'Abbygaelle ou de leur petit.

❊   ❊   ❊

La vieille femme l'attendait sereinement, une tasse de tisane entre les mains. Elle trônait sur un fauteuil élimé, un sourire complaisant sur les lèvres. Son calme évident exaspéra d'autant plus Marcus qu'il était sur la corde raide. Déterminé à l'affronter, il lui fit face. En croisant les bras sur sa large poitrine, il écarta les jambes et se campa au sol. Une colère sourde exsudait de tout son être.

— Qu'avez-vous à dire pour votre défense, Hyménée ? l'attaqua-t-il avec rudesse.

Hyménée prit le temps de déposer sa tasse sur le meuble du salon avant de se relever avec grâce, les doigts joints devant elle.

— Je n'avais pas le choix, étant donné les circonstances, et si c'était à refaire, je n'hésiterais pas une seule seconde à recommencer. Abbygaelle serait perdue si je n'avais pas agi avec autant de diligence. Elle a dorénavant une chance de survivre.

— J'aurais dû être auprès d'elle pour l'aider à traverser cette épreuve.

— Je devais te tenir éloigné afin d'avoir les coudées franches. Si le processus avait mal tourné, je devais pouvoir l'éliminer sans avoir à t'affronter.

À ces mots, la bête en lui surgit avec violence. Sous la colère, il projeta une table en bois massif contre un mur, propulsant du même coup dans les airs tous les objets qui s'y trouvaient. Vesta remonta précipitamment du laboratoire, alertée par le bruit assourdissant. Elle s'immobilisa sur les ordres d'Hyménée, le corps tendu, prête à se jeter sur Marcus si c'était nécessaire. Au souvenir de ce qui s'était passé quelques instants auparavant dans la forêt, il poussa un cri de rage. Faisant volte-face, il fonça sur Hyménée et s'arrêta à seulement quelques centimètres d'elle. Tout son être frémissait, et une lueur meurtrière brûlait au fond de ses prunelles rougeoyantes.

— J'aurais pu la tuer! rugit-il.

— Tu ne l'as pas fait, constata Hyménée d'un ton paisible.

— Il s'en est fallu de peu! hurla-t-il. Vous jouez dangereusement, Hyménée, et vous prenez d'énormes risques. Je refuse de m'aventurer sur cette voie. Que vous le vouliez ou non, j'éloignerai Abby de cet endroit maudit. Je m'isolerai avec elle jusqu'à la pleine lune. Elle est sous ma protection. Tenez-vous-le pour dit!

— Tu devras attendre ceux de ton clan avant de quitter ces lieux, Marcus.

— Il est hors de question que nous restions ici plus longtemps.

— Il le faudra pourtant, car les autres membres de ta meute seront là dès demain.

— Espèce de vieille sorcière! Qu'avez-vous encore manigancé?

— J'ai jugé préférable que vous soyez tous les deux entourés des tiens pour traverser cette épreuve. Je leur ai donc ordonné de revenir. De plus, j'exige que Vesta, mon garde personnel, vous accompagne. C'est elle qui travaille avec Abbygaelle depuis sa transformation. Elle est la mieux placée pour évaluer ses progrès, ainsi que son état d'esprit. Malgré le fait qu'elle se retrouvera sous ton autorité, elle ne m'en demeurera pas moins fidèle. En échange, je garderai Adenora avec moi. Cette enfant doit être reprise en main, soustraite à l'influence néfaste de Lucurius le plus rapidement possible. Ce n'est qu'à ces conditions que j'adhérerai à ta demande.

— De quel droit réclamez-vous ça? se révolta Marcus avec fureur.

— En tant que membre des anciens, j'ai toutes les prérogatives pour le faire. Même toi, tu devras te soumettre à ma volonté.

— Ne vous risquez plus à interférer dans nos vies, Hyménée, car je pourrais très bien faire fi de ce que vous êtes. Je suis le premier-né de ma race, ne l'oubliez jamais…

Pour la première fois de son existence, Hyménée mesura l'ampleur exacte de la force et du pouvoir qui sommeillaient en Marcus. Il s'était gardé de dévoiler son potentiel réel durant tous ces siècles. Elle l'avait sous-estimé, se l'étant inutilement mis à dos avec toute cette histoire. Elle devrait faire attention à l'avenir. Elle devrait modérer ses propos, ainsi que ses gestes, car Marcus pourrait se révéler un adversaire redoutable. Mieux valait dans ce cas le ménager, surtout qu'elle aurait besoin de lui dans la bataille à venir. Marcus la toisa avec une froideur telle qu'Hyménée frissonna malgré la chaleur de la pièce.

— Prenez garde, Hyménée... Pour le moment, je consens à laisser Adenora sous votre tutelle. Sachez cependant qu'elle a dépassé les limites, exposant la meute au danger. Elle n'a pas avoué l'intégralité de ces méfaits, mais je la connais suffisamment bien pour imaginer le pire. Cette gamine est inconsciente. Il lui faudra plus que des sermons pour la redresser. Elle sait que tôt ou tard, elle aura à affronter mon jugement. J'envisage même la possibilité de la bannir du clan. De mon côté, j'aurai en tout temps un œil sur Vesta. À la moindre désobéissance, elle sera châtiée, puis renvoyée. Je n'admettrai aucune dissension dans mes rangs. Pour ce qui est des autres, j'accepte de retarder mon départ de vingt-quatre heures, mais à la seule condition que vous n'interveniez plus auprès d'Abbygaelle de quelque façon que ce soit.

— Tes exigences sont légitimes Marcus, et je consens à m'y conformer. De plus, tu peux être assuré de la loyauté de Vesta.

— Ça reste à voir...

Marcus fit demi-tour, désirant couper court à cet entretien. Il lança un regard inquisiteur à Vesta au passage. Celle-ci fixa Hyménée de ses prunelles dorées.

— Nous nous en tiendrons au plan initial. Marcus peut s'avérer intransigeant, mais c'est un être d'honneur. Aucun mal ne te sera fait au sein de sa meute, mais je ne garantis pas que tu y auras une place de choix. Il se méfiera de toi. Les autres adopteront la même attitude rigide à ton endroit. Tu devras faire tes preuves. Allez, va maintenant! Prépare tes effets personnels, et sois prête à partir. Le temps venu, Marcus ne t'attendra pas.

Pour toute réponse, Vesta s'inclina respectueusement devant Hyménée, puis se dirigea vers ses quartiers.

La nuit ne lui avait pas apporté l'apaisement souhaité. En fait, Marcus était trop ébranlé par sa confrontation avec Hyménée pour se détendre. Tant qu'il résiderait dans ces lieux, il serait sur ses gardes. Il n'avait aucune confiance en elle. Agité par des démons intérieurs, il s'allongea aux côtés d'Abbygaelle, et l'attira avec douceur contre lui. À son plus grand bonheur, elle laissa échapper un soupir de bien-être. Marcus respira avec plaisir l'odeur de lavande dans sa chevelure et déposa une main possessive sur son ventre. Lui vivant, personne ne ferait du mal à sa famille, c'était là une promesse.

Un souffle léger lui chatouilla la nuque, la faisant frissonner. Émergeant peu à peu des limbes du sommeil, Abbygaelle prit conscience, non sans un certain trouble, qu'elle était blottie entre les bras de Marcus. Son corps ferme se moulait à son dos et à sa croupe, éveillant en elle des sensations qu'elle préférait ignorer dans l'immédiat. Prisonnière de son étreinte, elle n'osa bouger, de crainte de le réveiller. En soulevant les paupières, elle aperçut la main massive qui recouvrait la sienne, si petite en comparaison, ainsi que leurs doigts entremêlés qui offraient un contraste saisissant.

Elle se sentait si bien ainsi, pelotonnée tout contre lui, à l'abri du danger. C'était à cet endroit qu'était sa place. Il était plus que temps que cela se concrétise. Pour la première fois depuis plusieurs semaines, elle ressentit une paix intérieure, et envisagea même l'avenir sous de meilleurs auspices. Résolue à vivre pleinement, elle tourna la tête avec d'infinies précautions. Elle ne fut pas surprise de croiser le regard sombre de Marcus. Une lueur possessive brillait dans ses yeux, lui réchauffant le cœur. Avec délicatesse, il la retourna vers lui en prenant soin de ne pas heurter sa hanche blessée. Tendrement, il caressa sa joue, puis déposa un baiser sur le bout de son nez.

— Comment te sens-tu ce matin ? s'informa-t-il avec sollicitude.

— Mieux...

Elle ne put s'empêcher de lui adresser un sourire confiant en le voyant froncer les sourcils. Elle frôla le pli soucieux qui lui barrait le front avec circonspection.

— Sache que je n'ai pas l'intention de te laisser m'échapper, Abby. Tu m'es trop précieuse, et tu es mienne...

À ces mots prononcés avec tant de ferveur, elle enfouit son visage contre son torse. Marcus l'entoura de ses bras, n'en demandant pas plus pour le moment. Abbygaelle combattait pour sa survie, c'était tout ce qui lui importait pour l'instant.

Attentif à son bien-être, il la repoussa avec douceur, puis se releva sur un coude. Lentement, il souleva sa chemise de nuit, résolu à constater l'ampleur de la morsure qu'il lui avait infligée. Le souffle court, Abbygaelle le laissa faire.

Par chance, la plaie s'était déjà refermée, et il n'y avait aucune trace d'infection. Néanmoins, il paraissait évident que des cicatrices profondes demeureraient. À leur vue, il émit un soupir accablant.

— Ce ne seront que des stigmates parmi tant d'autres, Marcus, rien de plus.

— Abby, ce n'est pas tant les marques qui me perturbent que la terreur que je t'ai causée. Jamais je n'oublierai ce qui s'est passé. J'aurais pu te tuer ! Cette seule perspective me remplit d'horreur.

— Par bonheur, ça n'a pas été le cas. Le pire a été évité. De toute façon, cette expérience m'aura au moins servi de leçon. J'ai compris qu'il était souhaitable d'adopter l'apparence d'un prédateur plutôt que celle d'une proie. Je ne commettrai pas la même erreur deux fois.

— Abby, j'ai cru mourir lorsque j'ai compris qu'il s'agissait de toi… S'il t'était arrivé malheur par ma faute, jamais je n'aurais pu me le pardonner.

Sous le coup d'une émotion poignante, il se releva, la gorge étreinte. Préférant lui tourner le dos, il prit appui à la charpente de la porte et inspira profondément.

Toujours dans le lit, Abbygaelle demeura immobile. Elle était chavirée par la douleur ancienne qu'elle avait lue au fond de ses prunelles. Marcus souffrait encore de ce qui était arrivé aux siens, craignant par-dessus tout que l'histoire se répète. Percevant son inquiétude à son encontre, Marcus se retourna d'un bloc, maître de lui-même à nouveau.

— Abby, lâcha-t-il dans un souffle en se passant une main dans les cheveux. Je sais que tu as l'impression que tout ton univers bascule, mais je suis là. Je serai le bras qui prendra ta défense, ton rempart contre les ténèbres.

Abbygaelle hocha la tête. Elle avait une foi inébranlable en lui. C'était en elle-même qu'elle n'avait pas confiance, plus particulièrement en le monstre qui avait pris possession de son être.

❄ ❄ ❄

Ils roulaient en direction de Caplan, un petit village situé en bordure de la Baie-des-Chaleurs. Il faisait sombre dans la Mazda, et un silence lourd y régnait depuis leur départ. Malgré leurs retrouvailles sincères, Abbygaelle n'avait pas eu le courage d'entamer une discussion avec Daphnée et Maximien. En réalité, ils avaient quitté la maison dans un climat tendu. Elle se remémora le regard belliqueux que lui avait lancé Adenora avant qu'Hyménée ne l'oblige à rentrer dans son logis. Après tout, l'adolescente avait fait ses propres choix, elle devait désormais en subir les conséquences. Pour sa part, elle avait bien assez de soucis comme ça. D'ailleurs, la présence de Vesta au sein de leur groupe était un rappel constant de sa situation précaire. Par bonheur, cette créature austère ne voyageait pas avec eux. Marcus avait été très catégorique à ce sujet, la reléguant dans la deuxième voiture, en compagnie de Florien.

Marcus avait exigé qu'Hadrien soit ramené chez Hyménée. Lucurius était en cavale, il fallait donc éviter que celui-ci devienne une cible trop facile, ou encore un moyen de pression par excellence contre Abbygaelle. Elle avait été soulagée de cette décision. Du moins, son père serait en sécurité. Afin de le ménager, elle avait demandé à ce qu'il ne soit pas informé des derniers évènements. Marcus avait compris ses appréhensions et s'était abstenu de tout commentaire. Lorsqu'il avait indiqué à Hadrien qu'il ne pouvait les suivre, ce dernier s'était soumis sans poser la moindre question. De toute façon, il savait que Marcus agissait toujours au bénéfice de la meute.

Jetant un coup d'œil en direction de Marcus, Abbygaelle détailla sa mâchoire volontaire, puis soupira malgré elle. D'emblée, il s'empara de sa main gauche et la serra brièvement dans la sienne. Elle appuya sa nuque sur l'appuie-tête en fermant les yeux. Rassurée, elle s'assoupit rapidement, bercée par le bruit du moteur.

La nuit était déjà avancée lorsqu'ils arrivèrent en vue du chalet de rondins. En traversant le pont rustique, Marcus observa les alentours. Le coin était tranquille, retiré de toute civilisation. De plus, ils étaient cernés par une forêt luxuriante. C'était sans contredit l'endroit idéal pour les jours à venir.

Après avoir arrêté la voiture, il fit discrètement signe à Daphnée et à Maximien de décharger leurs bagages pendant que lui-même contournait la Mazda pour rejoindre Abbygaelle. Elle semblait si sereine dans son sommeil. Sauf que cette apparence était trompeuse. Sous peu, elle devrait affronter ses démons, ce qui l'inquiétait énormément. Serait-elle assez solide pour dompter la bête qui avait pris possession de son être, et qui serait en possession de tous ses moyens lors de la pleine lune? Pourrait-elle supporter la douleur de son réveil? «Bon sang! Que ne donnerais-je pas pour lui éviter cette épreuve!» songea-t-il avec accablement.

Dans un soupir, il la souleva, surpris par sa légèreté. Abbygaelle avait considérablement maigri au cours de ces dernières semaines. Elle devrait s'alimenter convenablement désormais afin de reprendre des forces et d'être en mesure de subvenir aux besoins du bébé. Il y veillerait. Hyménée l'avait informé avant son départ qu'elle était incapable d'ingérer la moindre nourriture sous son apparence animale. C'était un point qu'il allait devoir rectifier sans plus tarder. Lorsqu'elle serait dans les bois, loin de toute civilisation, il lui faudrait se résigner à se restaurer à même ce que la nature leur offrait si elle voulait survivre.

❉   ❉   ❉

Le lendemain, tout le clan s'était regroupé autour de la table, attendant l'arrivée de la jeune femme. Ils la reçurent avec de grands sourires, heureux de la récupérer saine et sauve. Seule Vesta demeura en retrait, aux aguets. Abbygaelle ne s'en formalisa pas, préférant porter son attention sur ceux qui étaient devenus sa famille. Cependant, elle éprouva un léger malaise lorsqu'elle se retrouva face à Florien. Celui-ci l'étreignit sans autre forme de préambules en plaquant deux baisers sonores sur ses joues. Puis, il enserra avec douceur son visage entre ses mains calleuses et la scruta avec gravité.

— Abby, je tiens à te présenter des excuses au nom de ma fille. Il te faut savoir que je réprouve ses actes. Mon cœur saigne à l'idée du mal qui t'a été fait par sa faute, mais elle a fait son choix. Tu n'es nullement responsable de son sort. Bien avant ton arrivée, elle avait déjà désobéi à Marcus. Ce qui adviendra d'elle ne dépend maintenant que d'Hyménée et de Marcus. Transgresser les règlements peut entraîner des bouleversements majeurs au sein de la meute, et des innocents en paient le prix. Tu en es la preuve vivante. Notre rôle était de te protéger. Nous avons échoué à cause de la duplicité d'Adenora. J'espère seulement que tu sauras nous pardonner.

Abbygaelle demeura interdite pendant quelques secondes.

— Je... Florien... Jamais je n'aurais songé à vous condamner. C'est plutôt moi qui me sens misérable, car ma présence a causé de graves dissensions au sein de votre groupe. Je suis sincèrement désolée pour ce qui est arrivé à Adenora. Ce n'est pas ce que je voulais !

À l'évidence, Abbygaelle souffrait en son âme et conscience, ce qui risquait de miner ses forces. Marcus s'en inquiéta. Il fallait qu'elle cesse de se morfondre au sujet d'Adenora. Se relevant avec souplesse, il vint se placer derrière elle, puis il déposa ses mains sur ses épaules pour la tranquilliser.

— Tu as toujours fait partie de cette meute, au même titre qu'Adenora. Je peux t'assurer qu'aucun autre membre de ce clan ne te trahira. Nous sommes prêts à mettre nos vies en péril pour te protéger. Tu es ma compagne, Abby, la mère de mon enfant. N'oublie jamais le rang qui est désormais le tien. À partir de ce jour, tous te doivent respect et allégeance ! poursuivit-il avec puissance en fixant son regard sombre sur Vesta, en guise d'avertissement.

— Est-ce censé me réconforter ? ne put s'empêcher de demander Abbygaelle d'une voix blanche.

Marcus plongea son regard dans le sien après l'avoir obligée à se retourner. Il arborait une attitude si austère qu'elle en frissonna, intimidée tout à coup par sa prestance. Devant son expression anxieuse, Marcus se radoucit.

— Tu dois comprendre, Abby, que notre clan occupe une place prédominante dans la hiérarchie des méta-morphes. Je suis le premier-né de notre race, le seul à avoir frôlé les ténèbres d'aussi près sans succomber à ses attraits en retour. En devenant ma compagne, ce n'est pas unique-ment moi que tu acceptes, mais également tout ce que cela implique comme responsabilité.

À cet énoncé, Abbygaelle retint son souffle. C'était là un volet de sa vie future qu'elle n'était pas encore prête à envi-sager. Son existence était déjà suffisamment compliquée comme cela.

— Le moment venu, tout ira bien Abby, la rassura Marcus en percevant son malaise. Viens maintenant, allons manger.

— Je… En réalité, je n'ai pas très faim.

— Abby, pense à l'enfant. Prends place et nourris-toi, par pitié. Tu n'as plus que la peau sur les os.

Abbygaelle obtempéra à contrecœur. L'estomac serré, elle ne grignota tout d'abord que de petites bouchées de son omelette, puis à sa plus grande surprise, elle se rendit compte que son appétit était plus incisif qu'elle ne le croyait.

Marcus sourit de satisfaction en la voyant avaler avec entrain et fit discrètement signe à Vesta de les rejoindre à la table. Sa résistance évidente et sa mauvaise foi le firent froncer les sourcils. Elle était peut-être à la solde d'Hyménée, mais il comptait bien s'en faire une alliée. Pour y parvenir, il devait en premier lieu l'intégrer à la meute et faire naître en elle un sentiment d'appartenance.

En bonne compagnie, le temps s'écoula rapidement. Plus tard, ils devisèrent gaiement en arpentant la forêt avoisinante, parfois sous leur forme animale, à d'autres moments sous leur apparence humaine. Daphnée prenait un malin plaisir à taquiner Abbygaelle, renouant avec leur complicité d'antan. Tout au long de leur promenade, Marcus percevait les échos du rire cristallin de la jeune femme, et ce constat le ravit.

La soirée se déroula à l'image du reste de la journée. Ce ne fut que lorsque vint le moment de gagner leur chambre qu'Abbygaelle eut un instant d'hésitation. Son attirance pour Marcus s'était particulièrement accrue tout au long des heures passées avec lui, si bien qu'une certaine frénésie s'était emparée de son corps. Elle refusait toutefois de s'y abandonner, craignant trop que la bête profite de sa confusion pour la dominer. Marcus perçut le combat qui se livrait en elle. D'une manière ou d'une autre, Abbygaelle devrait apprendre qu'il lui fallait donner un peu de lest à cette partie sombre de sa personnalité, sous peine d'être submergé. Elle se faisait un tort considérable en réfrénant ses instincts de la sorte, mais lui faire entendre raison ne serait pas aisé. Normalement, les jeunes métamorphes nouvellement formés éprouvaient parfois de l'inconfort, voire de la peur en présence d'un mâle alpha, mais pas Abbygaelle. Il allait devoir dompter la créature en elle, et il avait bien l'intention de commencer dès maintenant.

Volontairement, il laissa fuser son pouvoir sans restriction. Les prunelles d'Abbygaelle s'embrasèrent instantanément d'un feu incandescent.

— Viens ici, Abby, l'intima-t-il d'une voix envoûtante.

Abbygaelle cilla. Un engouement puissant glissa en elle, asservissant ses sens au passage. Son pouls s'emballa, sa respiration s'accéléra. L'odeur de Marcus l'imprégnait tout entière.

— Non... lâcha-t-elle dans un souffle. Marcus, je refuse...

Le corps d'Abbygaelle se couvrit de sueur sous l'effort considérable qu'elle fournissait pour lui résister. Elle tremblait comme une feuille. Un gémissement lui échappa quand elle avança de quelques pas bien malgré elle.

— Abby... l'appela Marcus avec des intonations caressantes.

Un nouvel assaut l'assaillit, la secouant fortement. L'esprit embrumé, elle prit conscience qu'elle l'avait rejoint quand ses mains l'entraînèrent sur le lit, l'y faisant s'allonger.

— Chut... murmura-t-il alors en frôlant ses cheveux. Détends-toi... Je n'ai pas l'intention d'aller plus loin.

Elle préféra fuir son regard, meurtrie et les joues pâles. Marcus l'attira à lui et l'embrassa avec ferveur sur le front. Au passage, il souffla tendrement sur ses paupières closes afin d'assécher les larmes captives.

— Regarde-moi, Abby, demanda-t-il d'une voix empreinte de chaleur.

Ses prunelles brillantes vrillèrent les siennes, ne cachant rien du désarroi qui l'accablait. Afin de ne pas l'effaroucher, il s'approcha lentement de son visage, lui laissant tout le loisir de s'esquiver. Ses lèvres se firent aussi légères que les ailes d'un papillon, apportant sur son cœur un baume apaisant.

— Tu n'arriveras jamais à survivre aux prochains jours si tu exerces une telle domination sur la bête qui t'habite, insista-t-il avec gravité.

Son scepticisme lui fit froncer les sourcils. Elle s'était peut-être calmée, mais elle n'était pas prête pour autant à se conformer.

— J'aimerais discuter de certaines choses avec toi, annonça-t-il avec une certaine austérité.

L'expression qu'il affichait désormais étonna Abbygaelle. C'était l'alpha qui s'adressait à elle, non plus le compagnon attentionné.

— Abby, tu devras apprendre rapidement à obéir aux ordres, quels qu'ils soient. Je sais que l'adaptation sera difficile pour toi, mais je ne peux fléchir à ce sujet ; il en va du bien-être du clan. Je ne voudrais pas avoir à me battre contre un jeune métamorphe qui aurait cru à tort pouvoir me défier après avoir été témoin d'une dissension au sein de la meute. Surtout pas avec Vesta dans les parages.

Abbygaelle demeura muette. Lorsqu'elle était encore mortelle, elle n'était pas soumise à ces lois, ce qui n'était plus le cas aujourd'hui. Ces changements ne se feraient pas sans heurts et elle risquait de se retrouver en situation fâcheuse plus d'une fois. Elle comprenait les raisons qui avaient poussé Marcus à la mettre à l'épreuve, cependant, cette leçon l'avait ébranlée. Tout en suivant les courbes de son visage du bout des doigts, Marcus l'observa longuement.

— Abby, depuis l'aube des temps, les métamorphes sont associés à la magie noire et aux démons, poursuivit-il d'une voix caverneuse. Selon les humains, notre existence relèverait d'une malédiction ou d'un châtiment divin.

Certains à l'époque ont même pensé que nous étions des âmes damnées qui prenaient possession d'êtres humains vulnérables. Nous avons longtemps été pourchassés par l'inquisition, ainsi que par les fanatiques de tout genre. Plusieurs des miens ont été capturés au fil des siècles, puis torturés. Des innocents ont été injustement condamnés, brûlés vifs ou pendus. Quelques-uns des nôtres ont également été écorchés vivant, car la croyance laissait sous-entendre à une certaine période de l'histoire que notre poil se trouvait sous notre peau. J'ai été témoin de toutes ces horreurs et je ne voudrais surtout pas les revivre, pour rien au monde.

S'accordant une pause, il se perdit dans ses souvenirs. Ce qui avait marqué les siens par le passé ne devait pas être pris à la légère. Abbygaelle eut un coup au cœur. Elle voyait à travers le regard de Marcus toute la souffrance qui avait été la sienne. À son expression, Marcus sut qu'il avait toute son attention.

— Si je te raconte tout ça, Abby, c'est pour que tu saisisses bien l'importance des règles qui régissent notre monde. Il ne s'agit pas de caprice, mais de survie. Ce n'est que depuis peu que nous pouvons sortir au grand jour, sans risquer de représailles. Par contre, il suffirait d'un rien pour que tout bascule à nouveau.

— Je comprends, soupira-t-elle. C'est seulement qu'il m'est encore difficile d'assimiler tout ce qu'implique ma métamorphose. De plus, je suis terrorisée...

Avec une tendresse infinie, il essuya les larmes silencieuses qui roulaient sur ses joues. Que n'aurait-il pas donné pour traverser cette épreuve à sa place, mais c'était impossible. Abbygaelle allait devoir se familiariser rapidement avec un univers qui la dépassait, en plus de faire face à ses propres démons. Son cœur saignait à la pensée des tourments qui seraient les siens sous peu. Du moins, il ferait en sorte de la protéger des puissances obscures qui tentaient de s'emparer d'elle. Pour rien au monde, il ne permettrait qu'ils se servent d'elle. Abaddon ne l'aurait pas ! Lucurius avait été corrompu par cet ange déchu, mais pas lui. Il veillerait personnellement à ce que son demi-frère ne la précipite pas dans le gouffre de l'enfer. Plutôt mourir que de la laisser errer sans fin dans les abîmes.

Lucurius arpentait nerveusement la grotte dans laquelle il avait trouvé refuge pour s'y cacher. Désormais seul (toute son armée ayant été décimée), il se sentait traqué et cette situation le mettait hors de lui. Toutefois, depuis quelques jours, il ne percevait plus la présence de Marcus. Il connaissait suffisamment bien son demi-frère pour savoir que celui-ci n'aurait jamais abandonné sa traque sans une raison valable. Il y avait trop longtemps qu'il cherchait à le supprimer. Quelque chose s'était produit, mais il ignorait quoi exactement.

Lucurius échafauda un plan. C'était mieux que d'attendre le châtiment ultime d'Abaddon pour son échec cuisant. D'ailleurs, en guise de représailles, le démon l'avait départi de la plupart de ses pouvoirs, tout en lui infligeant des tortures de son cru depuis l'Au-delà. Le message avait été très clair : il devrait ouvrir sous peu le passage qui permettrait à sa horde d'envahir leur monde, ou il périrait dans d'atroces souffrances. Il avait donc besoin de la clé de voûte.

Par chance, il avait été en mesure de mordre la jeune femme avant l'arrivée de Marcus, la contaminant par le fait même. Ce qui signifiait qu'elle serait bientôt sous sa domination.

Dans l'immédiat, il pouvait s'octroyer du temps pour récupérer ses forces en vue du combat à venir, car il était évident que Marcus ne laisserait pas sa compagne lui échapper sans livrer bataille. Puisque c'était un adversaire redoutable, il se devait de ne laisser aucune place à l'erreur. Il lui fallait repérer l'endroit où se cachaient Marcus et sa bande, puis les espionner à leur insu jusqu'à la pleine lune. Le fait qu'il puisse encore masquer son odeur jouait en sa faveur.

❋ ❋ ❋

Ce jour-là, ils arpentaient la plage depuis un bon moment déjà. Abbygaelle semblait prendre plaisir à cette sortie, au cours de laquelle elle s'affairait à ramasser, ici et là, des coquillages que la marée avait déposés sur les galets parmi les billots de bois blanchis par l'eau de mer. S'adossant à la paroi rocheuse qui surplombait le rivage, Marcus goûta cet instant de répit. La jeune femme avait repris des couleurs et respirait l'air marin avec un tel plaisir que cela le rassura.

Une rafale s'engouffra dans les gorges, emportant du même coup un son étrange qui attira immédiatement l'attention d'Abbygaelle. Curieuse, elle porta son regard sur l'horizon, puis se figea en apercevant au loin la scène qui venait d'apparaître. En reconnaissant la silhouette familière d'un vaisseau de l'époque coloniale, elle se crispa. « Oh non ! » songea-t-elle avec effroi en prenant conscience qu'elle était de nouveau sous l'influence du monde des esprits.

L'angoisse l'étreignit, alors que son souffle précipité se perdit dans la violence du vent qui s'était levé. Malgré la distance qui la séparait de l'île rocheuse, elle discernait très bien les visages des personnes qui s'y mouvaient.

Sous ses yeux, une jeune fille y fut abandonnée, en compagnie d'un homme. Seuls quelques vivres ainsi qu'une provision sommaire d'eau furent laissés sur place. Avec stupeur, elle remarqua que les matelots qui les avaient emmenés en barque retournaient au navire. Alors que le bateau faisait voile vers le large, Abbygaelle perçut le désespoir qui envahissait les deux jeunes gens. Elle en fut complètement chamboulée. Comme le temps ne semblait plus avoir de prise sur les évènements, des scènes diverses se déroulèrent avec une rapidité effarante. Vint l'instant où les deux infortunés se retrouvèrent sans vivres. Leur situation était critique, d'autant plus que la pauvre petite était visiblement enceinte. Était-ce là la raison de son bannissement ? Abbygaelle en était certaine. Impuissante, elle vit l'homme construire un radeau rudimentaire avec les moyens du bord. Elle comprit qu'il allait essayer d'atteindre les rives du continent. Seulement, le sort s'acharna sur eux, et il échoua dans sa tentative. Sous les yeux de sa compagne, il sombra dans les profondeurs de la mer et périt. La malheureuse cria plusieurs fois son nom, jusqu'à ce que sa voix se casse. Elle demeura un bon moment recroquevillée sur elle-même. Les larmes aux yeux, Abbygaelle vit le temps défiler à nouveau plus rapidement. Son cœur se serra en apercevant Marguerite affronter seule les affres de l'enfantement. Elle donna naissance à un bébé mort-né. Touchée au plus profond de son être, Abbygaelle enlaça instinctivement sa propre taille, s'efforçant ainsi de protéger le petit être qui grandissait en elle. Puis, la raison de Marguerite bascula. Croyant à tort que son amoureux revenait la chercher, la pauvre pénétra dans les flots déchaînés, son enfant dans les bras. Elle se noya à son tour. Des pêcheurs qui rôdaient dans les environs tentèrent de la sauver, mais en vain.

Lorsqu'Abbygaelle devina ce que Marguerite s'apprêtait à faire, elle la supplia de renoncer à cette folie. Ce fut son cri de désespoir qui attira l'attention de Marcus. D'où elle se trouvait, Abbygaelle ressentit le calvaire de la jeune fille comme si sa souffrance était sienne. Plaquant une main sur ses lèvres, elle tomba à genoux, les yeux rivés sur la silhouette qui disparaissait dans l'onde. Dès que Marcus la rejoignit, il se laissa choir lourdement à ses côtés.

— Abby! Abby! rugit-il. Regarde-moi! Abby! Je suis là! Bon sang! Regarde-moi! ordonna-t-il avec fermeté.

L'expression éteinte qu'elle tourna dans sa direction l'alarma. Comprenant alors de quoi il en retournait exactement, il la secoua avec vigueur.

— Abby! Reviens! Je t'en conjure, Abby! Reviens... Ce que tu vois n'est pas réel!

Un long frisson la parcourut, puis ses prunelles retrouvèrent peu à peu de leur éclat. Elle se jeta à son cou en sanglotant.

— Tu ne m'abandonneras jamais n'est-ce pas? Promets-moi de ne pas renoncer, Marcus! Par pitié, je ne veux pas devenir un monstre... Je ne veux pas mourir... Jure-moi que je ne terminerai pas comme cette pauvre fille!

— Abby, chut. Tu n'as rien à craindre. Je serai toujours là pour toi, murmura-t-il à son oreille en la serrant étroitement contre lui.

Marcus enrageait de ne pouvoir rien faire contre les visions qui la frappaient aussi traîtreusement. Cette impuissance sapait dangereusement son moral, le rendant même agressif. Il ne pouvait tout de même pas la confiner entre quatre murs pour l'éternité. Néanmoins, à voir toutes ces horreurs, il redoutait qu'elle en vienne à perdre la raison. Il devait trouver un moyen de la prémunir du monde des esprits le plus rapidement possible.

Durant la soirée, Abbygaelle refusa de manger. Elle regagna sa chambre, aspirant à un peu de solitude. Marcus la suivit, ne souhaitant pas la laisser seule avec ses pensées moroses. Elle demeura silencieuse, prostrée entre ses bras une bonne partie de la nuit, plus vulnérable que jamais. Il ne restait plus que deux jours avant la pleine lune.

Dès son réveil, Abbygaelle eut conscience d'être dévorée par une faim d'un tout autre ordre qu'habituellement. Se dégageant de l'étreinte de Marcus, elle se redressa sur un coude. Sans pudeur, elle releva le drap et se rassasia du spectacle de son corps musclé. Tout en promenant une main fiévreuse sur sa peau dorée, elle se rapprocha de son visage. Tiré du sommeil, Marcus ne broncha pas, tous ses sens aux aguets. Abbygaelle n'était plus la même. Il devina que la bête en elle avait finalement fait surface. Attirée par ses lèvres sensuelles, Abbygaelle l'embrassa avec une telle fougue qu'il se sentit happé par un tourbillon. Elle souleva sa robe de nuit jusqu'aux hanches avec vivacité et l'enjamba sans vergogne. Il retint son souffle, s'obligeant à calmer ses pulsations animales. Souhaitant le provoquer, elle se départit prestement du fin tissu qui la recouvrait, puis se pressa contre son bas ventre en ondulant de façon lascive. Marcus réagit d'instinct en l'agrippant par la taille.

Alors qu'il la détaillait avec avidité, il nota que ses seins avaient commencé à s'alourdir, s'auréolant désormais d'un cercle plus foncé. Ses boucles descendaient librement en cascade dans son dos, la parant telle une nymphe des bois. Il comprit qu'il ne pourrait pas résister à cette sirène encore très longtemps.

— Enfer et damnation! lâcha-t-il avec difficulté. Abby! Il ne faut pas! Pas de cette façon! Abby... poursuivit-il d'une voix sourde en la renversant avec rudesse sur le matelas.

Devinant qu'elle allait revenir à la charge, il la plaqua sans ménagement sur le lit, s'appuyant de tout son poids sur elle. Il emprisonna ses poignets dans un étau de fer.

— Reprends-toi, Abby! ordonna-t-il durement, le souffle court.

En retrouvant soudain ses esprits, Abbygaelle demeura interdite. L'audace dont elle avait fait preuve ne lui ressemblait pas. Marcus souleva son menton, l'obligeant à le regarder. Il lui sourit avec une telle chaleur que son cœur tressauta dans sa poitrine. Comprenant alors que le vrai combat venait de commencer, elle prit peur. Marcus percevait sa détresse. Pour la réconforter, il afficha une expression confiante.

— Tout ira bien, Abby. Tu verras, cette sordide histoire sera bientôt terminée. Courage, il ne reste plus que deux jours avant la pleine lune.

Fort de cette conviction, il l'assit sur lui en la blottissant contre son torse afin de lui communiquer un peu de sa force.

Abbygaelle se détendit. Il lui accorda un moment de répit avant de la repousser avec douceur. Se relevant, il lui tendit le bras pour l'aider à s'extirper du lit, puis l'invita à le suivre jusqu'à la salle de bain.

Le jet brûlant ruisselait sur son corps frigorifié. Le front appuyé contre le thorax de Marcus, elle goûtait le plaisir simple de ses mains fermes sur ses épaules crispées. Avec un art divin, il dénoua un à un les nœuds qui s'y étaient formés, lui arrachant un soupir de bien-être. La vapeur les enveloppait dans un cocon chaud et douillet, les isolant du reste du monde. S'emparant d'une bouteille, Marcus laissa couler une crème aux douces fragrances de lavande dans sa paume. Il en enduisit la longue chevelure de sa compagne, faisant mousser le tout dans un massage voluptueux. Abbygaelle ferma les yeux, alanguie.

La tension nerveuse d'Abbygaelle avait baissé d'un cran lorsqu'elle pénétra dans la cuisine. Plus détendue que jamais, elle affichait une expression sereine. Un bras autour de ses épaules, Marcus l'attira à lui et l'embrassa furtivement dans le cou. Cependant, son sourire s'effaça en la voyant pâlir subitement. Avant même qu'il ne puisse réagir, Abbygaelle sortit précipitamment de la maison et s'élança en direction des sous-bois, une main plaquée sur la bouche. Marcus la rejoignit au moment où elle fut prise de violentes nausées. Il demeura en retrait et la scruta en silence.

Il n'y avait plus aucune trace de plénitude sur son visage défait lorsqu'elle se redressa enfin. Légèrement chancelante, elle dut prendre appui au tronc d'un arbre afin de ne pas s'effondrer.

— Ça va ? s'informa-t-il, soucieux, en l'empoignant par le coude pour la soutenir.

— Je l'ignore… Il y avait cette odeur de friture dans la cuisine… et à l'idée d'avaler des œufs cuits avec du bacon rôti, j'ai senti mon estomac se soulever.

— Abby, tu dois manger !

— Je le sais bien ! Sauf que la seule perspective d'ingurgiter cette nourriture me rend malade. Pourtant, j'ai si faim… se plaignit-elle en se mordant la lèvre inférieure.

À peine ces paroles prononcées, elle se dégagea de l'étreinte de Marcus d'un geste brusque. Sans avertir, elle adopta la forme d'un cougar, puis bondit dans les bois. Remis de sa stupeur, Marcus s'empressa de la suivre sous la même forme animale. Ce revirement de situation ne lui disait rien qui vaille et ne pouvait signifier qu'une chose : la bête avait repris les commandes de son corps. Ses doutes se confirmèrent d'autant plus qu'en la retrouvant, il la vit se jeter avec férocité sur une biche après une traque expéditive. Déjà, elle déchiquetait sa chair tendre avec un plaisir pernicieux. Le cervidé n'avait eu aucune chance d'en réchapper. L'acharnement morbide dont elle fit preuve alarma Marcus. Par prudence, il demeura légèrement en retrait.

Ce ne fut qu'une fois son repas terminé qu'elle releva la tête dans sa direction. À sa vue, elle cracha, faisant fi de la hiérarchie stricte au sein de la meute. Marcus fonça sur elle, mais ayant anticipé son geste, elle l'esquiva à la dernière seconde. Il bondit de nouveau, l'entraînant avec lui dans son élan. Ils roulèrent ensemble sur le sol dans un enchevêtrement de pattes. Abbygaelle se dégagea avec énergie et fouetta l'air de sa queue. Alors qu'elle tentait de fuir, il la rattrapa rapidement et la propulsa dans le ruisseau non loin de là. Abbygaelle atterrit lourdement dans l'eau froide. Elle entreprit de regagner la rive à la nage. Ce fut avec difficulté qu'elle parvint à s'extirper de l'onde. Alors qu'elle se secouait vivement, Marcus fut sur elle en une fraction de seconde et planta ses crocs dans sa nuque pour la contraindre. Sous la douleur cuisante, elle poussa quelques gémissements avant de s'immobiliser. Aussitôt, elle courba l'échine. Marcus feula sauvagement, la faisant frémir d'appréhension.

Abbygaelle retrouva son apparence humaine et s'écroula sur le sol humide. Marcus demeura sous sa forme de cougar, du moins, jusqu'à ce qu'elle recouvre ses esprits. Il ne souhaitait pas qu'elle lui échappe de nouveau. Abbygaelle ne tarda pas à revenir à elle. Confuse, elle porta machinalement une main à sa nuque endolorie. En entrant en contact avec une substance moite, elle la retira prestement. Sa stupeur fut grande en découvrant que du sang la maculait, et d'autant plus en remarquant que Marcus la fixait avec fureur après avoir recouvré son aspect humain. Mal à l'aise, elle recula en déglutissant avec peine et hésita à lui adresser la parole.

— Je... Comment suis-je arrivée ici ? Que s'est-il passé exactement ?

— Tu ne te rappelles absolument rien ? demanda calmement Marcus.

— Peu de choses ! Mis à part le fait d'avoir ressenti tout à coup un appétit vorace. Après quoi, tout est si embrouillé que je m'y perds.

— En réalité Abby, tu as chassé. Tu as assouvi toi-même ta faim.

Comprenant alors que le monstre en elle avait repris les commandes de son corps à son insu, elle baissa la tête. Elle n'opposa aucune résistance lorsque Marcus l'enjoignit à le suivre. Parvenue au chalet, elle demeura prostrée sur un sofa, à l'écart des autres, affolée à la seule idée de blesser l'un d'eux. Marcus, pour sa part, se tint debout près d'elle, le regard rivé dans sa direction.

Quand vint l'heure de se coucher, il l'accompagna à leur chambre. Une fois sur place, il l'obligea à s'allonger à ses côtés. Elle resta éveillée plusieurs heures. Maximien et Florien montèrent la garde à l'extérieur, tandis que Daphnée et Vesta en faisaient de même au rez-de-chaussée, prêts à intervenir en cas de problèmes. L'aube s'apprêtait à poindre dans toute sa splendeur lorsqu'Abbygaelle s'endormit finalement. Du moins auraient-ils un sursis avant la prochaine confrontation, puisque ce soir-là, la lune serait pleine !

❅   ❅   ❅

Midi avait sonné depuis un certain temps quand Abbygaelle émergea enfin des limbes du sommeil. Ses songes peuplés de cauchemars l'avaient complètement épuisée, mettant ses nerfs à vif. Les sens plus exacerbés que jamais, elle avait peine à maîtriser ses émotions et semblait remontée contre tout un chacun. On aurait dit un volcan sur le point d'exploser. Appuyé au comptoir de la cuisine, Marcus la fixait d'un air inquisiteur, ce qui l'échauffa davantage. Animée par des pulsions dévastatrices, elle s'insurgea contre lui, allant même jusqu'à lancer son assiette dans sa direction. Déjà sur le qui-vive, il l'esquiva de justesse, si bien que le morceau de vaisselle se fracassa contre une armoire. Sans un mot, Daphnée s'empara d'un chiffon et d'un balai, et ramassa les débris. Marcus, quant à lui, resta stoïquement sur place. Son impassibilité n'était que superficielle, car en réalité, il était sur des charbons ardents. Il se méfiait plus que jamais des réactions impulsives d'Abbygaelle.

Sans aucune considération pour ce qu'elle venait de faire, Abbygaelle se releva brusquement en renversant sa chaise dans un bruit sourd. Tel un lion en cage, elle arpenta le salon de long en large, une bonne heure durant, avant de se planter devant Vesta. Elle exécrait cette femme qui n'avait eu aucun égard pour sa condition dès le départ. Avec arrogance, elle la repoussa contre le mur de la cuisine, cherchant ainsi un exutoire à la violence qui couvait au plus profond de son être. Plus vive à réagir que les autres, Vesta se redressa et s'apprêta à l'affronter lorsque Florien l'attrapa par-derrière. Marcus s'interposait entre les deux femmes, en prenant toutefois soin de ne pas toucher Abbygaelle. Il la sentait tendue comme un arc et voulait éviter à tout prix de lui fournir le moindre prétexte pour se déchaîner davantage. Cependant, la tension demeurait palpable dans le chalet, éprouvant durement les nerfs de tout un chacun.

Puis, sans prévenir, la personnalité réelle d'Abbygaelle émergea à nouveau. Un malaise évident planait sur les lieux, la mettant au supplice. Profitant de l'accalmie relative qui s'offrait à eux, Marcus la serra contre son torse dans une étreinte rassurante. Il l'embrassa avec douceur, le cœur déchiré par l'incertitude. Blottie contre lui, Abbygaelle s'imprégna de sa chaleur. Ses idées s'embrouillaient, elle n'avait aucune emprise sur ce qui lui arrivait. Le monstre en elle surgissait à l'improviste, la laissant complètement vidée après son passage. Elle ignorait combien de temps elle parviendrait encore à garder le cap. Refaire surface après une telle expérience se révélait de plus en plus ardu. Elle luttait âprement, mais le combat était inégal. S'abandonnant dans les bras de Marcus, elle s'accrocha à lui comme à une bouée de sauvetage. Elle redoutait plus que tout les heures à venir, incapable de se soustraire au sort funeste qui l'attendait.

❉ ❉ ❉

L'heure du souper passa, mais personne ne se risqua à manger. Par deux fois déjà, la bête avait repris le dessus sur Abbygaelle, exilant sa personnalité réelle vers des rivages obscurs. Il était évident que le monstre gagnait du terrain au détriment de la jeune femme. Ces montagnes russes épuisaient l'imperturbabilité de Marcus. Alors qu'Abbygaelle venait de perdre à nouveau la bataille, il quitta le salon précipitamment. Sur le point d'éclater, il se défoula en frappant le mur de son poing, le trouant. La partie sombre de son être s'agitait avec une violence démesurée. Il espérait presque une confrontation pour en finir une bonne fois pour toutes avec cette incertitude mortelle. Daphnée, qui n'arrivait plus à supporter cette tension malsaine, sortit prendre l'air afin de se changer les idées. Oppressé par un poids lourd, Marcus suggéra à Maximien et à Florien d'en faire tout autant, mais ceux-ci refusèrent, préférant rester à ses côtés pour le seconder. Pour ce qui était de Vesta, rien ne servait de lui proposer de s'éloigner, car elle était totalement concentrée sur Abbygaelle.

Attentive à l'état d'esprit de chacun, Abbygaelle demeurait à l'affût d'une occasion. La force obscure tapie au fond d'elle réclamait son dû, n'aspirant qu'à rejoindre son maître… Lucurius. Elle sentait sa présence toute proche, et rageait d'être enfermée dans cet espace restreint. Le soleil ne tarderait plus à se coucher. Il lui fallait donc se soustraire à la surveillance de ses geôliers. Alors que le ciel se parait de mille feux, elle bondit vers la porte. Pris par surprise, Marcus eut un moment d'hésitation, ce qui lui permit de s'échapper. Daphnée, qui se trouvait à l'extérieur, lui barra aussitôt le passage. Frustrée, Abbygaelle lui envoya un coup de pied puissant dans l'estomac, la propulsant contre un sapin. Par chance, ce bref affrontement donna le temps à Marcus de se ressaisir, puis de la rattraper. La saisissant à bras le corps, il l'entraîna de force vers le chalet. Elle se débattit avec violence, mais il maintint fermement son emprise. Dès lors, elle entama sa mutation.

Des griffes affûtées surgirent au bout de ses doigts, ses oreilles s'allongèrent en pointe, sa mâchoire se prolongea en un museau, et des crocs acérés remplacèrent ses dents. Marcus n'eut d'autre choix alors que d'adopter un comportement beaucoup plus agressif. Il ne devait pas la laisser atteindre le point de non-retour, ou encore lui permettre de blesser l'un des siens. Pour avoir déjà traversé cet enfer par le passé, il savait qu'elle serait imprévisible sous peu. Si jamais elle s'évadait, plus rien ne pourrait empêcher sa transformation finale. La lune était pleine dans le ciel étoilé, exerçant un attrait redoutable sur ses sens.

Il la ramena avec rudesse vers le centre de la pièce et lui fit face. Florien avait pris place devant la porte afin de lui en barrer l'accès, alors que Vesta et Maximien surveillaient chacun une fenêtre. Daphnée se tenait sur la première marche qui menait à l'étage. Coincée, Abbygaelle grogna en montrant les dents. Animée par une fureur dévastatrice, elle fonça sur Marcus. Il la repoussa avec une puissance phénoménale. Lorsque sa tête percuta avec brutalité une poutre de bois massive, elle lâcha un hurlement douloureux. Quelque peu sonnée, elle chancela avant de retrouver ses esprits. De ses prunelles glaciales, elle les observa tour à tour, à la recherche du maillon faible. Un rictus grossier déforma ses lèvres quand elle le trouva. Avec une rapidité fulgurante, elle s'élança vers Daphnée et bondit par-dessus la table de la cuisine pour l'atteindre plus facilement. Marcus réagit au quart de tour et l'agrippa fermement par la taille au passage. Freinée dans son élan, elle s'affala durement contre la planche de chêne en rugissant avec rage. Marcus l'empoigna sans hésitation. Elle parvint toutefois à le griffer sauvagement sur le bras. En réponse, il resserra son étreinte, la faisant presque suffoquer.

— Abby! Reprends-toi! Abby... tonna-t-il avec autorité en la secouant vivement.

Résolue à lui échapper, elle se déchaîna avec plus d'ardeur encore, donnant des coups de tête au hasard. Sa force était colossale, si bien que Marcus avait peine à la contenir sous son apparence humaine. Il aurait été plus à même de la réfréner sous sa forme mi-animale, mi-humaine, mais il craignait trop que la situation dégénère en adoptant cette ligne de conduite. La bête en lui était déjà suffisamment échauffée. Il ne s'y risquerait qu'en dernier recours, pas avant.

Un hurlement sinistre vibra dans la nuit, attirant son attention en direction de l'une des fenêtres. Abbygaelle profita de cette diversion pour s'esquiver. Elle fonça sur Vesta avant même qu'il puisse faire quoi que ce soit. Celle-ci l'attendait de pied ferme, dague au poing, prête à la transpercer. Furieux, Marcus s'élança vers elle en criant un «Non!» retentissant en percutant Abbygaelle avec rudesse.

La pointe de la lame rata de peu le cœur de la jeune femme, mais pénétra cependant dans son épaule, lui arrachant une plainte de douleur. Habitée par une rage folle, Abbygaelle retira la dague de sa chair meurtrie, puis la relança vers Vesta, qui l'évita de justesse. La lame se ficha dans le mur, à quelques centimètres à peine de sa tête.

Au moment où Marcus se dirigeait vers Abbygaelle, l'une des vitres vola en éclats. D'instinct, Florien se pencha pour se protéger. Une bête énorme bondit par-dessus lui, heurtant Marcus de plein fouet. Celui-ci fut projeté dans les airs et roula sur lui-même avant de retomber accroupi sur le plancher de la cuisine. Le regard mauvais, il fixa son demi-frère.

Abbygaelle se préparait à sauter pour rejoindre Lucurius, mais Marcus la repoussa violemment avec son avant-bras. Elle fut propulsée contre l'une des chaises de la table, la brisant sous la force de l'impact. Un mugissement retentissant résonna dans la pièce lorsqu'un fragment de bois traversa l'épaule de la jeune femme, sectionnant du même coup des ligaments. Profitant de la confusion géné-rale, Vesta se jeta sur elle et lui planta la dague dans le ventre. Alors qu'elle s'apprêtait à la frapper en plein cœur, Marcus la catapulta plus loin. Avant que Vesta puisse se redresser, Florien et Maximien l'encadrèrent.

En voyant qu'Abbygaelle tentait de se relever pour retourner dans la mêlée, Daphnée la ceintura par l'arrière, lui coinçant sans ménagement les bras, ce qui lui infligea une douleur vive. Affaiblie par ses blessures profondes, Abbygaelle ne fut pas de taille à la contrecarrer. Daphnée souffrait de lui imposer une telle torture, mais c'était l'unique moyen dont elle disposait pour la maîtriser. Marcus était seul désormais pour affronter Lucurius. Il y avait si longtemps qu'un même désir destructeur les animait qu'il était temps d'y mettre un terme. Pour Marcus, il en allait de la sécurité des siens, ainsi que de la survie de sa compagne.

Dès que Lucurius se jeta sur lui, Marcus sauta à son tour, le bloquant dans son élan. Il l'empoigna d'une main ferme et le propulsa dans les armoires. Celui-ci rebondit avant de tomber sur le carrelage dans un grognement furieux. Des débris furent projetés dans la pièce, mais Marcus n'y fit pas attention. Alors qu'il s'approchait de son demi-frère, celui-ci virevolta et le catapulta par la fenêtre avec une puissante ruade. Profitant de cette occasion, le loup-garou chercha à atteindre Abbygaelle, mais Marcus revint à la charge avec une vitesse inouïe et s'interposa. Sa force était décuplée par sa haine, ainsi que par son désir de protéger sa meute. Chaque fois que Lucurius tentait une manœuvre en direction d'Abbygaelle, il le contrecarrait aussitôt. Comprenant qu'il ne pouvait faire le poids contre les métamorphes, Lucurius se replia dans un cri de rage en se précipitant vers l'extérieur. Il n'y avait rien de glorieux à prendre la fuite, mais il n'avait plus le choix. Son seul atout résidait désormais dans l'attrait des ténèbres sur la jeune femme. Si par un heureux hasard elle répondait à l'appel de la bête, il aurait vaincu. Dans le cas contraire, sa défaite serait cuisante.

Indécis, Marcus jeta un bref coup d'œil en direction d'Abbygaelle. Il était déchiré. Il avait là une occasion de se débarrasser enfin de son demi-frère, mais cela impliquait qu'il abandonne Abbygaelle. Il hésitait, perdant ainsi de précieuses secondes. Le regard torturé, il s'avança vers Maximien et Florien.

— Veillez sur elle, lâcha-t-il d'un ton impérieux

Se détournant d'eux, il lança un regard inquisiteur à Vesta, tout en grognant sourdement. Elle comprit immédiatement qu'il était dans son intérêt de ne pas s'approcher d'Abbygaelle durant son absence. Contrainte d'obéir, elle ploya l'échine en signe de soumission. Déterminé à se débarrasser de Lucurius, Marcus s'élança alors dans la nuit. Il se métamorphosa en loup et amorça sa traque. Les sens aiguisés par une haine féroce, il ne fut pas long à retrouver sa trace. Une certaine euphorie s'empara de lui. Il était désormais le prédateur, son demi-frère, une proie de choix qu'il convoitait depuis trop longtemps déjà.

À quelques lieues de là, Lucurius était conscient de la précarité de sa situation, car il se savait poursuivi par Marcus. S'il voulait échapper à la mort, il lui fallait à tout prix le semer. Ce fut avec un soulagement évident qu'il arriva près d'un cours d'eau qui conduisait directement au village. Il pourrait brouiller sa piste en le longeant. Il sauta dans l'onde tranquille, puis s'éloigna dans la nuit.

Lorsque Marcus gagna à son tour le ruisseau, il fut submergé par la frustration. Furieux, il arpenta les berges à la recherche du moindre indice qui lui indiquerait la direction à emprunter, mais ses recherches s'avérèrent vaines. N'écoutant que son instinct, il décida de suivre l'amont du cours d'eau qui menait au bourg.

Ni Lucurius ni Marcus ne s'arrêtèrent au cours de l'heure suivante, ce qui permit au loup-garou d'atteindre sans encombre une grange abandonnée, isolée de toute civilisation. Ce bâtiment ferait parfaitement l'affaire pour se cacher et reprendre des forces. Certain de retrouver son demi-frère, Marcus poursuivit sa course. Un sentiment d'exaltation l'envahit en retraçant la piste de Lucurius en bordure d'une vieille grange. Conscient qu'il s'agissait de l'ultime combat entre eux, il laissa la bête prendre le dessus et entamer sa transformation. Il bondit par l'une des fenêtres, bras écartés, griffes ressorties, et atterrit lourdement devant Lucurius. Ce dernier eut un moment d'hésitation en apercevant la créature mi-humaine, mi-animale qui lui faisait maintenant face. Il y avait longtemps qu'il n'avait pas eu à se mesurer à cette partie sombre de la personnalité de Marcus.

Tout en s'affrontant du regard, ils se précipitèrent l'un sur l'autre en rugissant. Marcus reçut Lucurius avec un crochet de droite à la mâchoire, le faisant chanceler sous l'assaut. Avec une fureur démentielle, Lucurius se redressa et se lança sur lui. Sous la force de l'impact, ils tombèrent à la renverse dans un bruit sourd. Marcus se dégagea promptement en repoussant avec énergie son demi-frère. Alors qu'il se remettait debout, le loup-garou en profita pour bondir par-dessus lui et le mordre traîtreusement par-derrière. Dans un hurlement de douleur, Marcus l'empoigna par le cou et le fit basculer vers l'avant avec une puissance colossale. Lucurius atterrit aussitôt sur ses pieds, prêt à combattre. La lueur sanguinaire qu'il vit apparaître dans les prunelles du chef des métamorphes le fit douter de sa supériorité l'espace d'un instant. Celui-ci était littéralement déchaîné, ne songeant à rien d'autre qu'à la mise à mort de son ennemi. Ce bref moment d'inattention de sa part offrit à Marcus l'occasion dont il avait besoin. Il s'agrippa à l'une des poutres en s'élançant et se propulsa avec vigueur. Il percuta son adversaire de ses pieds avec une telle puissance que celui-ci fut projeté dans les airs. Jambes repliées, Marcus retomba à ses côtés, gueule ouverte. Aveuglé par une rage meurtrière, il le saisit par la gorge et resserra son emprise d'une étreinte mortelle. Lucurius arriva à se dégager en lui lacérant la poitrine de ses griffes affûtées.

Tout en respirant par saccades, Lucurius grimpa jusqu'au deuxième étage de la grange afin de gagner un peu de temps. Marcus le suivit de près, le corps en sueur. Il se lança aussitôt sur le loup-garou, le catapultant à travers le toit. Des éclats de bois explosèrent en tout sens sous la force de l'impact. Au moment où il le rejoignit à l'extérieur, Lucurius l'attaqua. L'empoignant à nouveau par la trachée, Marcus le tint à l'écart, mais son demi-frère parvint à le mordre une seconde fois au bras. En réponse, Marcus lui assena un coup puissant sur le sommet de la tête, l'assommant. Perdant alors l'équilibre, ils roulèrent sur la pente abrupte du toit, sans que rien ne puisse ralentir leur chute. Ils atterrirent brutalement sur le sol rocailleux. Ayant le dessus sur son demi-frère, Marcus se souleva et planta ses griffes dans la poitrine de Lucurius. Il lui arracha le cœur et le déchiqueta avec une sauvagerie sanguinaire.

Dans un état second, il se releva et contempla la dépouille de Lucurius. De violents soubresauts accompagnèrent son retour sous sa forme humaine, car son côté sombre refusait de battre en retraite après un tel déploiement d'agressivité. Le souffle court, il tomba à genoux et dut prendre appui sur ses bras pour ne pas s'effondrer. Le sang qui recouvrait son chandail excitait le monstre en lui. Il le déchira brusquement et le jeta au loin. La fraîcheur de la nuit sur sa peau brûlante l'aida à s'éclaircir les idées. Il devait rejoindre Abbygaelle sans plus tarder.

Dissimulée dans l'obscurité, une ombre maléfique observait la scène avec attention. Un miroitement funeste s'intensifia autour de l'apparition sans substance d'Abaddon.

Malgré sa contrariété de voir l'un de ses plus fidèles soldats mis en échec aussi facilement, il affichait un sourire rusé. Marcus croyait à tort avoir tué son demi-frère, mais ce n'était que sa dépouille qu'il avait profanée. L'esprit et l'âme noire de Lucurius avaient déjà déserté son corps bien avant que son cœur ne lui soit arraché. En fait, Abaddon avait projeté son essence en d'autres lieux et en d'autres temps, loin de la vindicte du métamorphe. En détaillant la silhouette massive du guerrier, une lueur malicieuse s'alluma dans le regard de l'ange déchu. Marcus lui avait échappé une fois auparavant, mais il ne s'avouait pas vaincu. Tôt ou tard, ce seigneur des ténèbres serait de nouveau sous son emprise ; ce n'était plus qu'une question de temps. Pour l'heure, il avait plus important à faire. Une deuxième clé de voûte venait de s'éveiller de son long sommeil. Cette fois-ci, il n'avait pas l'intention de se faire damer le pion par Hyménée. Il s'occuperait donc en premier lieu de cette Alicia Dumont. Par la suite, il trouverait un moyen de s'emparer d'Abbygaelle Beauchenais. Sûr de lui, il se dissipa dans un souffle funeste.

À son retour au chalet, Marcus affichait toujours ce même air féroce qui ne l'avait pas quitté depuis le début de sa confrontation avec Lucurius, et ses prunelles rougeoyaient d'un éclat meurtrier. À son entrée, Maximien et Florien cillèrent. Il exaltait de leur chef une aura maléfique qui les inquiéta d'emblée. De son côté, Vesta le dévisagea avec une certaine crainte. Ayant attenté à la vie de sa compagne, elle s'attendait au pire. À sa plus grande surprise cependant, il l'ignora. Il se dirigea plutôt vers Abbygaelle, qui était allongée sur le plancher, maintenue en place par Maximien, Florien et Daphnée. Toute la nuit, ils avaient lutté pour la contenir. Elle ne leur avait laissé aucun répit. Encore sous sa forme mi-garou, elle tremblait de toute part, parvenant à peine à demeurer lucide. Sur un signe discret de Marcus, les trois métamorphes la relâchèrent et s'éloignèrent non sans appréhension. Abbygaelle haletait et n'arrivait plus à y voir clair. Bien décidé à lui faire entendre raison, Marcus la redressa avec fermeté.

— Abby! lâcha-t-il avec autorité. Tu vas te battre! Tu m'entends? Reviens, avant qu'il ne soit trop tard!

La voix de Marcus avait une telle portée sur Abbygaelle que quelque part, enfouie au plus profond d'elle, une étincelle de conscience refit surface. Elle lutta âprement pour reprendre pied. D'emblée, sa mâchoire et ses crocs se rétractèrent, reprenant leur aspect initial. Marcus en profita alors pour l'embrasser avec passion, réveillant des émotions intenses dans son corps meurtri. Le souffle court, elle le repoussa et lui échappa en hurlant de rage. Avec agilité, il lui barra le chemin. Pendant ce temps, sa peau et ses oreilles retrouvèrent d'un seul coup leur apparence originale. Cependant, ses ongles demeuraient particulièrement affûtés, et son regard, habité d'une folie meurtrière. Transpercée par une douleur insupportable, elle se plia en deux dans un râle d'agonie. Du sang s'écoulait de ses blessures, formant des flaques sombres à ses pieds. Près d'elle, Marcus ressentait mille morts.

— Abby! Laisse-moi t'aider! Je peux mettre un terme à tes souffrances. Abby… murmura-t-il d'une voix poignante en prenant le risque de déposer une main apaisante sur sa joue.

Elle frissonna, puis ferma les yeux, en proie à un dilemme déchirant. Son cœur battait à un rythme effréné, sa respiration se faisait laborieuse. Quelques larmes perlèrent à ses paupières, tandis que ses griffes se rétractaient sous ses ongles. Plus rien ne subsistait de la bête, hormis un corps brisé. Elle était épuisée, sur le point de défaillir. Marcus fut gagné par une terreur sans nom. La nuit n'était pas encore achevée que déjà sa vie s'écoulait entre ses doigts. Apercevant le pieu toujours fiché dans son épaule gauche, il fit silencieusement signe à Maximien et à Florien de venir le rejoindre. Chacun d'eux empoigna l'un des coudes d'Abbygaelle. Lorsque leur prise fut affermie, il retira le morceau sans avertissement. La jeune femme hurla à pleins poumons sous la douleur, puis le mordit sauvagement dans le cou. Par réflexe, il l'assomma en la frappant au menton. Elle s'affala mollement dans les bras des deux hommes. Marcus grogna en se massant avec vigueur, remerciant le ciel d'être immunisé contre le poison des loups-garous. S'emparant de sa compagne, il l'allongea sur l'un des canapés.

Sur ses ordres, Maximien et Florien se postèrent de part et d'autre du fauteuil, en alerte. Quant à Daphnée, elle partit chercher des linges propres, ainsi qu'un bol d'eau dans la cuisine. Demeurée seule, Vesta assista de loin à cette scène étrange, l'esprit en déroute. Marcus lui jeta un coup d'œil glacial par-dessus son épaule. Ce fut suffisant pour la rendre nerveuse, la faisant douter dès lors de la justesse de ses actions. Avec d'infinies précautions, Marcus nettoya une à une les plaies sur le corps meurtri d'Abbygaelle. Par chance, le sang cessait peu à peu de s'écouler de ses blessures. Cependant, elle était d'une extrême pâleur, ce qui l'inquiéta. De plus, sa température était élevée, si bien qu'elle était prise de convulsions.

Alors que les heures s'égrainaient, elle s'affaiblissait considérablement. Marcus n'en pouvait plus d'attendre le lever du soleil, scrutant à plusieurs reprises l'horizon d'un regard torturé. De son côté, Daphnée rafraîchissait la peau brûlante d'Abbygaelle dans un silence lugubre. Vesta, qui s'était remise de ses émotions, avait regagné la cuisine afin d'y élaborer une boisson revigorante pour la jeune femme. Une pensée dérangeante l'habitait. En réalité, elle n'aurait jamais cru qu'Abbygaelle serait en mesure de mater le monstre en elle à un stade aussi avancé de sa mutation. Elle s'était préparée à devoir l'exécuter dès le début de sa mission, et voilà qu'elle se surprenait à combattre auprès des autres pour la sauver. Abbygaelle avait forcé son respect par sa volonté, son courage. De surcroît, Vesta reconnaissait en Marcus toutes les qualités nécessaires à un chef. Pour sa part, elle n'aurait aucune hésitation à le suivre si Hyménée venait à l'exiger d'elle. Troublée, elle se dirigea vers le salon, sa boisson brûlante entre les mains.

À sa demande, Marcus redressa Abbygaelle avec douceur, pendant qu'elle faisait couler lentement le liquide ambré dans sa gorge. La jeune femme errait sur des rivages incertains. Il était évident qu'au plus profond de son être, elle souhaitait mettre un terme à son calvaire. Pourtant, elle était incapable de se soustraire aux intonations chaudes de Marcus. Celui-ci ne cessait de l'enjoindre à revenir. Comme une réponse à ses appels poignants, son esprit remonta graduellement à la surface. Puis, son cœur battit à l'unisson du sien. Les ténèbres relâchèrent leur emprise sur son âme. Elle perçut la chaleur bienfaitrice qui l'entourait. Son retour dans le monde réel concorda avec le lever du soleil.

— Marcus… parvint-elle à murmurer entre ses lèvres craquelées.

Comprenant alors qu'elle avait survécu à cette nuit d'horreur, elle laissa des larmes libératrices rouler sur ses joues. La bête était dorénavant sous sa domination. Lucurius avait perdu. Portant une main hésitante à son ventre, elle éprouva un vif soulagement en sentant que son enfant avait également survécu.

Ému, Marcus enfouit son visage dans sa chevelure bouclée. Tout comme lui à une époque lointaine, elle avait combattu et vaincu. Relevant la tête, il la fixa longuement, n'arrivant pas à croire encore à ce miracle. Il avait été si près de la perdre. Abbygaelle lut un tel bonheur dans son regard qu'elle en eut le souffle coupé. De ses doigts tremblants, elle effleura sa joue. Il les recouvrit des siens, les pressant avec amour.

ÉPILOGUE

Un soleil brillant réchauffait le sable de ses rayons ardents. Allongée sur le côté, Abbygaelle goûtait pleinement à la quiétude des lieux. L'esprit en paix, elle se laissa bercer par le bruit des vagues qui venaient mourir sur la grève. Une brise légère faisait virevolter quelques mèches de ses cheveux, lui apportant l'odeur si familière de la mer. L'endroit était paisible. Nulle vision d'horreur ne s'y rattachait. La tête appuyée sur les jambes de Marcus, elle appréciait à sa juste valeur la joie toute simple d'être auprès de lui. Marcus, pour sa part, caressait ses boucles folles avec tendresse, ce qui provoqua une réponse de plaisir en elle. En prenant conscience de son trouble, le sourire de Marcus s'élargit. Avec sensualité, il laissa ses doigts s'égarer sur sa nuque, puis sur ses épaules.

Il y avait déjà une semaine que l'enfer dans lequel elle avait été plongée avait pris fin. Plus aucune blessure ne subsistait de cet affrontement sauvage ; seuls demeureraient des cicatrices, ainsi que de fréquents cauchemars une fois la nuit venue. Cependant, Marcus la veillait avec amour, chassant toujours ces mauvais rêves par de doux baisers et des mots réconfortants chuchotés à son oreille.

Les jours s'écoulaient donc tranquillement. Étant donné que son père les avait rejoints, Abbygaelle était plus que jamais comblée.

Tout en s'étirant, elle souleva ses paupières alourdies par le sommeil et croisa le regard enflammé de Marcus. Aussitôt, tout son corps s'embrasa. Elle avait si faim de lui que son refus constant de vouloir la faire sienne commençait sérieusement à la frustrer. Marcus désirait qu'elle soit pleinement rétablie avant d'engager tout rapport intime entre eux. Il craignait trop de l'affaiblir ou de la blesser. Voilà pourquoi il rongeait son frein. Heureusement, cette abstinence forcée tirait à sa fin.

Il se pencha vers elle et recouvrit ses lèvres d'un baiser langoureux. Abbygaelle soupira d'aise, impatiente de le recevoir enfin en elle. Du bout des doigts, il frôla son cou, défaisant au passage les boutons de son chemisier, afin d'avoir accès à ses trésors. Il poursuivit son exploration jusqu'à la limite de sa culotte. D'agréables frissons parcoururent Abbygaelle alors que tout son corps s'enflammait. Ayant désormais l'éternité devant lui, Marcus embrassa chaque parcelle de sa peau, tout en pressant avec douceur l'extrémité sensible de ses seins. Abbygaelle chercha à le dévêtir, mais il la repoussa tendrement.

— Accorde-moi le plaisir de savourer cet instant, Abby... murmura-t-il d'une voix rauque. Il y a si longtemps que j'attends ce moment...

Plongeant son regard dans le sien, elle se perdit dans l'immensité de ses prunelles sombres. Laissant fuser une faible dose de ses phéromones, il contempla avec allégresse le portrait enchanteur qu'elle offrait. Lèvres entrouvertes, paupières closes, elle bascula la tête vers l'arrière, s'offrant sans retenue à sa convoitise.

Avec une lenteur démesurée, il la départit de ses vêtements. Le contraste de sa nudité l'excita d'autant plus. Dans un supplice sensuel, il caressa avec un art exquis l'intérieur de ses cuisses, pour ensuite se diriger vers la source même de sa fièvre. Ses doigts glissaient sur l'arrondi de ses fesses, frôlant au passage le bourgeon sensible au cœur de sa féminité. Le souffle court, Abbygaelle se tendait vers lui avec des gémissements rauques qui lui faisaient perdre tout bon sens. Avec célérité, Marcus se déshabilla à son tour. S'allongeant sur le dos, il l'incita à s'agenouiller sur lui de dos, les jambes écartées de chaque côté de ses hanches. Tout en enserrant sa taille, il la fit descendre sur sa virilité gorgée. Il la pénétra profondément. Abbygaelle retint son souffle lorsqu'il l'emplit tout entière. En se penchant vers l'avant, elle offrait une vue saisissante sur certaines parties affriolantes de son anatomie. Alors qu'elle entamait un lent mouvement de va-et-vient langoureux, il en profita pour la caresser plus intimement encore. Haletante, elle accentua la cadence, prise dans un tourbillon de plaisir. De le sentir si fort et si dur en elle la rendait folle de désir, surtout qu'il se mouvait avec une puissance qui l'excitait considérablement. Soufflée par un orgasme fulgurant, elle perdit pied. Avec agilité, Marcus la souleva et se plaça derrière elle. À quatre pattes, en appui sur ses avant-bras, elle se porta à sa rencontre. Dominée par lui, elle se laissa transporter dans une folle escalade. En proie à un désir brut, Marcus la posséda pleinement, la faisant jouir une seconde fois. Ce ne fut qu'à cet instant qu'il s'autorisa à savourer à son tour les délices de la félicité.

Dans ce moment de parfaite communion, Marcus oublia tout de la douleur qui avait été la sienne auparavant. Après tous ces siècles d'errance, il avait enfin trouvé son havre de paix…

Ne manquez pas la suite

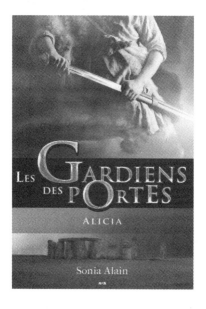

CHAPITRE I

Découverte d'un monde parallèle

A licia contemplait à travers la fenêtre le paysage enchanteur qui défilait sous ses yeux. À l'opposé de ses deux amies, Caroline et Hélène, qui somnolaient, elle était incapable de détacher son regard des Highlands. Parties de la gare d'Édimbourg le matin même, elles s'étaient embarquées sur le First ScotRail, qui assurait la liaison jusqu'à Inverness.

En songeant aux huit semaines qui venaient de s'écouler, Alicia appuya sa nuque contre le dossier du siège en fermant brièvement les paupières. Cet interlude lui avait permis de se remettre de l'épreuve horrible qu'elle avait subie quelques mois plus tôt. Non qu'elle puisse oublier un jour le corps mutilé de sa colocataire, Courtney, mais du moins elle ne faisait plus de cauchemars la nuit. Par chance, Caroline et Hélène s'étaient montrées des plus compréhensives envers elle, se révélant des compagnes fort divertissantes. Toutes trois passionnées par les Highlands et la culture celtique, elles avaient décidé d'un commun accord de s'offrir ce voyage de rêve. Leur sac sur le dos, elles avaient pris l'avion à destination de l'Écosse.

Arrivées à temps pour le Festival international d'Édimbourg qui avait lieu chaque année, elles avaient déambulé plusieurs jours dans les rues animées de la capitale, assistant aux parades militaires sur l'esplanade du château d'Édimbourg. Au souvenir de tous ces Écossais qui portaient le kilt, un sourire fleurit sur les lèvres d'Alicia. Plusieurs de ces jeunes hommes étaient de magnifiques spécimens en soi. Avec leurs mollets musclés, leur torse bien dessiné sous leur chemise, ainsi que leur allure arrogante, elles en avaient eu pour leur argent. Surtout Hélène, qui n'avait cessé de les lorgner, la bouche grande ouverte. Toutefois, si elle voulait se montrer honnête avec elle-même, Alicia devait s'avouer ne pas avoir été indifférente non plus à tout ce déploiement de forces brutes. Ce soir-là, elles étaient retournées à leur petit hôtel pittoresque les yeux brillants.

Les jours s'étaient succédé à un rythme effréné, se transformant en semaines, puis en mois. Fidèles à leur goût pour la musique écossaise, elles s'étaient jointes en septembre à un groupe organisé qui se rendait à Inverness par autobus afin d'assister à la plus prestigieuse compétition de joueurs de cornemuse en solo du monde. Elles n'avaient pas été déçues, loin de là. Au souvenir de la mélodie enchanteresse qui avait filtré de cet instrument à vent des plus particuliers, Alicia frissonna. Pour une raison qu'elle ne parvenait pas à s'expliquer, les sons que les musiciens extirpaient de la cornemuse la chaviraient ; comme si son âme s'envolait en symbiose avec l'air harmonieux qui s'en échappait.

Bercée par le va-et-vient constant du train, Alicia s'assoupit à son tour, la tête emplie d'images merveilleuses.

Dès leur arrivée à la gare d'Inverness, les trois jeunes femmes regagnèrent sans plus tarder le Glen Mhor Hotel pour y déposer leurs effets personnels. Alicia avait besoin d'une bonne nuit de sommeil afin d'être fraîche et dispose pour leur excursion dans les Highlands le lendemain. À la seule pensée de fouler le sol où s'était déroulée la bataille de Culloden, elle éprouva un pincement incompréhensible au cœur. Tant de valeureux Highlanders avaient péri lors de ce soulèvement jacobite, tant de richesses y avaient été perdues… Que n'aurait-elle pas donné pour entrevoir ces guerriers farouches animés d'une telle flamme patriotique, portant fièrement le kilt aux couleurs de leur clan, et avançant au rythme de la cornemuse ? L'évènement avait dû être effroyable et fantastique tout à la fois ! Surprise par la tournure de ses réflexions, Alicia se secoua en fronçant les sourcils. D'où pouvaient bien lui venir toutes ces idées loufoques ?

Cette nuit-là, son sommeil fut peuplé d'étranges visions. À son réveil, même si ses rêves s'étaient évaporés, elle garda en mémoire l'image troublante d'un homme revêtu d'un plaid, dont le regard avait la teinte chaude de l'ambre. Alicia réfréna un frisson d'appréhension à son souvenir. Cet individu lui avait semblé si réel que cela l'avait perturbée au-delà de tout raisonnement. Elle se releva précipitamment, en proie à une vive émotion. En se glissant dans la douche, elle se dit que mieux valait oublier toute cette histoire. Après tout, il ne s'agissait que d'un songe, rien de plus.

Deux jours plus tard, alors qu'elle contemplait le loch[1] Ness, Alicia réfléchit de nouveau à ce rêve récurrent. Tout comme le premier soir, elle revit l'inconnu plus sombre que jamais, un sourire énigmatique sur les lèvres. Le début de barbe sur son menton et ses joues, en plus de son teint hâlé, accentuait davantage la dureté de ses traits. Il exhalait de sa personne une énergie troublante. Pourquoi diable l'image de cet homme la hantait-elle ainsi ? Était-ce la beauté sauvage des lieux qui l'influençait ou bien était-elle encore ébranlée par les évènements survenus près du campus du cégep ? « Fichtre, je vais devoir juguler mon imagination débridée ! » se morigéna-t-elle en dirigeant son regard vers les eaux limpides. D'humeur taciturne depuis son réveil, elle avait préféré s'isoler quelques heures de ses amies afin de chercher un peu d'apaisement dans ce décor hors du temps.

---

1. Lac allongé.

Elle inspira profondément, tout en prenant appui sur l'un des rochers couverts de lichen pourpre. Elle enfouit ses pieds nus dans la mousse humide du sol après s'être départie de ses chaussures et de ses bas. La lande s'étendait à perte de vue, contrastant avec la pureté d'un ciel bleu sans nuages. De petits tertres apparaissaient par endroits parmi les fougères et les bruyères, minuscules buttes de terre tapissée de thalles. Portant son regard plus loin, elle aperçut les énormes bovins des Highlands qui broutaient tranquillement. En matinée, elle avait pris plaisir à visiter les vestiges du château de Sinclair. Avec respect, elle avait frôlé du bout des doigts les pierres grisâtres usées par le passage des siècles. Une douce nostalgie l'avait alors envahie à leur contact, faisant resurgir une agitation inexplicable. Elle avait été surprise par la virulence de ses émotions, plus appuyées encore depuis leur arrivée au cœur des Highlands. C'était comme si une sensation de déjà-vu l'habitait. Son estomac se noua à ce souvenir.

Ébranlée, elle ne remarqua pas de prime abord qu'un épais brouillard s'était formé, remontant peu à peu des profondeurs de la vallée. Une impression de froid intense la saisit simultanément. Si elle n'avait pas été le seul être humain à des lieues à la ronde, elle aurait pu croire qu'une présence étrangère l'observait avec acuité. L'esprit soudain en alerte, elle parcourut la lande d'un regard incertain. Un faible murmure parvint jusqu'à elle au moment même où la brume l'enveloppait. N'y voyant plus rien, elle se recroquevilla sur elle-même, le cœur en déroute. Sa respiration s'accéléra, un poids oppressa sa poitrine. Elle chercha à percer le voile opaque qui l'entourait tout en resserrant ses bras autour de ses jambes. Ce fut alors que quelque chose effleura sa joue, la faisant tressaillir. Une voix lointaine susurra à son oreille une incantation dans une langue beaucoup trop ancienne pour qu'elle puisse en saisir le sens. Au son de ce ton doucereux, Alicia s'effondra mollement sur le tapis de mousse. Le brouillard se dispersa aussitôt comme par enchantement, laissant place à un soleil éclatant.

Quand Caroline et Hélène la rejoignirent, Alicia dormait paisiblement dans l'herbe fraîche. Elle se réveilla en sursaut à leur arrivée, se figeant d'instinct. Se redressant sur un coude, elle remarqua avec étonnement que la brume avait déserté la lande. Elle s'efforça d'afficher une expression sereine sur son visage lorsqu'elle constata que ses deux amies l'observaient avec inquiétude. Elle ne désirait pas les affoler inutilement. Cependant, au plus profond de son être, un malaise persista, comme un écho provenant des recoins secrets de son âme.

Les archipels situés au nord de l'Écosse se dressaient dans l'onde agitée. Appuyée au bastingage du bateau qui les amenait tout droit vers les îles Orcades, Alicia contemplait avec ravissement le paysage à couper le souffle, lui faisant oublier momentanément les préoccupations qui la tracassaient depuis la veille. Même de loin, elle pouvait apercevoir le littoral dénudé de tout arbre. Elles devaient se rendre sur l'île Hoy en premier lieu. C'était là que se trouvait le bungalow dans lequel elles résideraient dans les jours à venir.

À peine débarquée, Alicia offrit son visage à la caresse du vent tout en inspirant pleinement l'air marin du large. C'était si vivifiant... Avec une bonne humeur contagieuse, ses deux amies glissèrent leur bras sous les siens, l'entraînant à leur suite.

— Allez, viens Alicia. De fabuleuses découvertes nous attendent, lança joyeusement Caroline.

— De beaux jeunes hommes forts et séduisants également, ajouta Hélène avec humour.

— Hélène, ne peux-tu donc songer à autre chose qu'à ces Écossais en kilt ? demanda Caroline en s'esclaffant.

Un sourire amusé se dessina sur les lèvres d'Alicia. Depuis cette fameuse compétition de cornemuse, ce sujet était devenu le point chaud de leurs taquineries mutuelles. Elles en riaient d'ailleurs toujours à leur arrivée au bungalow. Alicia s'immobilisa à la vue de la maison. Le bâtiment qui se détachait sur l'étendue d'eau en contrebas était des plus originaux, surtout avec son toit escarpé qui se colorait de mille feux sous le soleil couchant. Se décidant à entrer à la suite de ses deux amies, Alicia réprima de justesse un gloussement en découvrant à brûle-pourpoint l'ahurissement d'Hélène.

— Merde ! Dites-moi que je rêve, les filles ! s'exclama celle-ci avec vivacité. Y a-t-il seulement quelque chose qui ne soit pas rose dans cette pièce ?

En apercevant à son tour le décor de la chambre qui leur était réservée, Alicia s'efforça de garder son sérieux pour ne pas froisser les propriétaires qui se trouvaient peut-être dans les parages, alors que Caroline demeurait muette d'étonnement.

— Hélène, ce n'est pas grave. Tant que les lits sont confortables… déclara-t-elle en avisant les courtepointes fuchsia, le papier peint fleuri dans les teintes de magenta, ainsi que les rideaux rose pâle.

— Tu te moques de moi, Alicia ? demanda la principale intéressée avec incrédulité. Tu ne vas tout de même pas prétendre que c'est prodigieux ?

— Je n'irais pas jusque-là, concéda Alicia avec une note d'amusement dans la voix. Cependant, avoue que c'est assez unique en son genre, poursuivit-elle en faisant un clin d'œil complice à Caroline.

Devinant que ses amies se gaussaient à ses dépens, Hélène haussa les épaules, préférant s'installer plutôt que d'argumenter davantage sur le sujet. Connaissant son tempérament irascible, Caroline la rejoignit.

— Il n'y a pas de quoi fouetter un chat. Après tout, nous sommes que de passage.

Elle enserra sa taille dans une étreinte amicale, puis l'embrassa sur la joue.

❋   ❋   ❋

Au cœur de la nuit, Alicia rêva de nouveau au Highlander. Cette fois-ci, il lui fit signe de le suivre, ce qui ne manqua pas de la troubler. Elle refusa net, mue par son instinct. L'inconnu plissa les paupières face à son opposition évidente. Il la transperça de son regard vif, un sourire sarcastique sur ses lèvres. Alicia le fixa entre ses cils mi-clos, mal à l'aise. Elle l'observa avec circonspection, cherchant à percer ses pensées, sans succès. À peine cligna-t-elle des yeux qu'il avait disparu. Elle recula d'un pas, nullement rassurée. Ce fut à cet instant précis qu'elle s'éveilla, le cœur battant la chamade. Elle se redressa, une main sur la poitrine. Elle demeura longuement assise dans le noir, déstabilisée par cette vision fugace. Impossible de se rendormir désormais.

Toutefois, rien n'y paraissait plus lorsqu'elle rejoignit Hélène et Caroline sur l'île de Mainland. Le climat était des plus agréables en cette saison, un temps très doux comme souvent au début de novembre. C'était l'époque du « Peedie Summer » pour la région : le petit été. Le vent soufflait faiblement, faisant virevolter les mèches brunes d'Alicia, occultant de cette manière le trouble qui la perturbait depuis son réveil. Par bonheur, ses deux amies ne semblaient pas avoir remarqué son agitation, elle n'aurait donc pas à subir leurs taquineries habituelles. De toute façon, elle désirait chasser de son esprit cette impression de catastrophe imminente qui l'habitait. Cette escapade tombait à point. Explorer le cercle de pierres de Brodgar, voilà ce qu'il lui fallait.

Une fois arrivée sur les lieux, Alicia demeura sans voix en apercevant les vingt-sept monolithes qui se détachaient du ciel bleu, ainsi que la lande jonchée de lichen. Le site se trouvait sur une bande de terre étroite, au centre de deux lochs. L'effet était des plus saisissants ! Elle savait, pour l'avoir lu quelque part dans ses brochures touristiques, que le rond presque parfait de cent trois mètres de diamètre était composé à l'origine de soixante dolmens.

www.ada-inc.com
info@ada-inc.com

f www.facebook.com/EditionsAdA

www.twitter.com/EditionsAdA